중학교

도덕 ②
평가문제집

추병완 교과서편

구성과 특징

중단원 내용 이해하기

교과서의 내용을 한눈에 파악할 수 있도록 핵심 개념을 쏙쏙 뽑아 정리하였습니다.

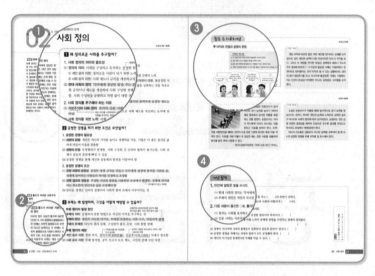

❶ 내용 정리

교과서의 기본 개념과 핵심 내용을 쉽게 이해할 수 있도록 정리하였습니다.

❷ 용어 / 사례 / 보충

내용을 이해하는 데 도움이 되도록 용어 풀이와 관련 사례, 보충 자료를 제시하였습니다.

❸ 활동 속 자료&개념

교과서 활동하기에 제시된 자료를 꼼꼼하게 해설하고, 관련된 개념을 정리하였습니다.

❹ 개념 꿀꺽

다양한 개념 문제를 풀어 봄으로써 배운 내용을 확인해 볼 수 있습니다.

문제와 수행 평가로 실력 다지기

기본문제와 실전문제를 풀어 실력을 다지고, 다양한 유형의 활동을 통해 해당 단원에 대한 이해가 제대로 되었는지 점검해 볼 수 있습니다.

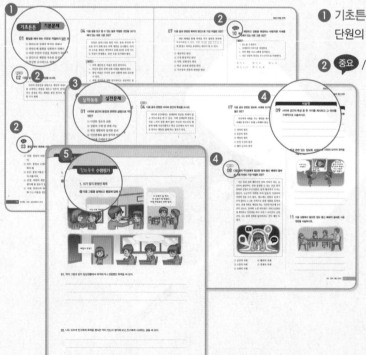

❶ 기초튼튼 기본문제

단원의 핵심 내용을 중심으로 기본문제를 구성하였습니다.

❷ 중요 / 고난도 / 주관식

내용을 파악할 수 있는 '중요'문제와 실력을 높일 수 있는 '고난도' 문제, 그리고 주관식 문제를 제시하여 기본을 충실히 닦을 수 있도록 하였습니다.

❸ 실력쑥쑥 실전문제

고득점을 위해 반드시 풀어 봐야 할 문제들을 풍부하게 수록하였습니다.

❹ 빈출 / 서술형 문제

시험에 자주 출제되는 '빈출' 문제와 서술형 문제를 마련하여 실전에 대비할 수 있도록 하였습니다.

❺ 창의쑥쑥 수행평가

중단원별로 교과서에 없는 다양한 유형의 활동을 제시하였습니다.

대단원 마무리하기

대단원의 학습 내용을 종합적으로 점검해 볼 수 있도록 대단원 한눈에 보기와 보충 설명, 그리고 핵심 문제를 수록하였습니다.

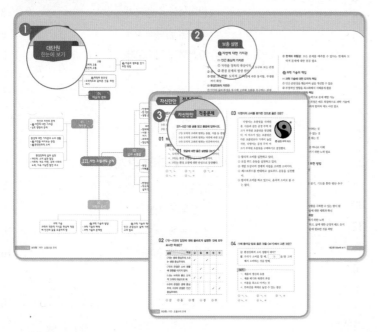

1 대단원 한눈에 보기
대단원에서 배운 내용을 마인드 맵을 이용하여 일목요연하게 정리하였습니다

2 보충 설명
대단원 내용 중에서 필수적으로 알아야 할 중요 개념을 수록하였습니다.

3 자신만만 적중문제
대단원을 종합적으로 점검해 볼 수 있도록 중단원 순서에 맞추어 핵심 문제를 수록하였습니다.

시험 대비 최종 문제

실제 학교에서 필수적으로 나올 만한 문제를 총 2회 수록하여 각종 시험에 대비할 수 있도록 하였습니다.

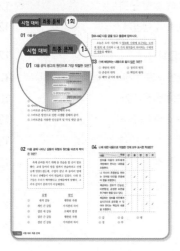

정답과 해설

정답과 자세한 해설을 통해 문제를 제대로 풀었는지 확인할 수 있습니다.

1 채점 기준
서술형 문제에 대한 채점 기준을 제시하였습니다.

2 오답 피하기
옳지 않은 선택지를 바로잡아 틀린 부분을 쉽게 이해할 수 있습니다.

차례

I

타인과의 관계

01

정보·통신 윤리

1 정보화 시대에 발생하는 도덕 문제에는 어떤 것이 있을까?

1. 정보화 시대와 우리 삶

(1) **정보화 시대의 특징**: 컴퓨터나 다중 매체, 통신 수단의 발달로 정보의 대량 생산, 유통, 소비 등이 더욱 빠른 속도로 이루어짐 여럿이라는 멀티(multiT)와 정보의 유형을 뜻하는 미디어(media)의 합성어로 여러 정보의 형태를 컴퓨터로 다룰 수 있는 것을 뜻함

(2) **사이버 공간의 등장**: 인간관계와 삶의 방식이 다양하게 변화함, 거리에 구애받지 않고 자유롭게 의사소통이 가능함, 상품의 판매 및 구입이 가능함

2. 정보화 시대의 도덕 문제

(1) 사이버 공간에서 인간 존엄성의 훼손

(2) 정보·통신 기술의 불법적인 사용

(3) 타인의 지식 재산권 침해

(4) 인터넷이나 스마트폰의 중독 ——— 지적 활동으로 인해 발생하는 모든 재산권

2 정보화 시대에 도덕적 책임이 필요한 이유는 무엇일까?

1. 사이버 공간의 특성과 도덕적 책임의 필요성

(1) **사이버 공간의 특성**

　① **익명성**: 나의 정체를 드러내지 않고 활동할 수 있음

　② **개방성**: 누구에게나 개방되어 있어 자유로운 의견 제시가 가능함

　③ **공유성**: 실시간으로 많은 사람과 정보를 공유할 수 있음

　④ **비대면성**: 상대방과 얼굴을 맞대지 않고 의사소통이 가능함

(2) **도덕적 책임의 필요성**

　① 익명성을 악용해 무책임하게 행동하는 사례가 발생함

　② 잘못된 정보의 개방과 공유로 피해가 발생함

　③ 비대면성의 특성으로 인해비도덕적 행동에 무감각하게 됨

2. 정보화 시대에 요구되는 도덕적 원칙

(1) **존중의 원칙**: 내가 존중받기를 원하는 것처럼 타인을 존중해야 함

(2) **책임의 원칙**: 행동의 결과를 생각해야 하고 이를 책임질 수 있어야 함

(3) **정의의 원칙**: 타인의 자유와 권리를 침해하지 않아야 함

(4) **해악 금지의 원칙**: 타인에게 피해를 주는 행위를 하지 않아야 함
　　　　　　　　　　└─── 해가 되는 나쁜 일

3 정보·통신 매체를 올바르게 사용하기 위해 어떠한 태도가 필요할까?

1. 정보·통신 매체의 올바른 사용 자세

(1) **무분별한 사용의 문제**: 게임 중독이나 인터넷 중독에 빠질 수 있음, 조화로운 인간관계를 유지하기 어려움

(2) **올바른 사용 자세**: 절제의 자세, 긍정적으로 활용하려는 자세

2. 정보·통신 매체의 올바른 사용 방법 └─ 학습, 자기 계발, 여가 활동, 사회 참여 활성화 등

(1) 필요한 경우에만 사용함

(2) 사용이 허용되는 시간과 장소에서만 사용함

(3) 타인에 대한 배려와 성찰의 자세를 가짐

(4) 사용에 몰두하기보다 나에게 소중한 사람들과의 관계를 신경써야 함

보충 **저두족과 스몸비족**

중국에서는 스마트폰에 빠져 고개를 들지 않는 사람을 '고개 숙인 족속'이라는 의미에서 '저두족(低頭族)'이라 부른다. '스몸비(smombie)족'은 '스마트폰(smartphone)'과 '좀비(zombie)'의 합성어로 스마트폰에 푹 빠져 외부 세계와 단절된 사람을 지칭한다. '저두족'과 '스몸비족' 모두 스마트폰에 중독된 사람을 일컫는 말이다.

활동 속 자료&개념

🔎 사이버 공간의 특성은?

한국 인터넷 진흥원의 실태 조사에 따르면, 10대 청소년들 가운데 절반 정도가 악성 댓글을 달아 본 경험이 있고, 20대도 거의 30 %에 다다랐다. 50대 이상 중·장년층도 열 명 중 한 명은 '악성 댓글'을 달아 본 경험이 있었다.

－「헤럴드경제」, 2015. 2. 13.

연령별 악성 댓글 경험자

연령	(%)
10대	48.0
20대	29.0
30대	17.4
40대	14.8
50대	11.7

－한국인터넷진흥원, 2011.

교과서 17쪽

개념 쏙쏙

- 익명성: 나의 정체를 드러내지 않고 활동할 수 있음
- 개방성: 누구에게나 개방되어 있어 자유로운 의견 제시가 가능함
- 공유성: 실시간으로 많은 사람과 정보를 공유할 수 있음
- 비대면성: 상대방과 얼굴을 맞대지 않고도 의사소통이 가능함

🔎 정보·통신 매체의 올바른 사용을 위한 나의 약속

교과서 23쪽

정보·통신 매체의 올바른 사용을 위한 나의 약속

나 (   )은/는 정보·통신 매체를 사용하면서 다음 사항을 반드시 실천할 것을 약속합니다.

첫째. _____

둘째. _____

셋째. _____

20   년   월   일

서약자 (   ) (인)

친구들의 격려와 서명

_____ (   ) (인)

_____ (   ) (인)

_____ (   ) (인)

자료 해설

사이버 공간의 특성으로부터 발생하는 사이버 범죄의 양심에 대해 평가하고 자신의 모습을 반성한다.

예 필요한 경우에만 사용하기 / 정보·통신 매체 사용이 허용되는 시간과 장소를 분명히 인식하며 사용하기 / 타인을 배려하고 성찰하는 자세를 지니고 소통하기 / 정보·통신 매체 사용에 몰두하기보다는 나에게 소중한 사람들의 관계를 먼저 생각하는 존중의 마음 갖기

개념 꿀꺽

1. 빈칸에 알맞은 말을 쓰시오.

(1) 사이버 공간의 특성은 (   ), (   ), (   ), (   )이 있다.

(2) 정보·통신 매체를 사용할 때에는 (   )의 자세가 필요하다.

2. 다음 내용이 옳으면 ○표, 틀리면 X표 하시오.

(1) 사이버 공간의 등장은 현대 사회에서 삶의 방식을 다양하게 변화시키고 있다. (   )

(2) 사이버 공간에서 상대방의 반응을 직접 느끼지 못할 때가 많은 것은 개방성과 관련이 깊다. (   )

(3) 책임의 원칙이란 사이버 공간에서 타인에게 피해를 주는 행위를 해서는 안 되며, 또 피해를 방지하기 위해 노력해야 함을 의미한다. (   )

(4) 정보·통신 매체를 사용해 소통할 때에는 타인을 배려하고 성찰하는 자세를 가져야 한다. (   )

정답
1. (1) 익명성, 개방성, 공유성, 비대면성
   (2) 절제   2. (1) ○ (2) X (3) X (4) ○

01 정보화 시대의 특징으로 옳은 것은?

① 멀리 떨어진 사람과 정보를 주고받기 어려워졌다.
② 사이버 공간이 사라지고 현실 공간이 중요해졌다.
③ 인간관계와 삶의 방식이 다양하게 변화하고 있다.
④ 다중 매체의 발달로 정보가 소량으로 생산되고 있다.
⑤ 통신 수단이 발달하면서 정보의 유통 속도가 느려졌다.

02 정보화 시대에 나타날 수 있는 도덕 문제로 적절하지 않은 것은?

① 타인의 사생활 침해
② 타인의 지식 재산권 침해
③ 인터넷이나 스마트폰의 중독
④ 정보·통신 기술의 불법적인 사용
⑤ 사이버 공간에서의 인간의 존엄성 구현

03 정보화 시대에 필요한 태도에 대한 학생들의 대화로 적절하지 않은 것은?

① 현수: 사이버 공간에서도 다른 사람을 존중하는 자세가 정말 중요한 거 같아.
② 미정: 사이버 공간에서 악성 댓글을 달거나 인신공격을 하지 않도록 조심해야겠어.
③ 수란: 스마트폰을 자주 사용해 공부와 일상생활에 방해되는 것 같아서 사용을 줄이려고 해.
④ 주희: 정보·통신 매체가 편리함을 주지만, 어떻게 올바로 활용할 수 있을지 생각해 봐야 해.
⑤ 영준: 인터넷을 통해 노래를 무료로 내려받았어. 특별한 허락 없이 사용할 수 있어서 참 편해.

04 ㉠에 들어갈 올바른 말을 쓰시오.

> 정보화 시대에는 컴퓨터나 다중 매체, 통신 수단 등의 발달로 정보의 대량 생산, 유통, 소비 등이 더욱 빠른 속도로 이루어진다. 특히 ㉠ 의 등장으로 공간의 제약이 없어져 멀리 떨어진 사람과도 소통하고 정보를 주고받으며 상품을 사고팔 수도 있게 되었다.

(   )

05 자신의 정체를 드러내지 않고 활동을 할 수 있는 사이버 공간의 특성으로 옳은 것은?

① 개방성   ② 공유성   ③ 익명성
④ 일방성   ⑤ 비대면성

06 다음 글에서 알 수 있는 사이버 공간의 특성으로 가장 적절한 것은?

> <민주의 일기>
> 오늘 결국 윤정이와 싸웠다. 윤정이는 나에게 매일 밤부터 새벽까지 쉴 새 없이 문자 메시지로 말을 걸었고, 내가 싫어하는 농담을 던졌다. 몇 번이나 참은 후 윤정이에게 '그만하라고 말했지만, 윤정이는 나보고 같이 장난치며 놀 때는 언제고 변덕을 부린다고 했다. 내가 힘들어하는 게 윤정이에게는 전혀 느껴지지 않는 것 같다.

① 개방성   ② 공유성
③ 익명성   ④ 일방성
⑤ 비대면성

주관식

07 다음 글이 설명하는 정보화 시대의 도덕적 원칙을 쓰시오.

> 모든 개인은 동등한 자유의 권리를 갖고 있으므로 타인의 기본적 자유와 권리를 침해하지 않아야 한다. 또한, 자신이 제공하는 정보의 진실성, 비편향성, 공정한 표현을 추구해야 한다.

( )

빈출

08 (가), (나)에 들어갈 단어로 옳은 것은?

> • ___(가)___ 의 원칙은 사이버 공간에서는 내가 존중받기를 원하는 것처럼 타인을 존중해야 한다.
> • ___(나)___ 의 원칙은 나의 행동으로 인한 결과를 생각하면서 더욱 신중하게 행동해야 하고, 결과에 대해 책임을 질 수 있는 자세가 요구된다.

	(가)	(나)
①	존중	정의
②	존중	책임
③	책임	정의
④	책임	해악 금지
⑤	정의	해악 금지

09 다음 글과 관련된 정보·통신 매체의 올바른 사용 자세로 가장 적절한 것은?

> 정보·통신 매체를 사용할 때에는 필요한 용도에 맞게 적절한 시간 동안 사용하는 자세가 필요하다.

① 공감의 자세
② 배려의 자세
③ 이해의 자세
④ 절제의 자세
⑤ 포용의 자세

고난도

10 정보·통신 매체의 올바른 사용 태도를 〈보기〉에서 있는 대로 고른 것은?

보기

> ㄱ. 타인을 배려하고 성찰하며 예의를 갖추어 사용한다.
> ㄴ. 사이버 공간의 대상은 사람이 아니라 인터넷이라는 생각을 가진다.
> ㄷ. 무분별하게 사용하지 않고 필요한 경우에만 사용하는 자세를 지닌다.
> ㄹ. 매체의 사용이 허용되는 시간과 장소를 인식하고 활용하겠다는 원칙을 바탕으로 사용한다.

① ㄱ, ㄴ
② ㄱ, ㄷ
③ ㄴ, ㄷ
④ ㄱ, ㄴ, ㄷ
⑤ ㄱ, ㄷ, ㄹ

서술형

11 정보화 시대에 발생하는 도덕 문제를 세 가지 이상 서술하시오.

12 정보·통신 매체를 올바르게 사용하는 태도를 두 가지 이상 구체적으로 서술하시오.

01 사이버 공간의 등장과 관련된 설명으로 적절하지 <u>않은</u> 것은?

① 다양한 정보의 교환
② 상품의 구매 및 판매 가능
③ 현실 생활과의 엄격한 분리
④ 인간관계와 삶의 방식의 다양한 변화
⑤ 거리에 구애받지 않는 자유로운 의사소통

02 사이버 공간에서 나타날 수 있는 문제점을 〈보기〉에서 있는 대로 고른 것은?

보기
ㄱ. 악성 댓글
ㄴ. 악의적 비방
ㄷ. 욕설과 인신공격
ㄹ. 인간의 존엄성 보호

① ㄱ, ㄴ
② ㄱ, ㄷ
③ ㄴ, ㄷ
④ ㄱ, ㄴ, ㄷ
⑤ ㄱ, ㄴ, ㄹ

03 빈출 다음 글에 나타난 정보화 시대의 도덕 문제로 가장 적절한 것은?

타인이 개발한 프로그램, 사진, 그림, 보고서, 연구 결과 등을 사전에 허락 없이 복제하여 사용하거나 유포하는 행위

① 인간 존엄성 훼손
② 정보·통신 기술의 퇴보
③ 타인의 지식 재산권 침해
④ 악성 댓글로 인한 마음의 상처
⑤ 인터넷 중독으로 삶의 질 저하

04 주관식 다음 글과 관련된 사이버 공간의 특성을 쓰시오.

사이버 공간에서는 상대방과 얼굴을 맞대지 않고 의사소통을 할 수 있다. 이때 상대방의 반응을 직접 느끼지 못할 때가 많아 자신의 비도덕적 행동에 대해 무감각해지고 현실 공간에서 하기 어려운 말이나 행동을 쉽게 하는 경우가 있다.

(   )

05 (가), (나)에 들어갈 단어로 옳은 것은?

사이버 공간의 특성으로는 누구에게나 개방되는 (가) 과 정보를 공유할 수 있는 (나) 이 있다. 따라서 글이나 그림, 사진 등의 정보를 실시간으로 많은 사람과 공유할 수 있다.

	(가)	(나)
①	개방성	공유성
②	개방성	비대면성
③	공유성	개방성
④	익명성	공유성
⑤	익명성	비대면성

06 정보화 시대에 요구되는 도덕적 원칙으로 옳지 <u>않은</u> 것은?

① 정의의 원칙
② 존중의 원칙
③ 책임의 원칙
④ 본인 우선의 원칙
⑤ 해악 금지의 원칙

07 다음 글과 관련된 정보화 시대에 요구되는 원칙으로 옳은 것은?

> 타인에게 피해를 주는 행위를 해서는 안 되며, 피해를 방지하기 위해 노력해야 함을 의미한다.

① 정의의 원칙
② 존중의 원칙
③ 책임의 원칙
④ 본인 우선의 원칙
⑤ 해악 금지의 원칙

09 사이버 공간의 특성 중 한 가지를 제시하고 그 의미를 구체적으로 서술하시오.

---

10 다음 그림과 관련 있는 정보화 시대의 도덕적 원칙을 서술하시오.

[빈출]

08 다음 글의 주인공에게 필요한 정보·통신 매체의 올바른 사용 자세로 가장 적절한 것은?

> 나는 휴대 전화 배터리가 20% 이하가 되는 순간부터 불안하다. 당장 충전할 수 있는 곳을 찾지 못하면 심장이 두근거린다. 문자 메시지가 오지는 않을지, 누군가가 전화를 하지 않을지 걱정되어 가만히 있을 수가 없다. 평소에도 전화나 문자가 오지 않아도 1~2분 간격으로 휴대 전화를 들여다본다. 휴대 전화로 게임을 하는 시간만 하루에 3시간이 넘는다. 문자와 소셜 네트워크 서비스(SNS)를 확인하고 인터넷을 하다 보면 7~8시간이 금방 간다. 나는 휴대 전화를 잃어버리는 것이 제일 두렵다.

① 공감의 자세   ② 배려의 자세
③ 소통의 자세   ④ 절제의 자세
⑤ 조화의 자세

11 다음 상황에서 필요한 정보·통신 매체의 올바른 사용 방법을 서술하시오.

---

1. 내 삶의 정보·통신 매체와 기술

◉ 다음 물음에 답해 보자.

01. 내 삶에 정보·통신 매체와 기술이 얼마나 들어와 있는지 그림이나 글로 표현해 보자.

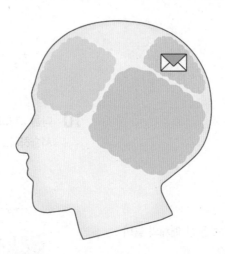

02. 정보·통신 매체와 기술을 사용하는 시간을 생활 시간표로 작성해 보자.

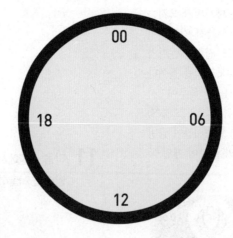

03. 02의 시간표를 보고 앞으로 어떻게 정보·통신 매체와 기술을 이용할지 써 보자.

2. 정보화 시대, 따뜻한 세상

🔆 다음 기사를 읽고 물음에 답해 보자.

> ### 신장 기증자를 찾던 미국 남성, SNS 사용자들의 관심에 눈물을 훔쳐
>
>
>
> 미국의 한 뉴스 사이트는 신장이 나쁜 상황에서도 다섯 아이를 키운 60세 가장이 SNS 사용자들 덕분에 위로를 받았다고 최근 보도했다.
>
> 사연의 주인공은 뉴저지에 거주하는 싱글 대디 로버트 레보비츠다. 12세부터 신장이 좋지 않았던 그는 다섯 아이를 혼자 키우는 과정에서 병세가 점점 나빠졌다. 급기야 로버트는 1회 4시간에 걸친 복막 투석을 매주 3회씩 받아야 했으며 하루빨리 신장 기증자가 나타나 수술을 받아야 하는 위급한 상황이었다. 자녀들은 아빠를 위해 흰색 티셔츠를 준비했다. 셔츠 등 쪽에는 신장 기증자를 애타게 찾는 문구와 전화번호, 혈액형을 선명하게 적어 넣었다. 물론 디즈니랜드를 거닐 때만 해도 자녀들은 과연 효과가 있을지 반신반의했다. 하지만 셔츠 문구를 본 로시오 산도발이라는 여성이 로버츠의 셔츠 사진을 촬영하고 SNS에 올리면서 기적이 일어났다. 로시오가 지난달 말 SNS에 올린 로버트 가족의 사연에 많은 사람이 감동하여 12일 현재 그녀가 올린 글은 무려 9만 명 이상이 공유했다. 아직 로버트를 위한 신장 기증자는 나타나지 않았지만, 글을 퍼뜨리는 사람은 점점 늘어나고 있다. '좋아요'도 1만 4000건이 넘었다.
>
> 로버트 레보비츠는 "혼자 사는 세상이 아니라는 사실을 새삼 느꼈다."라며 "아이들과 SNS 사용자들 덕에 조만간 좋은 소식이 있으리라 믿는다."라고 말했다.
>
> — △△ 신문, 2017. 09. 12.

01. 정보화 시대가 되어 더 따뜻한 세상이 된 사례를 찾아보자.

3. 한마디의 기적

⬤ 다음 기사를 읽고 모둠 친구들과 함께 물음에 답해 보자.

> 지난해 9월의 사건은 아직도 버스 기사 김 씨를 괴롭힌다. 그는 '버스를 세워 달라는 어머니의 요구를 무시한 채 아이를 혼자 내리게 했다.'라는 잘못된 인터넷 글로 평생 잊지 못할 고통을 겪었다. 사건이 일어난 지 이틀 뒤에 누명을 벗었지만, 많은 악플로 큰 충격과 상처를 받았다.
>
> 사건은 지난해 9월 11일 오후 6시 30분쯤 서울의 한 버스 정류장에서 시작되었다. 김 씨는 ○○역 정류장을 출발하고 10초가량 지나 '아저씨, 아저씨!'라고 부르는 여성의 목소리를 들었다. 하지만 승객 안전을 위해 이미 길 한가운데로 접어든 버스를 멈출 수 없어 그대로 갔다.
>
> 그날 오후 9시 30분 즈음에 인터넷을 들여다본 김 씨는 자신의 눈을 의심했다. 인터넷에 올라온 잘못된 목격담이 포털 사이트와 소셜 네트워크 서비스(SNS)를 거쳐 '가짜 뉴스'로 변질해 있었다. 그 아래엔 '미친 기사 양반', '살인 미수', '아동 학대', '다시는 운전대를 못 잡게 해야 한다.' 등의 댓글이 가득했다. 33년간 버스 운전을 한 성실한 가장인 그는 한순간에 흉악범이 되어 있었다.
>
> 파문이 커지자 서울시가 조사에 나섰고 13일 오후 '김 씨의 위법 행위가 발견되지 않았다'라고 발표하면서 그의 억울함은 비로소 풀렸다.
>
> 김 씨는 속도보다는 진실이 중요하다며 다시는 나와 같은 일이 일어나지 않게 댓글을 쓰기 전에 딱 3초만 생각해 볼 것을 제안했다. 온라인 시계는 지금보다 조금 천천히 가서 마음에 들지 않는 상대방도 용서하는 마음을 갖는 세상이 되길 바래 본다.
>
> − △△ 신문, 2018. 03. 19.

01. 모둠 친구들과 함께 김 씨를 응원하는 긍정적인 댓글을 써 보자.

모둠원 1	
모둠원 2	
모둠원 3	
모둠원 4	

4. 마법의 지우개

⊕ 다음 대화를 보고 물음에 답해 보자.

> • 민지: 친구랑 찍은 재미있는 사진을 동생한테 잘못 보내서 저녁 식사 내내 놀림을 받았어.
>
> • 윤호: 나는 초등학교 때 재미로 인터넷 방송을 했었는데 이제는 지우고 싶은 기억이 되었어.
>
> • 민지: 과거에 인터넷에 올렸던 사진들이 여기저기 돌아다녀서 기분이 나빠. 과거 사진을 모두 지워 주는 마법의 지우개가 있다면 얼마나 좋을까?

01. 인터넷을 잘못 사용한 경험을 써 보자.

----

02. 마법의 지우개가 있다면 어떨지 생각해 보자.

----

02 평화적 갈등 해결

교과서 28~43쪽

★ 갈등
갈등(葛藤)은 '칡 갈(葛)'과 '등나무 등(藤)'이 결합한 말로, 칡은 왼쪽으로, 등나무는 오른쪽으로 감으면서 성장하는 특성이 있다. 이 두 나무는 늘 다른 물체를 감아야만 뻗어 나갈 수 있다.

1 갈등은 왜 발생할까?

1. 우리 삶과 갈등
(1) 갈등: 서로 다른 요구나 성향으로 인해 해결하기 어려운 마음의 상태나 상황
(2) 갈등의 유형
① 내적 갈등: 자기가 가진 여러 욕구나 목표로 인한 선택의 어려움
② 외적 갈등: 개인 간 갈등, 집단 내 갈등, 집단 간 갈등
(3) 우리의 삶에 갈등이 미치는 영향   ┌ 뒤죽박죽이 되어 어지럽고 질서가 없음
① 부정적 영향: 불편함을 느끼게 하고 사회적 혼란을 야기시킴
② 긍정적 영향: 문제를 새로운 관점에서 볼 기회를 제공하며 사회 발전의 계기가 됨

2. 갈등의 원인
(1) 제한된 자원이나 기회
(2) 개인이나 집단 간 가치관과 관점의 차이
(3) 원활하지 않은 소통으로 인한 오해의 발생

2 갈등 상황을 평화적으로 해결해야 하는 이유는 무엇일까?

1. 갈등 상황에 대처하는 다양한 방법
(1) **갈등 자체를 드러내지 않고 회피하는 유형**: 근본적인 원인 해결이 어려움
(2) **상대방을 공격하거나 자신의 주장만을 관철하려는 유형**: 공정하고 합리적인 갈등 해결이 어려움   ┌ 어려움을 뚫고 나아가 기어이 목적을 이룸
(3) **갈등의 원인을 분석하고 의견을 조정하는 유형**: 갈등이 자연스러운 것임을 인정할 때 더욱 나은 사회를 위한 출발점이 될 수 있음

2. 평화적 갈등 해결의 필요성
(1) **힘이나 폭력으로 갈등을 억누르는 경우**: 갈등이 더 심화되고 폭력적인 상황으로 악화될 수 있음
(2) **평화적 갈등 해결의 의의**: 소통과 배려를 통해 가능하며 해결 과정에서 서로를 신뢰할 수 있는 토대를 마련해 민주적인 사회로 발전하는 데 이바지함

3 평화적 갈등 해결을 위한 구체적인 방법은 무엇일까?

보충 평화적 갈등 해결의 중요성
"서로를 치료하기 위해 우리가 할 수 있는 가장 가치 있는 일은 서로의 이야기에 귀를 기울여 주는 일이다." – 레베카 폴즈

1. 평화적 갈등 해결을 위한 소통 방법
(1) **상대방과 소통하려는 자세**: 배려하고 존중하는 마음을 바탕으로 함
(2) **갈등 해결을 위한 소통 과정에서 필요한 점**: 상대방의 의견을 경청하는 자세, 언어적 의사소통 수단, 공격적이지 않은 태도, 비언어적 의사소통 수단   ┌ 귀를 기울여 들음
          └ 목소리, 표정, 시선, 미소, 손짓, 자세 등

2. 평화적 갈등 해결을 위한 단계 적용하기
(1) 갈등 상황 바라보기(KEEP)
(2) 멈추고 성찰하기(STOP)   ┌ 자기의 마음을 반성하고 살핌
(3) 갈등 해결하기(BEGIN)

활동 속 자료&개념

🔎 나의 갈등 분석하기

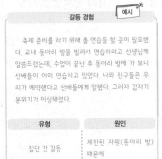

갈등 경험	예시
축제 준비를 하기 위해 춤 연습을 할 곳이 필요했다. 교내 동아리 방을 빌려서 연습하려고 선생님께 말씀드렸는데, 수업이 끝난 후 동아리 방에 가 보니 선배들이 이미 연습하고 있었다. 나와 친구들은 우리가 예약했다고 선배들에게 말했다. 그러자 갑자기 분위기가 이상해졌다.	

유형	원인
집단 간 갈등	제한된 자원(동아리 방) 때문에

개념 쏙쏙

갈등의 유형
- 내적 갈등
- 외적 갈등: 개인 간 갈등, 집단 내 갈등, 집단 간 갈등

갈등의 원인
- 제한된 자원이나 기회
- 개인이나 집단 간 가치관과 관점의 차이
- 원활하지 않은 소통으로 발생하는 오해

🔎 갈등 해결의 방법 적용하기

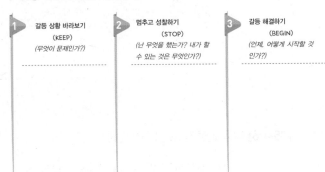

1 갈등 상황 바라보기 (KEEP) (무엇이 문제인가?)

2 멈추고 성찰하기 (STOP) (난 무엇을 했는가? 내가 할 수 있는 것은 무엇인가?)

3 갈등 해결하기 (BEGIN) (언제, 어떻게 시작할 것인가?)

자료 해설

평화적 갈등 해결을 위한 단계 적용하기
① 갈등 상황 바라보기(KEEP)
- 갈등 상황을 편견이나 선입견 없이 객관적으로 바라보기
- 다양한 관점에서 갈등의 원인 찾기
② 멈추고 성찰하기(STOP)
- 갈등 상황에 있는 자신을 성찰하기
- 평화적 해결 방법 모색하기
③ 갈등 해결하기(BEGIN)
- 적절한 방법으로 갈등을 평화적으로 해결하기

개념 꿀꺽

1. 빈칸에 알맞은 말을 쓰시오.

(1) ( )(이)란 서로 다른 요구나 성향으로 인해 해결하기 어려운 마음의 상태나 상황 자체를 말한다.

(2) 외적 갈등에는 ( ) 갈등, ( ) 갈등, ( ) 갈등이 있다.

2. 다음 내용이 옳으면 ○표, 틀리면 X표 하시오.

(1) 개인은 자기가 가진 여러 욕구나 목표로 인해 선택의 어려움을 겪을 때 내적 갈등을 느낀다. ( )

(2) 갈등의 유형은 한 가지이므로 복합적으로 나타날 수 없다. ( )

(3) 갈등 상황에서 자신의 주장을 흔들림 없이 일방적으로 주장할 때, 갈등은 더 나은 사회를 만들기 위한 출발점이 될 수 있다. ( )

(4) 진정한 소통을 위해서는 말이나 글 같은 언어적 의사소통 수단뿐만 아니라 비언어적 의사소통 수단도 중요하다. ( )

정답
1. (1) 갈등 (2) 개인 간, 집단 내, 집단 간
2. (1) ○ (2) X (3) X (4) ○

01 ㉠에 들어갈 단어로 옳은 것은?

> ㉠ (이)란 서로 다른 요구나 성향으로 인하여 해결하기 어려운 마음의 상태나 그 상황 자체를 의미한다.

① 갈등   ② 관용
③ 논쟁   ④ 대립
⑤ 협의

02 다음 글에 나타난 갈등의 유형으로 가장 적절한 것은?

> 유진이는 담임 선생님과 진로를 상담한 후 고민이 많아졌다. 피아니스트가 되고 싶기도 하고, 화가가 되고 싶기도 한데 어떤 것을 더 좋아하고 잘 할 수 있는지 확신이 없어 마음이 갈팡질팡하다.

① 내적 갈등   ② 외적 갈등
③ 개인 간 갈등   ④ 집단 간 갈등
⑤ 집단 내 갈등

03 갈등에 대한 설명으로 가장 적절한 것은?

① 특별한 사람을 만날 때에만 드물게 일어난다.
② 마음과는 별개로 겉으로 드러나는 상황을 말한다.
③ 같은 관심과 목적으로 형성된 집단에서는 갈등이 없다.
④ 문제를 새로운 관점에서 볼 기회를 제공하기도 한다.
⑤ 사람들에게 불편함을 느끼게 하지만 사회 혼란을 막기도 한다.

04 ㉠에 들어갈 내용으로 가장 적절한 것은?

> 개인이나 집단 사이에서는 의견이 제대로 전달되지 않거나 왜곡되는 경우가 생길 수 있다. 이 경우 ㉠ 오해가 생길 수 있다.

① 자신만을 생각해
② 폭력적인 성향으로
③ 사회 제도가 부족해
④ 소통이 원활하지 않아
⑤ 다른 사람에게 관심이 없어

[05~06] 다음 글을 읽고 물음에 답하시오.

> 우리는 갈등 상황에 부닥쳤을 때 갈등이 있다는 것 자체를 드러내지 않고 ㉠ 하기도 한다. 이런 경우 일시적으로 갈등 상황을 피할 수는 있지만, 바람직한 해결책은 아니다.

05 ㉠에 들어갈 단어로 가장 적절한 것은?

① 공격   ② 조정   ③ 폭발
④ 폭주   ⑤ 회피

06 ㉠에 대한 설명으로 가장 적절한 것은?

① 가장 도덕적인 대처 방법이다.
② 더 나은 사회를 만드는 방법이기도 하다.
③ 모든 사람에게 만족감을 주는 갈등 대처 방법이다.
④ 중학생으로서 갈등을 해결하는 가장 이상적인 방법이다.
⑤ 갈등의 근본 원인을 해결하지 못하면 유사한 갈등 상황이 반복될 수 있다.

07 (가), (나)에 들어갈 단어로 옳은 것은?

> 삶에서 마주하는 갈등 상황에 우리는 어떻게 대처하고 있을까? 먼저 상대방을 [(가)]하거나 자신의 주장을 일방적으로 관철하고자 하는 태도를 보이기도 한다. 반면 갈등의 원인을 파악하고 갈등 상황에 부닥친 사람들과 의견을 [(나)]함으로써 갈등을 해결하려는 자세를 취하기도 한다.

	(가)	(나)
①	공격	외면
②	공격	조정
③	외면	무시
④	회피	무시
⑤	회피	외면

주관식

08 ㉠에 들어갈 적절한 단어를 쓰시오.

> 갈등 해결을 위한 소통 과정에서는 일방적으로 자신의 의견만을 주장하기보다는 상대방의 의견을 [㉠]하는 자세가 필요하다.

(   )

09 비언어적 수단에 해당하는 것을 〈보기〉에서 있는 대로 고른 것은?

> 보기
> ㄱ. 글   ㄴ. 손짓
> ㄷ. 표정   ㄹ. 목소리

① ㄱ, ㄴ   ② ㄴ, ㄷ
③ ㄷ, ㄹ   ④ ㄱ, ㄴ, ㄹ
⑤ ㄴ, ㄷ, ㄹ

10 평화적인 갈등 해결을 위해 필요한 것을 〈보기〉에서 있는 대로 고른 것은?

> 보기
> ㄱ. 성찰
> ㄴ. 객관적 시각
> ㄷ. 개인적인 노력
> ㄹ. 자기중심적 사고 유지

① ㄱ, ㄴ   ② ㄴ, ㄷ
③ ㄱ, ㄴ, ㄷ   ④ ㄱ, ㄷ, ㄹ
⑤ ㄴ, ㄷ, ㄹ

서술형

11 갈등이 발생하는 원인을 <u>세 가지</u> 서술하시오.

12 평화적 갈등 해결의 구체적인 방법을 <u>세 가지</u> 이상 서술하시오.

01 우리 삶과 갈등에 대한 설명으로 적절하지 <u>않은</u> 것은?

① 갈등은 사회 혼란을 일으킬 수 있으며 긍정적인 기능은 없다.

② 갈등의 유형은 한 가지로 나타날 수 있지만, 복합적으로 나타나기도 한다.

③ 부모님과 친구와의 관계에서 의견이 달라 어려움을 겪는 것은 개인 간 갈등이다.

④ 갈등은 서로 다른 요구나 성향으로 해결하기 어려운 마음의 상태나 상황 자체이다.

⑤ 개인은 자기가 가진 여러 욕구나 목표로 선택의 어려움을 겪을 때 내적 갈등을 느낀다.

02 갈등의 원인으로 적절한 것을 〈보기〉에서 있는 대로 고른 것은?

보기
> ㄱ. 무한한 기회
> ㄴ. 제한된 자원
> ㄷ. 원활하지 않은 소통
> ㄹ. 집단 간 관점의 차이

① ㄱ, ㄴ   ② ㄴ, ㄷ
③ ㄴ, ㄹ   ④ ㄱ, ㄴ, ㄹ
⑤ ㄴ, ㄷ, ㄹ

빈출
03 갈등과 관련된 설명으로 가장 적절한 것은?

① 인격을 갖춘 사람은 갈등을 겪지 않는다.

② 갈등은 개인의 문제이므로 사회 혼란을 일으키지는 않는다.

③ 우리는 도덕적이지 못한 삶을 살기 때문에 갈등에 빠진다.

④ 갈등의 원인을 아는 것은 갈등 해결에 전혀 도움이 되지 않는다.

⑤ 말과 행동, 문화 등에서 서로 다른 관점과 가치관을 지니면 갈등이 생길 수 있다.

[04~06] 다음 글을 읽고 물음에 답하시오.

> 때때로 사람들은 갈등 상황에서 상대방을 공격하거나 자신의 주장을 일방적으로 관철하려는 태도를 보인다. 이때 물리적인 공격을 하거나 폭력적인 방법을 사용하기도 한다.

04 윗글에서 설명하는 갈등 상황의 대처 방법으로 가장 적절한 것은?

① 공격형   ② 방어형
③ 외면형   ④ 회피형
⑤ 의견 조정형

05 윗글에 대한 설명으로 가장 적절한 것은?

① 같은 갈등은 다시 발생하지 않는다.

② 갈등을 긍정적으로 바라보는 올바른 태도이다.

③ 갈등을 공정하고 합리적으로 해결하는 방법이다.

④ 더 나은 사회로 나아가게 하는 갈등 대처 방법이다.

⑤ 갈등 당사자 사이에서 배려와 협력의 자세를 기대하기 어렵다.

06 윗글과 같은 태도를 가진 사람들에게 필요한 것을 〈보기〉에서 있는 대로 고른 것은?

보기
> ㄱ. 협력하려는 마음
> ㄴ. 소통하려고 하는 자세
> ㄷ. 상대방을 이기려는 태도
> ㄹ. 갈등 자체를 부정적으로 보는 시각

① ㄱ, ㄴ   ② ㄱ, ㄷ
③ ㄴ, ㄷ   ④ ㄱ, ㄴ, ㄷ
⑤ ㄴ, ㄷ, ㄹ

07 ㉠에 공통으로 들어갈 단어로 가장 적절한 것은?

> 갈등을 해결하기 위해서는 상대방과 평화적으로 ㉠ 하려는 자세를 가지는 것이 중요하다. 진정한 ㉠ 은/는 배려하고 존중하는 마음을 바탕으로 이루어진다.
>
> 갈등 해결을 위한 ㉠ 과정에서는 일방적으로 자신의 의견만을 주장하기보다는 상대방의 의견을 경청하는 자세가 필요하다. 또한 ㉠ 할 때에는 인신공격 등 공격적인 태도로 대화해서는 안 된다.
>
> 진정한 ㉠ 을/를 위해서는 비언어적 요소도 중요하다. 상대방의 의견을 듣는 자세, 목소리, 표정, 시선, 미소, 손짓, 고개를 끄덕이는 것 등의 수단은 상대방의 의견을 경청한다는 것을 나타내는 데 도움을 준다.

① 소통   ② 융합
③ 이해   ④ 조정
⑤ 협력

08 평화적 갈등 해결을 위한 구체적인 방법으로 적절하지 않은 것은?

① 끊임없는 성찰
② 자신의 이해관계에 집중
③ 갈등 상황에 대한 객관적 시각
④ 개인적인 노력과 사회 제도의 개선
⑤ 갈등 상황의 구체적 사실과 맥락 고려

서술형

09 평화적으로 갈등을 해결하는 데 필요한 태도를 세 가지 서술하시오.

10 비언어적 의사소통 수단의 예시와 중요성을 서술하시오.

11 밑줄 친 부분의 예시를 두 가지 서술하시오.

> 갈등 해결 과정에서는 개인적인 노력뿐 아니라 사회 제도의 개선이 요구될 때도 있다.

1. 내가 알지 못했던 폭력

❀ 다음 그림을 살펴보고 물음에 답해 보자.

01. 위의 그림과 같이 일상생활에서 목격하거나 경험했던 폭력을 써 보자.

_____

_____

_____

02. 나도 모르게 친구에게 폭력을 행사한 적이 있는지 생각해 보고 친구에게 사과하는 글을 써 보자.

_____

_____

_____

2. 눈감지 말아요

🔹 다음 글을 읽고 물음에 답해 보자.

> 같은 반 친구인 준영이와 성훈이는 매일 말다툼으로 시작해서 몸싸움까지 번져 교실이 조용할 날이 없다. 오늘도 둘은 크게 싸워 교무실로 불려 갔다.
>
> 두 학생이 교무실에서 반성문을 쓸 동안, 담임 선생님께서 반으로 오셔서 준영이와 성훈이의 잦은 다툼에 대한 반 학생들의 의견을 물어보셨다. 이에 친구들은 다음과 같이 대답했다.
>
> • 민지: 저는 저희가 상관할 일이 아니라고 생각해요. 성훈이와 준영이의 일이니까 둘이 해결해야지요.
> • 은태: 물론 성훈이와 준영이가 직접적인 당사자고 둘의 태도가 중요하다는 것은 알고 있어요. 하지만 우리 반에서 일어나는 일이므로 우리가 다 같이 생각해 보고 좋은 방법을 찾아보는 것이 좋겠어요.
> • 재형: 교실이 너무 시끄러워서 제 성적이 떨어질까 걱정되어 두 친구가 전학 가면 좋겠는데, 그렇지 않으면 제가 전학을 갈까 생각 중이에요.
> • 소현: 저번에 성훈이가 다리를 다쳐 불편했을 때 준영이가 한 달 가까이 성훈이의 가방을 들고 등하교를 함께 했어요. 정말 친한 친구라 장난치는 것이니 신경쓰지 않아도 될 것 같아요.

01. 갈등 상황을 바라보는 바람직한 자세를 가진 학생을 찾고 왜 그렇게 생각하는지 써 보자.

----

02. 위의 상황에 대한 나의 생각을 써 보자.

----

3. 평화적 갈등 해결의 중요성

● 다음 글을 읽고 물음에 답해 보자.

> 갈등이란 서로 입장이 다른 두 사람, 혹은 둘 이상의 집단에서 나타나는 어려움이라고 할 수 있다. 이것은 의견의 불일치처럼 작은 것일 수도 있고, 전쟁처럼 큰 것일 수도 있다. 갈등은 우리가 '문제'라고 부르는 여러 복잡한 고민거리들로 이루어진다. '문제'는 항상 우리 주위에 있기 마련이다. 그래서 갈등은 언제 어디서나 일어난다. 우리가 주로 생활하는 가정, 학교에서도 갈등은 늘 일어나는 정상적이며, 피할 수 없는 것이라 할 수 있다.
>
> 갈등은 어떻게 대처하는가에 따라 그 결과가 오히려 서로의 관계에 도움이 될 수도 있고, 반대로 서로 관계가 깨어지는 결과를 가져올 수도 있다. 갈등이 생길 때 싸우고, 화를 내고, 다른 사람들을 말로 괴롭히거나 학대하는 행동은 문제를 해결하지 못하며 종종 친구나 다른 사람과의 관계를 좋지 않게 만든다. 반면, 갈등을 잘 다루게 되면 문제를 더 분명하게 바라보고, 새로운 아이디어를 얻고, 더 좋은 것을 향해 변화하도록 동기를 유발하는 기회를 제공한다.
>
> ─ 전영주 외, 『학생 인권교육 교재: 학교 폭력 예방 길라잡이 ─ 제2부 교육프로그램』

01. 최근에 겪은 갈등 상황을 써 보자.

02. 갈등을 밑줄의 내용처럼 평화적으로 해결하는 방법을 써 보자.

03. 평화적 갈등 해결의 중요성을 생각해 보자.

4. 비폭력 대화

🔸 **다음 글을 읽고 물음에 답해 보자.**

> • 자칼식 대화: 조급하고 비판적인 강요와 회유로 자신과 타인을 비교하며 공격적으로 대화하는 방식이다. 판단과 평가, 진단과 분석, 요청하지 않은 충고나 일방적인 강요 등이 있다.
> • 기린식 대화: 비폭력 대화 방법으로 관찰, 느낌, 욕구/필요 및 요청으로 이루어진 4단계 대화 방법이다. 상대방을 전혀 자극하지 않고도 평온하게 자신의 느낌과 필요를 표현할 수 있는 의사소통 방식으로 '공감 대화'라고도 불린다.

01. 다음 대화를 읽고 자신의 생각을 써 보자.

> 엄마: 오늘 시험은 잘 봤니? 표정이 왜 그래? 시험을 또 못 봤나 보구나. 이렇게 죽을상이면 내일 시험도 못 볼 것 같네.
> 학생: 엄마는 제가 감기 걸린 것도 모르세요? 오로지 시험 점수만 궁금하신가 봐요.

----

02. 위의 대화를 기린식 대화로 바꾸어 보자.

----

03 폭력의 문제

1 폭력은 왜 비도덕적일까?

1. 폭력의 의미와 유형

(1) **폭력의 의미**

　① 신체·정신·재산상의 피해를 수반하는 모든 행위

　② 다른 사람에게 피해를 주는 직간접적인 모든 공격적 행위

(2) **폭력의 유형**: 물리적 폭력, 구조적 폭력, 부작위에 의한 폭력

└─ 마땅히 해야 할 일을 일부러 하지 아니함

2. 폭력의 해악과 비도덕성

(1) **폭력의 해악**

　① 폭력의 피해자, 가해자, 목격자 모두에게 고통을 겪게 함

　② 폭력은 개인과 사회 모두에게 악영향을 끼침

(2) **폭력의 비도덕성**

　① 인간의 자유 의지를 침해하고 희생을 강요함

　② 평화롭게 살아갈 권리를 박탈함

　③ 인간의 존엄성을 훼손함

└─ 재물이나 권리, 자격 따위를 빼앗음

보충 폭력의 악순환

폭력을 내버려 두면 폭력은 확대·재생산되어 사회 전체가 폭력적인 상황이 될 수 있다.

2 일상에서 일어나는 폭력의 종류에는 어떤 것이 있을까?

1. 일상에서의 폭력

(1) **일상에서 일어나는 폭력의 종류**: 신체 폭력, 언어폭력, 금품 갈취, 강요, 따돌림, 성폭력, 사이버 폭력 등

2. 폭력의 원인

(1) **개인적인 원인**: 자기중심적인 생각, 충동적이고 공격적인 사고방식

(2) **가정 환경적인 원인**: 가정 폭력의 모방, 부모의 과잉보호로 인한 책임감 저하

(3) **사회·문화적인 원인**: 대중 매체로 폭력에 무감각해짐, 지나친 경쟁 위주의 사회 분위기

3 폭력에 어떻게 대처해야 할까?

1. 폭력 상황에 대한 대처

(1) 주변 사람에게 도움 요청　──── 모르는 체하고 하려는 대로 내버려 둠으로써 슬며시 인정하는 것

(2) 폭력을 묵인·방관하는 것 또한 폭력이라는 것을 인식

(3) 폭력을 용납하지 않는 사회 분위기 조성　어떤 일에 직접 나서서 관여하지 않고 곁에서 보기만 함

2. 폭력 예방을 위한 노력

(1) **개인적 노력**: 분노 조절, 공감과 예측 능력의 함양, 폭력 예방과 관련한 다양한 프로그램 참여

(2) **학교의 노력**: 학교 내에서 다양한 학교 폭력 예방 교육 및 인성 교육 시행

(3) **가정의 노력**: 부모와의 대화를 통한 문제 해결의 모범 학습

(4) **사회·제도적 차원의 노력**: 대화와 타협의 풍토 조성

└─ 어떤 일의 바탕이 되는 제도나 조건

⊙ 구조적 폭력 해결하기

교과서 47쪽

개념 쏙쏙

폭력의 유형
- 물리적 폭력: 신체에 직접적인 힘을 가하는 폭력
- 구조적 폭력: 잘못된 사회 구조나 관행 등으로 발생하는 정치적 억압, 사회적 차별, 문화적 소외 등
- 부작위에 의한 폭력: 폭력 상황을 알고도 이것을 외면하거나 방관하는 폭력

⊙ 학교 폭력 예방 주사

교과서 55쪽

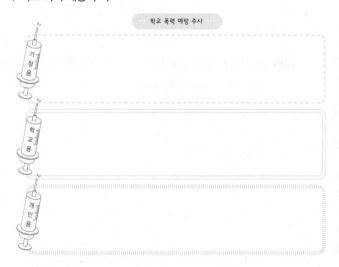

자료 해설

학교 폭력을 예방하는 방법으로 '학교 폭력 예방 주사'에 포함되어야 할 요소들을 생각해 보는 활동이다. 학교 폭력을 예방하기 위해 개인과 학교, 가정, 사회에서 필요한 노력과 방안에 대해 성찰하도록 한다.

예
- 가정용: 가정 내 인성 교육, 가족과의 대화 등
- 학교용: 다양한 폭력 예방 프로그램 마련, 학교 폭력을 방관하지 않는 분위기 조성 등
- 개인용: 분노를 조절하고 갈등 요소를 제거하며 합리적인 해결책을 찾으려는 노력, 갈등하는 상대가 분노를 조절할 수 있도록 이야기를 경청하고 공감하는 자세, 자신의 행동에 따르는 결과를 예측하는 능력 기르기 등

개념 꿀꺽

1. 빈칸에 알맞은 말을 쓰시오.

(1) (   )은/는 신체·정신·재산상의 피해를 수반하는 모든 행위를 가리킨다.

(2) 폭력의 유형에는 (   ) 폭력, (   ) 폭력, (   )에 의한 폭력이 있다.

2. 다음 내용이 옳으면 ○표, 틀리면 ✕표 하시오.

(1) 폭력 상황을 알고도 외면하거나 방관하는 것도 폭력에 해당한다. (   )

(2) 폭력은 예방보다 발생한 후에 적절하게 대처하는 것이 중요하다. (   )

(3) 좋은 목적을 위해 어쩔 수 없이 행사하는 폭력은 인간의 존엄성을 훼손하지 않는다.
(   )

(4) 폭력을 미리 방지하고 예방하기 위해서는 개인적인 차원뿐 아니라 사회적인 차원의 노력도 필요하다. (   )

정답
1. (1) 폭력 (2) 물리적, 구조적, 부작위
2. (1) ○ (2) ✕ (3) ✕ (4) ○

01 폭력에 대한 설명으로 적절하지 <u>않은</u> 것은?

① 폭력은 신체·정신·재산상의 피해를 수반하는 행위를 가리킨다.
② 신체에 직접적인 힘을 가하는 폭력은 물리적인 폭력에 해당한다.
③ 다른 사람에게 피해를 주는 직간접적인 모든 공격적 행위는 폭력에 해당한다.
④ 잘못된 사회 구조나 관행 등으로 발생하는 폭력은 구조적 폭력과 관련이 깊다.
⑤ 폭력은 개인 간에 발생하지 않으며, 특정한 개인에게 집단적으로 행사되는 것이다.

02 부작위에 의한 폭력에 관련된 설명으로 가장 적절한 것은?

① 문화적 소외와 관련된 행위만 해당한다.
② 구체적인 행위에 의한 직접적인 폭력이다.
③ 정치적인 억압, 사회적 차별을 포함하는 폭력이다.
④ 폭력 상황을 알고도 외면하거나 방관하는 것이다.
⑤ 비도덕적 행위가 아니므로 크게 문제가 되지 않는다.

빈출
03 폭력의 해악과 비도덕성에 대한 설명으로 가장 적절한 것은?

① 단순한 폭력은 비도덕적인 행위가 아니다.
② 폭력은 피해자와 가해자 모두 고통을 느끼게 한다.
③ 폭력에 노출된 사람은 폭력의 가해자나 마찬가지이다.
④ 폭력은 직접 관계된 개인보다 사회에 더 큰 악영향을 끼친다.
⑤ 폭력의 가해자가 겪는 고통은 법적 처벌과 관계된 것 외에는 없다.

주관식
04 ㉠에 들어갈 적절한 말을 쓰시오.

> 폭력은 다른 폭력을 낳는 ┌─㉠─┐ 을/를 이어갈 수 있다. 폭력을 당한 사람이 복수심으로 다른 폭력을 행사하거나, 대항하기 위해 폭력을 행사하면 폭력은 더 커지고 확산된다.

(   )

05 일상생활에서 일어나는 폭력으로 적절한 것을 〈보기〉에서 있는 대로 고른 것은?

보기
ㄱ. 강요
ㄴ. 욕설
ㄷ. 협상
ㄹ. 금품 갈취

① ㄱ, ㄴ   ② ㄱ, ㄷ
③ ㄴ, ㄷ   ④ ㄱ, ㄴ, ㄹ
⑤ ㄴ, ㄷ, ㄹ

06 ㉠에 들어갈 단어로 가장 적절한 것은?

> 폭력의 원인으로 ┌─㉠─┐ 원인이 있다. 가정 내에서 발생하는 폭력을 자주 목격한 청소년은 이것을 모방할 가능성이 크다.

① 개인적   ② 국가적
③ 전통적   ④ 가정 환경적
⑤ 사회·문화적

07 다음 글과 관련된 폭력의 원인으로 가장 적절한 것은?

> 대중 매체를 통해 폭력을 자주 접하면 폭력에 무감각해질 수 있다. 또한 지나친 경쟁 위주의 사회 환경도 폭력을 유발하는 원인이 될 수 있다.

① 개인적인 원인
② 가정 환경적인 원인
③ 사회·문화적인 원인
④ 학교 교육과 관련된 원인
⑤ 가부장적 전통과 관련된 원인

08 폭력의 예방과 대처에 관련된 설명으로 적절하지 <u>않은</u> 것은?

① 폭력 상황을 목격하면 바로 신고해야 한다.
② 폭력은 발생하기 전에 예방하는 것도 중요하다.
③ 폭력이 발생하면 주변 사람에게 도움을 요청해야 한다.
④ 폭력 예방과 관련된 다양한 프로그램에 참여하는 것도 좋은 방법이다.
⑤ 학교 폭력을 예방하기 위해서는 사소한 일은 넘어가는 융통성이 필요하다.

주관식
09 ㉠에 들어갈 단어를 쓰시오.

> 폭력을 예방하기 위해서는 ㉠ 하고 예측하는 능력을 길러야 한다. 갈등이 생겼을 때 상대방의 잘못을 지적하거나 논리적으로 따지면 갈등은 더욱 커질 수밖에 없다. 따라서 갈등하는 상대방이 분노를 조절할 수 있도록 이야기를 경청하고 ㉠ 하는 것이 필요하다. 또한, 자신의 행동에 따르는 결과를 예측하는 것도 폭력을 예방하는 데 효과적이다.

( )

고난도
10 폭력을 예방하고 갈등을 해결하는 바람직한 자세를 〈보기〉에서 있는 대로 고른 것은?

> 보기
> ㄱ. 분노를 조절한다.
> ㄴ. 상대방의 이야기를 경청한다.
> ㄷ. 폭력 예방 프로그램에 참여한다.
> ㄹ. 다른 사람의 의견을 무조건적으로 비판한다.

① ㄱ, ㄴ ② ㄱ, ㄷ ③ ㄴ, ㄷ
④ ㄱ, ㄴ, ㄷ ⑤ ㄱ, ㄷ, ㄹ

서술형

11 폭력의 비도덕성에 대해 구체적으로 서술하시오.

12 A 학생의 문제점과 해결 방법을 구체적인 예를 들어 서술하시오.

01 (가), (나), (다)에 들어갈 단어로 가장 적절한 것은?

폭력에는 신체에 직접적인 힘을 가하는 __(가)__ 폭력과 잘못된 사회 구조나 관행 등으로 발생하는 정치적 억압, 사회적 차별, 문화적 소외 등과 같은 __(나)__ 폭력이 있다. 또 폭력 상황을 알고도 이것을 외면하거나 방관하는 __(다)__ 폭력도 있다.

	(가)	(나)	(다)
①	구조적	물리적	부작위에 의한
②	구조적	부작위에 의한	물리적
③	물리적	구조적	부작위에 의한
④	물리적	부작위에 의한	구조적
⑤	부작위에 의한	물리적	구조적

02 폭력의 해악과 관련 있는 것을 〈보기〉에서 있는 대로 고른 것은?

보기
ㄱ. 사회의 무질서와 혼란
ㄴ. 피해자의 신체적 피해
ㄷ. 피해자가 겪는 두려움과 우울
ㄹ. 개인의 희생으로 인한 사회 발전

① ㄱ, ㄴ
② ㄱ, ㄷ
③ ㄴ, ㄷ
④ ㄱ, ㄴ, ㄷ
⑤ ㄴ, ㄷ, ㄹ

03 다음 글이 설명하는 폭력으로 가장 적절한 것은?

• 사이버상에서 따돌림이나 모욕적인 말을 하거나 수치심을 느끼게 하는 것
• 동영상을 인터넷이나 누리 소통망(SNS)에 퍼뜨리는 것

① 강요
② 성폭력
③ 언어폭력
④ 금품 갈취
⑤ 사이버 폭력

주관식
04 다음 글이 설명하는 폭력을 쓰시오.

• 돈을 요구하거나 옷이나 문구 등을 빌리고 돌려 주지 않는 행위
• 일부러 친구의 물건을 망가뜨리는 행위
• 돈을 걷어오라고 하는 행위

(　　　　　　)

05 폭력의 원인 중 (가), (나), (다)에 들어갈 단어로 옳은 것은?

• __(가)__ 적인 원인: 자기중심적 생각, 공격적 사고방식
• __(나)__ 적인 원인: 부모의 가정 폭력
• __(다)__ 적인 원인: 대중 매체를 통해 폭력에 노출, 지나친 경쟁 위주의 사회 환경

	(가)	(나)	(다)
①	개인	가정 환경	사회·문화
②	개인	사회·문화	가정 환경
③	가정 환경	사회·문화	개인
④	가정 환경	개인	사회·문화
⑤	사회·문화	개인	가정 환경

06 폭력에 대해 바르게 설명한 학생을 있는 〈보기〉에서 대로 고른 것은?

보기
- 성만: 신고는 고자질이 아니라 자신과 피해자의 권리를 찾는 것이지.
- 예진: 폭력 사실을 알리지 않고 방관하는 것은 폭력을 저지르는 행위와 다르지 않아.
- 두리: 폭력은 시간이 지나면 해결되는 것이므로 너무 신속하게 해결하려고 해서는 안 돼.
- 진호: 학교 폭력을 해결하기 위해서는 무엇보다 폭력을 용납하지 않는 분위기를 조성해야 해.
- 정은: 폭력은 발행하기 전에 예방하는 것이 무엇보다 중요하므로 폭력 상황의 대처법은 몰라도 괜찮아.

① 성만, 예진
② 예진, 두리
③ 진호, 정은
④ 두리, 진호, 정은
⑤ 성만, 예진, 진호

빈출

07 폭력 예방을 위한 노력으로 적절한 것을 〈보기〉에서 있는 대로 고른 것은?

보기
ㄱ. 가정과 학교가 유기적 연계를 통해 폭력을 예방한다.
ㄴ. 사회 전반에 대화와 타협의 풍토가 자리 잡을 수 있도록 한다.
ㄷ. 학교에서는 예방 교육과 인성 교육을 선택적으로 시행한다.
ㄹ. 가정에서 부모가 대화를 통해 문제를 해결하는 모범을 보인다.

① ㄱ, ㄴ
② ㄴ, ㄷ
③ ㄷ, ㄹ
④ ㄱ, ㄴ, ㄹ
⑤ ㄴ, ㄷ, ㄹ

서술형

08 폭력이 개인과 사회에 끼치는 해악을 구분해 구체적으로 서술하시오.

09 폭력의 가정 환경적인 원인을 구체적으로 서술하시오.

10 다음 상황에서 학생들에게 필요한 태도를 구체적인 예를 들어 서술하시오.

창의쑥쑥 수행평가

1. 신고의 필요성

● 다음 그림을 보고 물음에 답해 보자.

01. 괴롭힘을 당하고 있는 민호에게 편지를 써 보자.

민호에게

　민호야, 나도 예전에 친구들에게 괴롭힘을 당한 적이 있었어. 나를 괴롭히는 친구가 너무 무섭고 두려워서 선생님께 말씀드리지도 못하고 1년을 보냈었어.

_____

_____

_____

_____

_____

　네가 어서 용기 내길 응원할게. 우리 같이 선생님께 말씀드려 보자.

2. 폭력의 원인 찾기

● 다음 글을 읽고 물음에 답해 보자.

폭력의 원인		
개인적인 원인	가정 환경적인 원인	사회·문화적인 원인
• 주연: 자기중심적인 생각과 충동적이고 공격적인 사고방식은 폭력의 원인이 되지. • 병현: 갈등 상황에서 스스로 분노를 조절하지 못하고 충동적으로 행동하면 폭력으로 이어질 수 있어.	• 희연: 가정 내에서 발생하는 폭력을 자주 목격한 청소년은 그 폭력을 모방할 가능성이 커. • 승기: 부모가 자녀를 과잉보호하면 자녀는 자기중심적, 이기적, 의존적 성격을 가질 수 있어. 책임감이 약해지고 자신의 행동에 대해 결과를 예측하는 능력이 부족해져 폭력적으로 행동하기도 해.	• 예리: 대중 매체를 통해 폭력을 자주 접하면 무감각해질 수도 있어. • 현수: 지나친 경쟁 위주의 사회 환경도 폭력을 유발하는 원인이 될 수 있지.

01. 주변에서 폭력성이 나타난 사례를 써 보자.

----

02. 01번에서 작성했던 사례가 발생하는 원인을 위의 글을 참고해 써 보자.

----

3. 폭력 예방하기

● 폭력 예방 방법을 생각하며 다음 표를 채워 보자.

구분		폭력 예방을 위한 노력
개인적 차원		• • •
사회적 차원	학교	• •
	가정	• •
	사회·제도	• •

4. 판결문 적어 보기

● 다음 기사를 읽고 물음에 답해 보자.

> 천 판사는 2010년 창원 지방 법원 소년부 부장 판사로 부임한 뒤 8년 가까이 청소년 재판을 전담해 왔다. 그는 재판정에 선 소년·소녀범에게 호통을 치며 판결을 내리는 것으로 유명하다. 지금까지 판결을 내린 청소년은 약 1만 2천 명에 이른다. 그는 자신이 판결을 내린 비행 청소년을 위해 전국 곳곳에 대안 가정을 만들어 주는 활동도 하고 있다.
>
> 천 판사는 지난 22일 부산 가정 법원 소년 재판정에서 중학생 A 군에 대한 재판을 진행했다. A 군을 신고한 이는 어머니 B 씨였다. A 군이 인터넷 물품 사기를 저지르려고 은행에서 B 씨 명의를 도용해 계좌를 만들려고 했기 때문이다. 은행 측으로부터 연락을 받은 B 씨는 아들이 더는 삐뚤어지지 않기를 바라는 마음으로 법원에 소년 보호 재판 통고제를 신청했다. 소년 보호 재판 통고제는 비행 학생을 경찰이나 검찰 조사 없이 곧바로 법원에 알려 재판을 받도록 하는 제도이다. 형법상 처벌 대상이 아닌 청소년들이 수사 기관을 거치지 않기 때문에 전과자로 낙인 찍히는 것을 막을 수 있다.
>
> 천 판사는 A 군에게 "어머니 사랑합니다."를 10번 외치라고 명령했고 어머니 B 씨에게도 "A야, 사랑한다."라는 말을 똑같이 10번 외치도록 했다. "사랑한다."는 말을 주고받은 아들과 어머니는 재판정에서 눈물을 흘렸다.
>
> − △△ 신문, 2017. 12. 26.

01. 내가 경험하거나 목격했던 폭력을 써 보자.

----

02. 판사가 되어 01의 상황에 대한 판결문을 적어 보자.

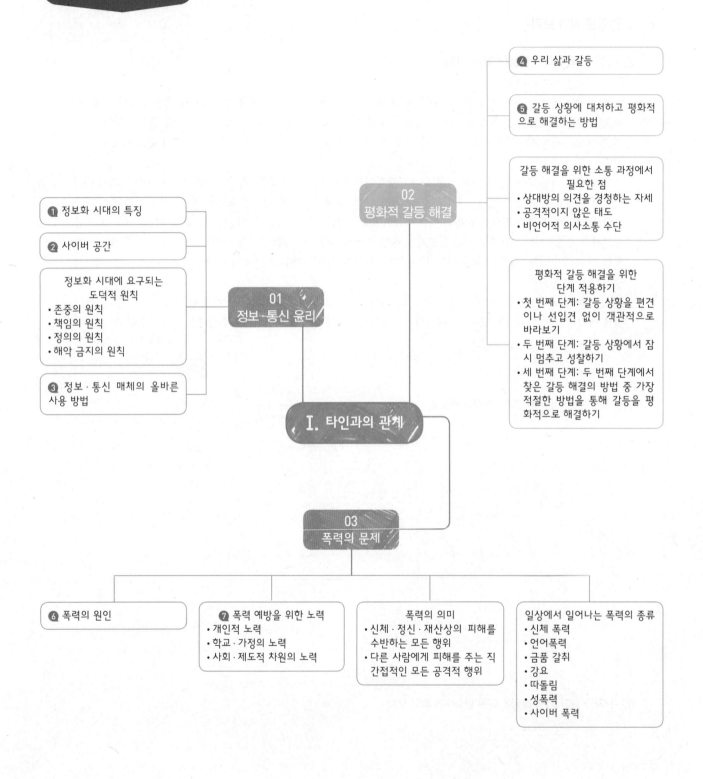

4 우리 삶과 갈등

5 갈등 상황에 대처하고 평화적으로 해결하는 방법

02 평화적 갈등 해결

갈등 해결을 위한 소통 과정에서 필요한 점
• 상대방의 의견을 경청하는 자세
• 공격적이지 않은 태도
• 비언어적 의사소통 수단

평화적 갈등 해결을 위한 단계 적용하기
• 첫 번째 단계: 갈등 상황을 편견이나 선입견 없이 객관적으로 바라보기
• 두 번째 단계: 갈등 상황에서 잠시 멈추고 성찰하기
• 세 번째 단계: 두 번째 단계에서 찾은 갈등 해결의 방법 중 가장 적절한 방법을 통해 갈등을 평화적으로 해결하기

1 정보화 시대의 특징

2 사이버 공간

정보화 시대에 요구되는 도덕적 원칙
• 존중의 원칙
• 책임의 원칙
• 정의의 원칙
• 해악 금지의 원칙

01 정보·통신 윤리

3 정보·통신 매체의 올바른 사용 방법

Ⅰ. 타인과의 관계

03 폭력의 문제

6 폭력의 원인

7 폭력 예방을 위한 노력
• 개인적 노력
• 학교·가정의 노력
• 사회·제도적 차원의 노력

폭력의 의미
• 신체·정신·재산상의 피해를 수반하는 모든 행위
• 다른 사람에게 피해를 주는 직간접적인 모든 공격적 행위

일상에서 일어나는 폭력의 종류
• 신체 폭력
• 언어폭력
• 금품 갈취
• 강요
• 따돌림
• 성폭력
• 사이버 폭력

보충 설명

1 정보화 시대의 특징

(1) 컴퓨터나 다중 매체, 통신 수단이 발달함
(2) 정보의 대량 생산, 유통, 소비 등이 더욱 빠른 속도로 이루어짐

2 사이버 공간

(1) **사이버 공간의 등장**
① 인간관계와 삶의 방식이 다양하게 변화함
② 장거리 의사소통이 가능함
③ 상품의 판매 및 구입이 가능함
(2) **사이버 공간의 특성**
① **익명성**: 나의 정체를 드러내지 않고 활동할 수 있음
② **개방성**: 누구에게나 개방되어 있어 자유로운 의견 제시가 가능함
③ **공유성**: 실시간으로 많은 사람과 정보를 공유할 수 있음
④ **비대면성**: 상대방과 얼굴을 맞대지 않고 의사소통을 할 수 있음

3 정보·통신 매체의 올바른 사용 방법

(1) 필요한 경우에만 사용
(2) 사용이 허용되는 시간과 장소에서만 사용
(3) 타인에 대한 배려와 성찰의 자세를 가짐
(4) 정보·통신 매체 사용에 몰두하기보다는 사람들의 관계를 생각하는 존중의 마음을 가짐

4 우리 삶과 갈등

(1) **갈등**: 서로 다른 요구나 성향으로 인해 해결하기 어려운 마음 상태나 상황 자체
(2) **갈등의 유형**
① 내적 갈등
② **외적 갈등**: 개인 간 갈등, 집단 내 갈등, 집단 간 갈등
(3) **우리의 삶에 갈등이 미치는 영향**
① **부정적 영향**: 불편함을 느끼게 하고 사회적 혼란을 야기함
② **긍정적 영향**: 문제를 새로운 관점에서 볼 기회를 제공하며 사회 발전의 계기가 됨

5 갈등 상황에 대처하고 평화적으로 해결하는 방법

(1) **갈등 상황에 대처하는 다양한 방법**
① **갈등 자체를 드러내지 않고 회피하는 유형**: 근본적인 원인 해결이 어려움
② **상대방을 공격하거나 자신의 주장만을 관철하려는 유형**: 공정하고 합리적으로 갈등을 해결하기 어려움
③ **갈등의 원인을 분석하고 의견을 조정하는 유형**: 갈등이 자연스러운 것임을 인정할 때 더욱 나은 사회를 위한 출발점으로 기능할 수 있음
(2) **평화적 갈등 해결**
① 소통과 배려를 통해 가능
② 서로를 신뢰할 수 있는 토대를 마련함
③ 민주적인 사회로 발전하는 데 이바지함

6 폭력의 원인

(1) **개인적인 원인**
① 자기중심적인 생각
② 충동적이고 공격적인 사고방식
(2) **가정 환경적인 원인**
① 가정 폭력의 모방
② 가정 내에서의 과잉보호에 의한 책임감 저하
(3) **사회·문화적인 원인**
① 대중 매체를 통한 폭력에 노출
② 지나친 경쟁 위주의 사회 분위기

7 폭력 예방을 위한 노력

(1) **개인적 노력**
① 분노 조절
② 공감과 예측 능력의 함양
③ 폭력 예방과 관련한 다양한 프로그램 참여
(2) **학교·가정의 노력**
① 학교내에서 다양한 학교 폭력 예방 교육 및 인성 교육 시행
② 부모와의 대화를 통한 문제 해결의 모범 학습 및 학교와의 연계를 통한 폭력 예방 교육 실시
(3) **사회·제도적 차원의 노력**: 대화와 타협의 풍토 조성

01 정보화 시대의 특징으로 가장 적절한 것은?

① 소비 속도의 감소
② 공간의 제약 강화
③ 사이버 공간의 등장
④ 불편한 통신 수단의 증가
⑤ 정보의 소량 생산 및 유통

02 정보화 시대의 도덕 문제에 대한 설명으로 적절하지 않은 것은?

① 정보화 시대의 도덕 문제는 자신을 제외한 타인과 사회에 피해를 준다.
② 인터넷이나 스마트폰에 중독되어 많은 시간을 빼앗기고 정서적인 안정을 잃을 수 있다.
③ 정보·통신 기술의 불법적 사용은 타인의 사생활을 침해하거나 사회 질서를 어지럽힌다.
④ 정보·통신 매체와 기술의 발달로 우리 생활은 편리해졌지만, 새로운 도덕 문제들을 겪게 되었다.
⑤ 사이버 공간에서는 악의적인 비방이나 욕설, 인신공격, 악성 댓글 등과 같은 인간의 존엄성을 훼손하는 일이 빈번하게 일어난다.

03 자신의 정체를 드러내지 않고 활동할 수 있는 사이버 공간의 특성으로 가장 적절한 것은?

① 개방성
② 공유성
③ 익명성
④ 편리성
⑤ 비대면성

04 ㉠에 들어갈 단어로 가장 적절한 것은?

> 정보화 시대에 우리가 지켜야 할 도덕적 원칙에는 어떤 것이 있을까?
> 첫째, 존중의 원칙이다. 사이버 공간에서는 나 자신이 존중받기를 원하는 것처럼 타인을 존중해야 한다.
> 둘째, 책임의 원칙이다. 나의 행동으로 인한 결과를 생각하면서 더욱 신중하게 행동해야 하며 결과에 책임지는 자세가 필요하다.
> 셋째, ㉠ 의 원칙이다. 모든 개인은 동등한 기본적 자유의 권리를 갖고 있으며 타인의 기본적 자유와 권리를 침해하지 않아야 한다. 또 자신이 제공하는 정보의 진실성, 비편향성, 공정한 표현을 추구해야 한다.
> 넷째, 해악 금지의 원칙으로 타인에게 피해를 주는 행위를 해서는 안 된다.

① 감사
② 관용
③ 배려
④ 정의
⑤ 역지사지

05 ㉠에 들어갈 단어로 가장 적절한 것은?

> 정보·통신 매체를 사용할 때는 필요한 용도에 맞게 적절한 시간 동안 사용하는 ㉠ 의 자세가 필요하다.

① 공감
② 절약
③ 절제
④ 존중
⑤ 책임

06 정보·통신 매체의 사용 방법으로 가장 적절한 것은?

① 신속하고 정확하게 사용하도록 한다.
② 타인을 배려하고 성찰하는 마음가짐을 가진다.
③ 필요할 때 바로 사용할 수 있도록 기기를 항상 가지고 다닌다.
④ 정보·통신 매체 사용에 몰두할 수 있도록 집중력을 키운다.
⑤ 정보·통신 매체 없이는 진정한 소통이 불가능하다는 것을 기억한다.

07 정보·통신 매체의 올바른 사용 방법에 대한 설명으로 적절하지 않은 것은?

① 필요한 경우에만 사용해야 한다.
② 진정한 소통을 위해 노력해야 한다.
③ 전자 우편을 주고받을 때에는 예의를 갖춘다.
④ 사용이 허락되는 시간과 장소를 분명히 인식해야 한다.
⑤ 정보·통신 매체의 사용은 사람들에게 피해와 고통을 줄 수밖에 없다.

08 갈등에 대해 바르게 이해하고 있는 학생을 있는 대로 고른 것은?

> • 수진: 갈등은 사람들이 불편함을 느끼게 하고 사회 혼란으로 이어질 수도 있어.
> • 동희: 부모님이나 친구와 의견이 달라 어려움을 겪을 때 개인 간 갈등을 경험하기도 해.
> • 석환: 개인은 자기가 가진 여러 욕구나 목표로 선택의 어려움을 겪을 때 외적 갈등을 느껴.
> • 연주: 갈등이란 서로 다른 요구나 성향으로 해결하기 어려운 마음의 상태나 상황 자체야.

① 수진, 동희
② 동희, 석환
③ 석환, 연주
④ 수진, 동희, 연주
⑤ 동희, 석환, 연주

09 갈등에 대한 설명으로 적절하지 <u>않은</u> 것은?

① 개인 간 갈등은 내적 갈등에 해당한다.
② 집단 내 갈등은 외적 갈등에 해당한다.
③ 갈등은 문제를 새로운 관점에서 볼 기회를 제공하기도 한다.
④ 갈등을 올바르게 해결하면 사회 발전의 계기가 되기도 한다.
⑤ 같은 관심과 목적으로 형성된 집단에서도 갈등이 생길 수 있다.

10 갈등의 원인으로 적절하지 <u>않은</u> 것은?

① 제한된 기회
② 한정된 자원
③ 가치관의 차이
④ 원활한 의사소통
⑤ 의견의 오해와 왜곡

11 갈등 상황에 대처하는 방법으로 가장 적절한 것은?

① 갈등 자체를 부정적으로 바라보고 해결하고자 하지 않는다.
② 일시적인 갈등 해결을 위해 노력하고 근본적인 원인은 무시한다.
③ 자신의 의견을 관철시킨다는 강한 의지를 가지고 일방적으로 주장한다.
④ 갈등의 원인을 파악하고 갈등 상황에 있는 사람들과 의견을 조정한다.
⑤ 갈등 상황에 부닥쳤을 때 갈등이 있다는 것 자체를 드러내지 않고 회피한다.

12 평화적 갈등 해결을 위한 소통 방법으로 적절하지 <u>않은</u> 것은?

① 경청하는 자세
② 존중하는 모습
③ 소통하려는 태도
④ 배려하는 마음가짐
⑤ 다른 의견에 대한 단호한 무시

13 ㉠에 들어갈 단어로 가장 적절한 것은?

〈갈등 해결의 세 단계〉
• 첫 번째: 갈등 상황을 편견이나 선입견 없이 객관적으로 바라본다.
• 두 번째: 갈등 상황에서 잠시 멈추고 [㉠] 한다. 이때 자기중심적 사고에서 벗어나 갈등 상황에 있는 자신을 [㉠] 하고 평화적으로 해결할 수 있는 방법을 모색한다.
• 세 번째: 두 번째 단계에서 찾은 방법 중 가장 적절한 방법으로 갈등을 평화적으로 해결한다.

① 명상
② 반성
③ 성찰
④ 자아 탐색
⑤ 다양한 상황에 대입

14 갈등을 평화적으로 해결하기 위한 소통 방법으로 가장 적절한 것은?

① 상대방의 의견을 경청한다.
② 비언어적 수단만 사용해 소통한다.
③ 일방적으로 자신의 의견만을 주장한다.
④ 나와 의견이 다른 사람은 이겨야 한다는 생각으로 대화한다.
⑤ 갈등을 해결하기보다는 자신의 의견을 관철하는 것에 목표를 둔다.

15 ㉠에 들어갈 단어로 가장 적절한 것은?

> 일반적으로 ㉠ 은 신체·정신·재산상의 피해를 수반하는 모든 행위를 가리킨다. 즉, 다른 사람에게 피해를 주는 직간접적인 모든 공격적 행위가 ㉠ 에 해당한다.

① 갈등
② 폭력
③ 역할 갈등
④ 가치관 대립
⑤ 집단 내 갈등

16 (가), (나)에 들어갈 단어로 가장 적절한 것은?

> 폭력에는 신체에 직접적인 힘을 가하는 (가) 이 있고 잘못된 사회 구조나 관행 등으로 발생하는 정치적 억압, 사회적 차별, 문화적 소외 등과 같은 (나) 도 있다.

	(가)	(나)
①	구조적 폭력	물리적 폭력
②	구조적 폭력	부작위에 의한 폭력
③	물리적인 폭력	구조적 폭력
④	물리적인 폭력	신체적 폭력
⑤	부작위에 의한 폭력	구조적 폭력

17 폭력에 대한 설명으로 적절한 것을 〈보기〉에서 있는 대로 고른 것은?

> **보기**
> ㄱ. 폭력은 인간의 자유의사와 의지를 침해한다.
> ㄴ. 폭력은 개인뿐 아니라 사회까지 광범위하게 악영향을 끼친다.
> ㄷ. 폭력의 피해자는 신체적 손상뿐 아니라 정신적인 피해까지 입을 수 있다.
> ㄹ. 폭력은 비도덕적이라는 것보다 상처가 남는다는 점에서 가장 큰 문제이다.

① ㄱ, ㄴ
② ㄴ, ㄷ
③ ㄷ, ㄹ
④ ㄱ, ㄴ, ㄷ
⑤ ㄱ, ㄴ, ㄹ

18 일상생활의 폭력을 〈보기〉에서 있는 대로 고른 것은?

> **보기**
> ㄱ. 강요
> ㄴ. 언어폭력
> ㄷ. 신체 접촉
> ㄹ. 금품 갈취

① ㄱ, ㄴ   ② ㄱ, ㄹ
③ ㄴ, ㄷ   ④ ㄴ, ㄹ
⑤ ㄱ, ㄴ, ㄹ

19 폭력에 대한 설명으로 적절하지 <u>않은</u> 것은?

① 폭력이 발생하면 주변 사람에게 알려 도움을 받아야 한다.
② 폭력 신고는 고자질이 아니라 자신과 피해자의 권리를 찾는 것이다.
③ 폭력은 발생하기 전에 예방하는 것만 중요하므로 폭력에 대한 대처는 필요없다.
④ 학교 폭력을 해결하기 위해서는 무엇보다 폭력을 용납하지 않는 분위기를 조성해야 한다.
⑤ 폭력 상황을 목격하면 '나도 피해자가 될 수 있다.'라는 생각으로 방관하지 말아야 한다.

20 다음 글과 관련된 폭력의 원인으로 가장 적절한 것은?

> 부모가 자녀를 과잉보호하면 자녀는 자기중심적, 이기적, 의존적 성격을 지니게 되어 책임감이 약해지고 자신의 행동 결과를 예측하는 능력이 부족해져 폭력적으로 행동할 수 있다.

① 개인적인 원인
② 국가적인 원인
③ 문화적인 원인
④ 사회적인 원인
⑤ 가정 환경적인 원인

21 폭력 예방을 위한 노력으로 적절한 것을 〈보기〉에서 있는 대로 고른 것은?

> **보기**
> ㄱ. 자신의 분노 조절하기
> ㄴ. 상대방 이야기에 경청하기
> ㄷ. 상대방을 위협적인 태도로 대하기
> ㄹ. 자신의 행동 결과를 예측하는 능력 키우기

① ㄱ, ㄴ   ② ㄴ, ㄷ
③ ㄷ, ㄹ   ④ ㄱ, ㄴ, ㄷ
⑤ ㄱ, ㄴ, ㄹ

22 사이버 공간의 등장으로 변화한 우리 사회의 모습을 구체적으로 서술하시오.

23 사이버 공간의 특성과 그 의미를 서술하시오.

24 정보화 시대에 지켜야 할 도덕적 원칙과 내용을 구체적으로 서술하시오.

25 갈등을 평화적으로 해결하기 위한 세 단계를 서술하시오.

26 밑줄 친 내용의 의미와 예를 서술하시오.

> 폭력에는 신체에 직접적이 힘을 가하는 물리적인 폭력도 있고, 폭력 상황을 알고도 이것을 외면하거나 방관하는 부작위에 의한 폭력도 있다. 또한, 구조적 폭력도 폭력에 해당한다.

27 밑줄 친 내용의 예를 들어 서술하시오.

> 폭력의 원인은 다양하며 하나의 원인뿐만 아니라 여러 원인이 복합적으로 작용하여 발생하기도 한다. 폭력의 원인으로는 개인적인 원인, 가정 환경적인 원인, 사회 문화적인 원인이 있다.

사회·공동체와의 관계

01 도덕적 시민

교과서 64~79쪽

★ **국민과 시민**
국가 구성원이라는 측면에서 유사한 의미가 있으나, 시민은 '교양을 가지고 정치에 적극적으로 참여하는 주권자'의 의미를 더 강조할 때 사용함

보충 공자가 생각한 올바른 국가의 조건
자공이 정치에 대해 물으니, 공자께서 "식량을 풍족하게 하고, 군비를 족히 하고, 백성에게 신뢰를 얻어야 하느니라."라고 하셨다. 자공이 "부득이 하나를 버려야 한다면 어떤 것을 버려야 합니까?"하자, 공자께서 "군비를 버릴 것이니라." 하셨다. 자공이 다시 "부득이 하나를 또 버려야 한다면 어느 것을 버려야 합니까?"하자, 공자께서 "식량을 버릴 것이니라. 백성의 믿음이 없으면 국가가 존립하지 못하는 것이니라."하셨다.
– 『논어』「안연편」

1 어떤 국가가 정의로운 국가일까?

1. 국가의 역할과 기능
(1) **국가를 이루는 요소**
　① 객관적 요소: 국민, 영토, 주권 ― 국가의 의사를 최종적으로 결정하는 최고의 권력
　② 주관적 요소: 국민의 자부심, 소속감
　　　　　　　　　　　　　　　　　　　　　┌ 어떤 일을 이루기 위하여 대책과 방법을 세움
(2) **국가의 역할과 기능**: 국민의 생명을 보호하고 안전을 도모, 복지 혜택을 제공하고 개인이나 집단의 갈등을 조정, 개인이 만들 수 없는 것들을 제공하고 인간다운 삶을 보장
(3) **바람직한 국가의 모습**: 인간의 존엄성 보장, 최소한의 경제적 기반 형성, 사회적 합의에 따른 공정한 사회 제도를 확립

2. 정의로운 국가가 추구하는 가치
(1) 인간의 존엄성을 존중함
(2) **보편적 가치를 추구**: 자유, 평등, 인권, 공정, 평화, 복지
　　　　　　　　└ 언제 어디서나 모든 사람에게 중요하다고 인정되는 가치

2 시민이 갖추어야 할 자질은 무엇일까?
　　　┌ 민주주의 정치 공동체에서 권리와 의무를 가지고 자발적으로 공공 정책에 참여하는 사람
1. 시민으로서의 책임과 의무
(1) **올바른 시민**: 국가 공동체 안에서 공동체 의식을 가지고 자신의 책임과 의무를 다하면서 권리를 올바르게 행사하는 국가의 구성원

2. 애국심과 시민 의식
(1) **애국심의 의미와 실천 방법**: 애국심은 자신이 속한 국가를 사랑하고 국가에 헌신하려는 마음으로 국토 보존에 힘쓰고 시민의 역할을 다하여 애국심을 실천할 수 있음
(2) **맹목적, 배타적 애국심의 문제점**: 다른 나라의 존엄성과 세계 평화를 위협함
(3) **바람직한 애국심과 시민 의식**: 보편적 가치에 따르는 분별력 있는 애국심, 세계 시민
　　　　　　　　　└ 다른 사람이나 집단을 일방적으로 배척하는 태도
의식과의 조화

3 법을 지키면 공익을 증진할 수 있을까?
　　　┌ 법률이나 규칙을 좇아 지킴
1. 준법의 근거와 필요성
(1) 준법은 그 자체로 보편적인 정의를 실현하는 방법
(2) 법을 지킴으로써 국가가 주는 혜택을 받을 수 있으며, 바람직한 시민으로 살아가는 삶을 실현할 수 있음

2. 시민 불복종의 의미와 조건
(1) **의미**: 잘못된 법과 제도를 개선하고자 공개적이고 평화적으로 법을 위반하는 행위
(2) **시민 불복종의 조건**: 목적의 정당성, 처벌의 감수, 비폭력성, 최후의 수단

3. 준법과 공익의 증진
　　　　　　　　　　　　　　　　　　┌ 법률에 의해 나라를 다스림
(1) 시민은 준법의 의무가 있으며 국가는 정의에 기반을 둔 법치를 해야 함
(2) 법을 지키지 않으면 타인에게 피해를 주며 모든 시민이 법을 지킬 때 공익이 증진됨

활동 속 자료&개념

◈ 정의로운 국가에 어떻게 도달할 것인가?

교과서 67쪽

《 국가는 국민의 삶에 어느 정도 개입해야 할까? 》

소극적 국가관

국가의 개입은 개인의 자유와 권리를 제한한다. 따라서, 국가는 국민 생활에 되도록 개입해서는 안 된다. 국가가 공정한 경쟁을 하도록 질서만 유지하면, 자유로운 개인이 창의성과 잠재력을 발휘하여 전체의 이익이 커진다.

적극적 국가관

국가의 개입은 개인의 자유를 침해하는 것이라기보다는 자유를 누릴 수 있는 기본적인 조건을 만들어 주는 것이다. 세금을 더 거두어들이더라도 국가가 광범위한 복지 혜택을 제공하는 것이 국민 전체의 생활을 윤택하게 만든다.

[개념 쏙쏙]

• 로버트 노직: 소극적 국가관을 지지한 사상가로 개인의 소유권을 보장해 주는 국가가 정의롭다고 생각함
• 존 롤즈: 적극적 국가관을 지지한 사상가로 차등의 원칙을 주장하여 불리한 처지에 있는 사람들의 형평을 공정하게 조정하는 국가가 정의롭다고 생각함

◈ 준법과 법치는 같이 가야 한다.

교과서 75쪽

[자료 해설]

법치는 법에 의해 나라를 다스리는 것이다. 만약 통치자가 자의적인 판단으로 국가를 다스린다면 일정한 원칙이 존재하지 않기 때문에 부당함이 있을 수 있다. 법치는 통치자가 자의적으로 통치하여 권력을 사유화하는 것을 막고 공익이 보장될 수 있도록 한다.

개념 꿀꺽

1. 빈칸에 알맞은 말을 쓰시오.

(1) 국가의 객관적 요소는 (　　　), 영토, (　　　)이다.
(2) 잘못된 법과 제도를 개선하고자 공개적이고 평화적으로 법을 위반하는 행위를 (　　　)(이)라고 한다.

2. 다음 내용이 옳으면 ○표, 틀리면 X표 하시오.

(1) 국가는 국민의 생명을 보호하고 안전을 도모한다. (　　　)
(2) 정의로운 국가는 보편적인 가치를 추구한다. (　　　)
(3) 올바른 시민은 항상 개인보다 국가를 우선시해야 한다. (　　　)
(4) 국가를 맹목적으로 사랑하는 배타적 애국심이 진정한 애국심이다. (　　　)
(5) 시민 불복종이 정당화되기 위한 조건은 목적의 정당성, 처벌의 감수, 비폭력성, 최후의 수단이다. (　　　)

정답
1. (1) 국민, 주권 (2) 시민 불복종
2. (1) ○ (2) ○ (3) X (4) X (5) ○

01 국가의 역할과 기능에 관한 설명으로 적절하지 <u>않은</u> 것은?

① 국가를 이루는 주관적 요소는 국민, 영토, 소속감 이다.
② 바람직한 국가는 자유, 평등, 인권 등 보편적 가 치를 추구한다.
③ 국가의 역할은 국민의 생명을 보호하고 안전을 도모하는 것이다.
④ 국가는 복지 혜택을 제공하고 개인이나 집단의 갈등을 조정한다.
⑤ 바람직한 국가는 사회적 합의에 따른 공정한 사 회 제도를 확립한다.

02 올바른 시민의 자질에 대해 바르게 말한 학생을 〈보기〉 에서 있는 대로 고른 것은?

> **보기**
> ・성호: 개인을 지나치게 우선시하면 구성원의 자 유와 권리가 위축될 수 있어.
> ・지현: 공동체를 지나치게 우선시하면 구성원의 책임감과 의무를 소홀히 할 수 있어.
> ・현민: 공동체의 이익과 개인의 이익은 상충하므 로 적절하게 조화를 이루도록 노력해야 해.
> ・현서: 공동체 의식을 지니고 자신의 책임과 의무 를 다하면서 권리도 올바르게 행사해야 해.

① 성호, 지현
② 지현, 현민
③ 현민, 현서
④ 성호, 지현, 현민
⑤ 지현, 현민, 현서

03 준법의 사례로 가장 적절한 것은?

① 신호를 어기고 무단 횡단을 했다.
② 하굣길에 몸이 불편한 친구를 도와주었다.
③ 친구와 만나기로 한 약속을 정확히 지켰다.
④ 불의한 법에 시민 불복종 운동을 전개했다.
⑤ 편의점 아르바이트를 하면서 청소년에게 술과 담 배를 팔지 않았다.

주관식
04 다음 글이 설명하는 보편적 가치를 쓰시오.

> 경쟁에서 뒤처진 사회적 약자에게 최소한의 인 간다운 삶을 살 수 있도록 도와주어야 한다.

(   )

05 '국가라는 배가 항해할 때 정의는 북극성과 같은 역할 을 한다.'라는 말을 남긴 서양 사상가로 옳은 것은?

① 밀
② 칸트
③ 플라톤
④ 소크라테스
⑤ 아우구스티누스

중요
06 바람직한 애국심을 〈보기〉에서 고른 것은?

> **보기**
> ㄱ. 우리 영토에 관심을 가지고 보존하고자 노력 한다.
> ㄴ. 사회적 합의에 따른 정의로운 법을 지키고자 노력한다.
> ㄷ. 민주주의 원칙에 따라 다수가 찬성하는 가치 를 항상 이행한다.
> ㄹ. 국가의 명령으로 피해를 보더라도 무조건 따 르는 희생정신이 필요하다.

① ㄱ, ㄴ
② ㄱ, ㄷ
③ ㄱ, ㄹ
④ ㄴ, ㄷ
⑤ ㄴ, ㄹ

07 다음 글에 대해 옳은 설명을 하는 학생을 〈보기〉에서 있는 대로 고른 것은?

> ○○이란 헌법은 대통령의 자격을 '종교적이고 정치적 역량을 갖춘 남성'으로 규정하고 있어 여성은 대통령 선거에 출마할 권리를 가지지 못한다.

보기
- 다빈: ○○이란 헌법은 평등이라는 보편적 가치를 위반하고 있어.
- 명철: 헌법은 모든 국민이 동의해 만든 것으로 절대 바꿀 수 없어.
- 재경: 보편적 가치의 관점에서 잘못된 법은 시민 불복종을 통해 거부할 수 있어.
- 현주: 헌법은 최고의 권위를 가지고 있는 법이므로 무슨 일이 있어도 반드시 지켜야 해.

① 다빈, 명철 ② 다빈, 재경
③ 재경, 현주 ④ 다빈, 명철, 재경
⑤ 명철, 재경, 현주

08 공동체를 우선시하는 시민에 대한 설명으로 가장 적절한 것은?

① 개인의 자유와 권리를 강조한다.
② 시민으로서 공동선과 공익을 중시한다.
③ 개인의 선과 사익을 중요하게 생각한다.
④ 국가 구성원의 책임과 의무를 소홀히 하기 쉽다.
⑤ 지나친 권리 추구로 타인의 권리를 침해할 수 있다.

09 법치에 대한 옳은 설명을 〈보기〉에서 고른 것은?

보기
ㄱ. 법치란 올바른 법을 지키는 것이다.
ㄴ. 정의에 기반을 둔 법치가 필요하다.
ㄷ. 법치와 준법이 모두 실현될 때 공익이 실현될 수 있다.
ㄹ. 현명하고 정의로운 통치자가 있다면 반드시 법치가 필요하지는 않다.

① ㄱ, ㄷ ② ㄱ, ㄹ ③ ㄴ, ㄷ
④ ㄴ, ㄹ ⑤ ㄷ, ㄹ

10 다음 글과 관련된 설명으로 가장 적절한 것은?

> 『도덕적 개인과 비도덕적 사회』는 미국의 사상가 니부어의 저서 이름이다. 개인은 도덕적일 수 있지만, 도덕적 개인이 모여서 집단이 되면 집단의 이익을 추구하는 논리에 따라 비도덕적인 사회가 될 수 있다는 것이다.

① 개인의 도덕적 성찰이 필요하다.
② 개인이 도덕적이면 도덕적인 사회가 만들어질 수 있다.
③ 도덕적 개인이 모여도 비도덕적 사회가 되므로 개인의 도덕성은 의미 없다.
④ 인간의 도덕성은 믿을 수 없으므로 강제성 있는 법으로 통치하는 제도를 마련해야 한다.
⑤ 도덕적 개인은 사회에 지속적으로 참여해 비도덕적으로 타락할 수 있는 사회를 바로잡아야 한다.

서술형

11 준법이 필요한 이유를 두 가지 서술하시오.

12 맹목적·배타적 애국심의 문제점을 서술하시오.

01 정의로운 국가가 추구하는 보편적 가치에 대한 설명으로 옳은 것을 〈보기〉에서 고른 것은?

보기
ㄱ. 사회적 약자를 보호하고 모든 구성원을 정당하게 대우해야 한다.
ㄴ. 타인을 배제하며 자기 뜻대로 삶을 설계하고 추구할 수 있어야 한다.
ㄷ. 능력과 출신의 차이를 고려하지 않고 결과의 평등만이 보장되어야 한다.
ㄹ. 인간 존엄성의 원리에 따라 모든 사람이 인간다운 삶을 보장받아야 한다.

① ㄱ, ㄴ　　② ㄱ, ㄷ　　③ ㄱ, ㄹ
④ ㄴ, ㄷ　　⑤ ㄴ, ㄹ

02 국가를 구성하는 객관적 요소를 〈보기〉에서 있는 대로 고른 개수는?

보기
국민, 주권, 소속감, 애국심, 자부심

① 1개　　② 2개　　③ 3개
④ 4개　　⑤ 5개

03 다음 글에서 강조하는 통치 자세로 가장 적절한 것은?

초나라 태자가 왕궁 안으로 수레를 몰고 들어가자 문지기는 법에 따라 궁 안으로 수레를 타고 들어갈 수 없다며 태자의 앞을 가로막았다. 태자가 문지기를 무시하고 들어가자 문지기는 도끼로 수레를 부숴 버렸다. 이에 태자가 울며 왕에게 달려가 "문지기가 태자인 저에게 무례를 범했습니다. 부디 처벌하소서."라고 호소했다. 이야기를 들은 왕은 "젊은 태자에게 아첨하여 훗날의 이익을 구하지 않고 법에 따르다니 그는 진정한 충신이로다."라고 하며 문지기에게 큰 상을 내렸다.

① 덕치　　② 무위　　③ 법치
④ 융통성　　⑤ 군주의 능력

04 다음 글이 설명하는 단어를 쓰시오.

개인을 위한 것이 아닌 국가나 사회 또는 온 인류를 위한 것

(　　　　　)

05 다음 글을 읽고 할 수 있는 말로 적절하지 않은 것은?

자공이 정치에 대해 물으니, 공자께서 "식량을 풍족하게 하고 군비를 족히 하고 백성에게 신뢰를 얻어야 하느니라."라고 하셨다. 자공이 "부득이 하나를 또 버려야 한다면 어떤 것을 버려야 합니까?"하니, 공자께서는 "식량을 버릴 것이니라. 백성의 믿음이 없다면 국가가 존립하지 못하는 것이니라."라고 하셨다.

① 식량과 군비는 주관적 요소보다는 객관적 요소에 가깝다.
② 국민들의 신뢰를 바탕으로 한 배타적 애국심이 국가 발전의 원동력이다.
③ 공자는 국민의 신뢰라는 주관적 가치를 국가 유지에 가장 중요한 요소로 생각했다.
④ 국가가 물질적 측면에서 풍족하더라도 국민의 소속감과 신뢰감 없이는 성립할 수 없다.
⑤ 군사 비용이 중요한 이유는 군사가 국민의 안전을 보호하는 역할을 수행하기 때문이다.

06 시민 불복종의 조건으로 옳지 않은 것은?

① 목적이 정당해야 한다.
② 최후의 수단으로 행해져야 한다.
③ 비폭력적인 방법으로 행해져야 한다.
④ 불복종으로 인한 처벌을 감수해야 한다.
⑤ 다수 시민의 사적 이익에 부합해야 한다.

07 애국심을 실천하는 바람직한 방법을 〈보기〉에서 있는 대로 고른 것은?

> 보기
> ㄱ. 바람직한 시민의 역할을 다하려고 노력한다.
> ㄴ. 우리 삶의 터전인 국토를 지키는 일에 관심을 가진다.
> ㄷ. 다른 민족과 나라에 우월감을 가지고 배타적인 자세를 취한다.
> ㄹ. 어려움을 극복하고 오늘날의 발전을 이뤄 낸 우리의 역사를 기억한다.

① ㄱ, ㄴ ② ㄱ, ㄷ ③ ㄴ, ㄹ
④ ㄱ, ㄴ, ㄹ ⑤ ㄴ, ㄷ, ㄹ

빈출
08 다음 글의 입장에 대한 내용으로 가장 적절한 것은?

> 국가에 대한 준법의 의무는 오직 국가로부터 얻는 이익에서 유래한다. 이 이익 때문에 우리는 자신이 국가에 저항하는 경우에 반감을 느낀다.

① 국가의 법은 이익을 떠나 무조건 지켜야 한다.
② 국가에 복종하는 이유는 국가의 형벌이 두렵기 때문이다.
③ 우리는 국가와 공동체적 정의를 실현하기로 약속했기 때문에 법을 지켜야 한다.
④ 위와 같은 이유로만 법을 지키는 사람들은 자신의 이익이 되지 않을 때 법을 어길 수 있다.
⑤ 정의로운 법을 지키는 것은 그 자체로 보편적인 가치를 실현하는 것이기 때문에 법을 따라야 한다.

서술형

09 다음 상황이 시민 불복종이 될 수 <u>없는</u> 이유를 시민 불복종의 조건을 들어 서술하시오.

> 대학교 주변에 기숙사가 지어진다면 우리와 같이 월세와 전세로 먹고사는 건물 주인들은 심각한 손해를 볼 것입니다. 따라서 우리는 국립 대학교 기숙사 건설 정책에 불복종 운동을 추진하겠습니다.

10 다음 그림에서 올바른 준법정신을 가진 사람을 찾고 그렇게 생각하는 이유를 서술하시오.

11 도덕과 법의 공통점과 차이점을 서술하시오.

1. 정의로운 국가와 보편적 가치

🔅 다음 그림을 보고 물음에 답해 보자.

01. 위의 상황을 보고, 추구해야 할 가치와 해결 방법을 써 보자.

- 사례:

- 추구해야 할 가치:

- 해결 방법:

02. 주변에서 위와 같은 사례를 더 찾아보고 추구해야 할 가치와 해결 방법을 제시해 보자.

- 사례:

- 추구해야 할 가치:

- 해결 방법:

2. 양심적 병역 거부

⊕ 다음 글을 읽고 물음에 답해 보자.

양심적 병역 거부는 개인의 양심이나 종교적 신념에 따라 무기를 잡는 것을 거부하여 병역을 받아들이지 않는 것입니다. 2004년과 2011년에 헌법 재판소에서 합헌 판결을 받았지만, 지금까지도 많은 국민 사이에서 찬성과 반대 주장이 팽팽하게 맞서고 있습니다.

'양심적 병역 거부자를 처벌해야 한다.'라는 입장은 분단이라는 특수 상황으로 군 복무가 필수적 의무인데, 그러한 의무를 저버리고 있다고 주장합니다. 한편 '양심적 병역 거부는 무죄이다.'라는 입장은 개인의 양심과 보편적 가치에 따라 평화를 주장하는 사람들이 군 복무를 하지 않는다는 이유로 처벌받는 것은 과도하며 대체 복무라는 대안이 있다고 주장합니다.

01. 내가 양심적 병역 거부를 재판한다면 어떤 판결을 내릴지 근거를 들어 써 보자.

• 판결:

• 근거:

3. 시민 불복종 운동

⬦ 다음 글을 읽고 물음에 답해 보자.

> • 시민 불복종의 개념
>   국가의 정의롭지 못한 법과 정책을 개선하고자 의도적으로 법을 위반하는 행위
>
> • 시민 불복종의 조건
>
> | 목적의 정당성 | 처벌의 감수 |
> |---|---|
> | 불복종 이유가 공동선에 부합하는 등 목적이 정당해야 한다. | 불복종으로 인해 받게 되는 처벌을 기꺼이 받아들여야 한다. |
> | 비폭력성 | 최후의 수단 |
> | 비폭력적인 방법으로 시행해야 한다. | 합법적인 절차를 거친 후 최후의 수단으로 이루어져야 한다. |

01. 위의 조건 없이 시민 불복종이 진행된다면 나타날 수 있는 문제점을 써 보자.

목적의 정당성이 없다면?	처벌의 감수를 고려하지 않는다면?

비폭력적인 방법이 아니라면?	최후의 수단이 아니라면?

4. 공익과 사익의 조화

◈ 다음 글을 읽고 물음에 답해 보자.

공익은 시민의 책임과 의무를 강조하고 사익은 개인의 자유와 권리를 강조한다. 공익과 사익은 모두 중요하므로 조화롭게 양립하는 것이 가장 좋지만 때로 충돌하기도 한다. 다음 예를 살펴보자.

예

공익과 사익의 충돌 사례	공익과 사익을 조화시키는 방법
주민들이 쓰레기 처리 시설, 하수 정화 시설, 발전소 등의 혐오 시설 건설을 거부하는 경우	주민들의 삶에 부정적인 영향을 줄 수 있는 시설을 지어야 한다면 지역 발전을 위한 지원을 약속하거나 지역 환경을 개선할 수 있는 기금을 마련하여 주민의 피해를 최소화해야 한다.

01. 공익과 사익이 충돌한 사례를 찾아보고, 두 이익을 조화시키는 방법을 써 보자.

공익과 사익의 충돌 사례	공익과 사익을 조화시키는 방법

02 사회 정의

보충 분배 정의의 원리

분배 정의는 '각자에게 정당한 몫'을 주는 것이지만, 어떤 것이 정당한 몫인지에 관해서는 다양한 기준이 존재한다. 분배는 크게 평등, 공적, 필요에 따른 분배로 나눌 수 있다. 평등에 따른 분배는 모든 사람이 평등한 권리를 가진다는 이념에 기초하여 똑같이 나누어 분배하는 것이다. 공적에 따른 분배는 분배할 자원을 획득하는 데 세운 공적을 객관적으로 수량화해 세운 공적의 비율에 따라 분배하는 것이다. 필요에 따른 분배는 재화를 가장 필요로 하는 상황과 사람을 고려해 분배하는 것이다.

1 왜 정의로운 사회를 추구할까?

1. 사회 정의의 의미와 중요성
(1) **정의의 의미**: 사회를 구성하고 유지하는 공정한 ⎡ 공평하고 올바른 것 원리이자 덕목
  ① 개인 윤리 차원: 정의로운 사람이 되기 위한 노력
  ② 사회 윤리 차원: 사회 제도나 규칙을 개선하고자 하는 구성원 전체의 노력
(2) **현대 사회의 정의**: '각자에게 정당한 몫'을 주는 분배 정의의 측면이 강함, 불공정한 사회 규칙이나 제도를 개선하여 사회 구성원 전체의 도덕적 삶을 실현하는 것을 목표로 함, 사회 구성원을 공평하고 차별 없이 대할 것을 강조함

2. 사회 정의를 추구해야 하는 이유
(1) **자본주의와 사회 정의**: 과거의 신분 사회보다는 정의롭지만 완벽하게 공정한 제도는 아님 ⎣ 생산 수단을 사유화하여 상품을 생산하고 이윤을 추구하는 경제 체제
(2) **사회 정의를 위한 노력**: 사회 구성원이 적극적으로 사회 제도를 개선하는 논의에 참여해야 함

2 공정한 경쟁을 하기 위한 조건은 무엇일까?

1. 공정한 경쟁의 필요성
(1) **경쟁의 장점**: 개인은 자신의 가치를 높이고 경쟁력을 키움, 기업은 더 좋은 물건을 값싸게 만들어 이윤을 창출함
(2) **경쟁의 단점**: 부정행위가 발생함, 사회 구성원 간 신뢰와 협력이 불가능함, 사회 전체가 갈등과 혼란에 빠질 수 있음
(3) 공정한 경쟁을 통해 개인과 공동체의 발전을 이끌어야 함

2. 공정한 경쟁의 조건
(1) **경쟁 과정의 공정성**: 공정한 경쟁 규칙을 만들고 모두에게 경쟁에 참여할 기회를 줌, 경쟁에 참여하는 사람들의 차이를 인정하고 조정함
(2) **경쟁 결과의 정당성**: 부정한 수단과 방법을 사용하면 보상에서 배제함, 경쟁에 뒤처졌어도 최소한의 인간다운 삶을 보장해야 함 ⎣ 받아들이지 않고 제외함
(3) 참다운 경쟁은 선의의 경쟁이며 사회적 협력 속에서 이루어지는 것

보충 롤즈가 바라본 자본주의와 정의

미국의 정치 사상가 롤즈에 따르면 인간은 두 가지 측면에서 불평등하다. 첫 번째는 자연적 불평등으로 우연히 타고난 능력이고, 두 번째는 사회적 불평등으로 사람이 태어난 사회적 신분, 조건 등을 의미한다. 현대 자본주의 사회는 계급 사회에 비해 선천적 계급이 존재하지 않으므로 사회적 불평등이 완화된 정의로운 사회이지만 아직 자연적, 사회적 불평등이 남아 있는 사회인 것이다.

3 부패는 왜 발생하며, 그것을 어떻게 예방할 수 있을까?

1. 부패 행위의 발생 원인
(1) **부패의 의미**: 공정하지 못한 방법으로 자신의 이익을 추구하는 것
(2) **부패의 원인**: 개인의 지나친 이기심, 부패를 조장하는 사회 구조, 비합리적 관행 ⎡ 오래전에 사회에 형성된 집단적 행동 양식으로 혈연, 지연, 학연 등이 있음
(3) **부패의 문제점**: 타인의 권리 침해, 구성원의 불신 조장, 사회 통합 방해

2. 부패 행위의 예방
(1) **개인 윤리 차원**: 청렴 의식, 견리사의(見利思義), 선공후사(先公後私) 자세가 필요함 ⎡ 이익을 봤을 때 의로움을 먼저 생각함 ⎡ 공적인 사명을 우선시하고 사적인 것은 나중으로 미룸
(2) **사회 윤리 차원**: 부패 방지법, 공익 신고자 보호 제도, 시민의 견제 수단 마련

이익의 관점과 공정의 관점

교과서 83쪽

최후통첩 게임 방법

1. 두 사람이 10만 원을 아래의 방법대로 나누어 가진다.
2. 갑은 돈을 나누는 비율을 제시할 권리가 있다.
3. 을은 갑의 제안을 받아들이거나 거절할 수 있는 권리가 있다.
4. 거래가 성사되지 않으면 누구도 돈을 받을 수 없으며 다시 시도할 수 없다.

자, 여기 네 몫은 이만큼이야.

이게 뭐야? 너는 그렇게 많이 가지면서 나한테는 고작 이 정도만 주겠다고?

무슨 상관이야? 어차피 그냥 얻는 것이니까 손해 볼 건 없잖아?

그래도 이건 아니야. 난 받아들일 수 없어!

갑　을

[자료 해설]

게임 규칙에 따르면 을은 어떤 제안을 받더라도 손해를 보지 않으며, 갑이 제안한 금액이 0원 이상이라면 반드시 이익을 본다. 그러나 이 게임을 연구한 독일의 경제학자 베르너 귀스의 연구 결과에 따르면 7 : 3 이상의 불공정 거래는 거절되었다. 만 원이라도 받아들이는 것이 이익이 될 수 있는 상황에서도 상대의 몫이 정당한가를 보고 지나치게 불공정한 거래는 거절했다. 이는 인간이 본성상 이익뿐만 아니라, 공정성도 고려함을 보여 준다.

스포츠에서 약물 검사를 하는 이유

교과서 85쪽

도핑(doping)은 운동선수가 일시적으로 경기 능력을 높이기 위하여 해당 종목에서 금지된 약물을 복용하는 것을 말한다. 운동선수는 의사나 약사에게 자신이 선수라는 것을 밝히고 치료를 받아야 한다. 또한, 약을 처방받았을 때에도 본인이 도핑 관련 기관에 문의한 후에 약을 먹어야 한다. 치료를 위해 약물이 꼭 필요한 때는 관련 서류를 제출하여 허가를 받은 후에 사용할 수 있다.

– 한국도핑방지위원회, 『2016 도핑 방지 가이드』

[자료 해설]

도핑은 운동선수가 약물을 통해 일시적으로 경기 능력을 향상시키는 것이다. 하지만 개인의 능력과 노력으로 성취한 결과가 아니므로 사회적 합의에 따라 금지되었다. 도핑하는 것은 경쟁 과정의 공정성을 해치며 도핑으로 우수한 결과를 얻었다고 하더라도 보상에서 배제되어야 한다.

따라서 선수들은 남들보다 우수한 실력을 갖추어야 할 뿐 아니라 공정한 경쟁을 위해 규칙을 잘 준수해야 한다.

개념 꿀꺽

1. 빈칸에 알맞은 말을 쓰시오.

(1) 현대 사회의 정의는 '각자에게 정당한 몫'을 주는 (　　　)의 측면이 강하다.

(2) 부패의 원인은 개인의 지나친 (　　　)와/과 사회의 비합리적 (　　　)이다.

2. 다음 내용이 옳으면 ○표, 틀리면 X표 하시오.

(1) 정의는 사회를 유지하고 구성하는 공정한 원리이자 덕목이다. (　　　)

(2) 신분 사회는 자본주의 사회에 비해 노력이 분배에 영향을 미친다는 점에서 정의롭다.

(　　　)

(3) 경쟁이 지나치면 사회적 불평등이 심화되어 갈등과 혼란이 생긴다. (　　　)

(4) 공정한 경쟁을 위해서는 과정과 결과가 모두 공정해야 한다. (　　　)

(5) 개인의 이기심만 통제한다면 부패를 막을 수 있다. (　　　)

정답

1. (1) 분배 정의 (2) 이기심, 구조

2. (1) ○ (2) X (3) ○ (4) X (5) X

01 사회 정의의 의미로 옳지 <u>않은</u> 것은?

① 사회를 구성하는 공정한 원리이자 덕목이다.
② 현대 사회에서는 '각자에게 정당한 몫'을 주는 분배 정의의 측면이 강하다.
③ 개인 윤리 차원에서는 정의로운 사람이 되기 위한 노력을 중요하게 여긴다.
④ 사회 윤리 차원에서는 사회 제도를 개선하려는 구성원의 노력을 중요하게 여긴다.
⑤ 불공정한 사회 규칙을 바로잡기 위해서는 사회 제도의 개선보다 개인의 노력이 더 중요하다.

02 ㉠에 들어갈 단어를 쓰시오.

> 노력과 경쟁이 분배에 영향을 미친다는 점에서 ㉠ 사회는 과거의 신분 사회보다 정의롭다.

(   )

03 다음 글과 관련된 사자성어로 가장 적절한 것은?

> 청렴의 중요성을 나타내는 사자성어로 '이익을 보면 옳음을 먼저 생각하라.'라는 뜻이다

① 견리사의(見利思義)
② 괄목상대(刮目相對)
③ 사필귀정(事必歸正)
④ 지록위마(指鹿爲馬)
⑤ 타산지석(他山之石)

04 부패를 방지하는 방법 중 성격이 <u>다른</u> 것은?

① 부패 방지법
② 개인의 청렴 의식
③ 공익 신고자 보호 제도
④ 업무 처리 과정의 투명성 보장
⑤ 부패 행위에 대한 시민의 감시 제도

05 다음 글을 읽고 할 수 있는 말로 가장 적절한 것은?

> 경태는 매일 놀기만 하는 줄 알았던 영훈이가 기말고사에서 자신보다 훨씬 높은 점수를 받은 사실을 알고 앞으로 공부를 열심히 해야겠다고 다짐했다. 그러나 다음날, 영훈이가 부정행위로 높은 점수를 받은 것을 안 경태는 큰 충격을 받았다.

① 과정보다는 결과의 평등이 훨씬 중요하다.
② 경태는 영훈이의 실력을 신뢰할 수 있을 것이다.
③ 경쟁에는 긍정적·부정적 효과가 모두 있으며, 공정한 경쟁의 중요성을 알 수 있다.
④ 경태에게 부정행위를 할 수 있는 동등한 기회를 제공하지 않았기 때문에 부당하다.
⑤ 경태가 시험 결과에 자극을 받아 열심히 공부하는 것은 열등감을 자극한 경쟁의 부정적 효과다.

06 정의의 여신의 모습이 상징하는 것으로 가장 적절한 것은?

> 정의의 여신은 눈을 가리고, 한 손에는 저울, 다른 한 손에는 칼을 들고 있는 모습을 하고 있다.

◀ 정의의 여신 디케(Dike)

	가린 눈	저울	칼
①	공평함	공정한 기준	엄중한 처벌
②	공평함	엄중한 처벌	공정한 기준
③	공정한 기준	공평함	엄중한 처벌
④	공정한 기준	엄중한 처벌	공평함
⑤	엄중한 처벌	공평함	공정한 기준

07 공정한 경쟁에 대한 설명으로 옳지 <u>않은</u> 것은?

① 경쟁 결과가 공정해야 한다.
② 경쟁 과정이 공정해야 한다.
③ 제한 없는 경쟁이 곧 공정한 경쟁이다.
④ 경쟁할 때도 사회적 약자를 배려해야 한다.
⑤ 참다운 경쟁은 자신과의 경쟁을 포함한 선의의 경쟁이다.

08 부패의 원인 중 사회적 측면으로 적절한 것을 〈보기〉에서 고른 것은?

보기
ㄱ. 부족한 자제력
ㄴ. 비합리적 관행
ㄷ. 이기적인 마음
ㄹ. 부패를 조장하는 사회 구조

① ㄱ, ㄴ   ② ㄱ, ㄷ   ③ ㄱ, ㄹ
④ ㄴ, ㄷ   ⑤ ㄴ, ㄹ

09 (가)~(다)의 분배 기준으로 가장 적절한 것은?

(가) 모든 사람은 권리를 가진다는 이념에 따라 똑같이 분배하는 것
(나) 어떤 사람이 재화를 가장 필요로 하는지 고려해 분배하는 것
(다) 자원을 획득할 때의 업적을 객관적으로 수량화하고 계산해 분배하는 것

	(가)	(나)	(다)
①	공적	평등	필요
②	평등	공적	필요
③	평등	필요	공적
④	필요	공적	평등
⑤	필요	평등	공적

10 〔중요〕 다음 글을 읽고 옳은 설명을 하는 학생을 〈보기〉에서 있는 대로 고른 것은?

중소기업의 과장인 A 씨는 회사의 비리가 옳지 못하다고 생각해 고발했다. 그러나 고발 이후로 배신자라는 시선과 직장 내 따돌림을 견디지 못해 6개월 후에 자진 퇴사했다.

보기
• 윤기: 이런 사태가 계속된다면 비리 제보가 줄어들어 사회 정의가 위태로워질 수 있어.
• 현준: 회사가 비리를 저질렀더라도 애사심이 있는 직원이라면 비리를 폭로해서는 안 돼.
• 희연: 회사 업무 처리 과정의 기준과 절차를 투명하게 공개하고 청렴 문화를 확산시켜야 해.
• 지윤: 공익 신고자의 익명성을 보장하고 사내 차별이나 부당 행위를 금지하는 제도가 필요해.

① 윤기, 현준   ② 현준, 희연
③ 희연, 지윤   ④ 윤기, 희연, 지윤
⑤ 현준, 희연, 지윤

서술형

11 계급 제도와 인종 차별이 정의롭지 <u>않은</u> 이유를 서술하시오.

_____
_____
_____
_____

12 부패의 문제점을 <u>두 가지</u> 서술하시오.

_____
_____
_____

01 다음 글과 관련된 설명으로 적절한 것을 〈보기〉에서 있는 대로 고른 것은?

> • 동양에서 정의의 의(義)라는 글자는 '양을 창으로 나눈다.'라는 뜻에서 비롯되었다.
> • 서양에서 정의(Justice)라는 단어 속의 'Jus'는 '몫'을 의미한다.

보기

> ㄱ. 분배할 때 기준은 자의적이다.
> ㄴ. 경쟁 과정에서의 정의를 강조한다.
> ㄷ. 분배할 때 기준은 객관적이어야 한다.
> ㄹ. 각자에게 정당한 몫을 주는 것을 정의의 중요한 측면이라 보았다.

① ㄱ, ㄴ   ② ㄴ, ㄷ   ③ ㄷ, ㄹ
④ ㄱ, ㄴ, ㄷ   ⑤ ㄱ, ㄷ, ㄹ

02 다음 중 부패로 인한 문제로 적절하지 <u>않은</u> 것은?

① 사회 정의가 훼손된다.
② 불필요한 낭비가 발생한다.
③ 타인의 권리와 이익을 보호한다.
④ 사회 구성원들 사이에 불신이 생긴다.
⑤ 개인의 실력보다는 혈연, 지연, 학연 등을 중요하게 생각한다.

주관식

03 다음 글이 설명하는 단어를 쓰시오.

> 출신 지역에 따라 연결된 인연을 뜻하며 비합리적인 관행에 따른 부패 발생의 원인이 되기도 한다.

(   )

 고난도

04 다음 글을 읽고 할 수 있는 말로 적절하지 <u>않은</u> 것은?

> 아리스토텔레스는 구성원이 공동체에 이바지한 가치에 따라 몫을 분배해야 한다고 강조한다.

① 분배 정의와 관련있다.
② 개인의 능력이 강조될 것이다.
③ 공적에 따른 분배를 지지하고 있다.
④ 모든 사람에게 평등한 권리가 보장될 것이다.
⑤ 위와 같은 분배가 심화되면 사회 양극화 현상이 일어날 수 있다.

빈출

05 공정한 경쟁의 사례로 가장 적절한 것은?

① 다섯 살짜리 아이와 중학교 1학년 학생이 달리기 시합을 했다.
② 기말고사에서 친구의 답안지를 몰래 베껴 좋은 성적을 거두었다.
③ 대기업이 후발 기업의 진입을 막고자 담합해 일시적으로 가격을 조정했다.
④ 시각 장애가 있는 학생을 위해 시험 문제지를 점자로 제공하고 시간을 조정했다.
⑤ 약물을 복용해 신체 능력을 향상시킨 선수가 높은 점수를 받아 올림픽에서 금메달을 획득했다.

06 경쟁 과정의 공정성에 해당하는 것을 〈보기〉에서 고른 것은?

보기
ㄱ. 모든 사람에게 동등한 기회를 제공한다.
ㄴ. 부정한 수단을 사용한 경우 보상하지 않는다.
ㄷ. 경쟁에 참여한 사람 중 부당한 차이가 있는 사람의 차이를 조정하고자 한다.
ㄹ. 경쟁에 뒤처지더라도 모든 사람이 최소한의 인간다운 삶을 살 수 있도록 보장한다.

① ㄱ, ㄴ　　　② ㄱ, ㄷ　　　③ ㄱ, ㄹ
④ ㄴ, ㄷ　　　⑤ ㄴ, ㄹ

07 다음 글에 대한 비판으로 가장 적절한 것은?

어린이, 장애인, 노인, 육상 선수가 같은 조건으로 같은 출발선에서 출발하는 달리기 시합은 공정한 경쟁이라고 할 수 있다.

① 사회적 강자를 배려하지 않았다.
② 달리기 시합보다는 수영 시합이 적절하다.
③ 가장 많은 준비를 한 육상 선수를 배려해야 한다.
④ 참가 나이에 제한을 두어 어린이의 출전을 금지해야 한다.
⑤ 참여하는 사람의 차이를 인정하지 않고 모두 같은 조건에서 경쟁하기를 강요하고 있다.

서술형

08 다음 상황의 문제점을 부패와 공정한 경쟁 측면에서 서술하시오.

미소는 얼마 전 친척에게 난감한 부탁을 받았었다. 이모부는 사촌 동생이 글쓰기 대회에서 반드시 상을 받아야 한다며, 평소에 글쓰기 실력이 좋았던 미소에게 대신 써 달라고 하셨다. 미소는 잘못된 행동이라는 것을 알고 있었지만, 이모부의 부탁을 거절하기 어려워 결국 대신 작품을 제출해 주었고 그 작품은 대상을 받았다.

09 다음 글에 나타난 정의관을 쓰고 그것의 단점을 서술하시오.

아이들이 동생이나 친구보다 적은 물건을 받았을 때, "이건 공평하지 않아."라고 말하는 경우가 있다. 이것을 통해 어린 나이에 정의의 개념을 형성해 나가고 있음을 알 수 있다.

10 사회 정의의 목표와 목표 달성 방안을 서술하시오.

1. 부패의 원인과 해결 방법

◈ 다음 그림을 보고 물음에 답해 보자.

01. 위 그림에 나타난 부패 문제와 원인을 찾아보고, 해결 방법을 써 보자.

• 부패 문제:
_____

• 부패 원인:
_____
_____

• 해결 방법:
_____
_____

02. 우리 주변에서 부패 문제와 원인을 찾아보고, 해결 방법을 써 보자.

• 부패 문제:
_____

• 부패 원인:
_____
_____

• 해결 방법:
_____
_____

2. 정의로운 분배 방법

🔅 **다음 글을 읽고 물음에 답해 보자.**

다섯 명의 친구가 한 달 동안 열심히 과학 발명품 발표 대회를 준비해 우수한 성적을 거두어 상금 100만 원을 받았다. 발표 준비 과정에서 각 친구들의 참여도는 다음과 같다.

• 민서: 발표 대회에는 열심히 참가했으나, 몸이 아파 대회를 준비하는 한 달 중 3주를 참여하지 못했다.
• 서윤: 발표 대회가 있다는 것을 가장 먼저 알고 나머지 친구들에게 참여를 제안했지만, 발표 준비를 성실하게 하지 않았다.
• 수지: 묵묵하고 성실하게 발표문을 작성하고 내용을 정리하는 등 어려운 작업을 맡으며 가장 오랜 시간 동안 발표 준비에 시간을 쏟았다.
• 태훈: 타고난 지도력을 바탕으로 모둠의 각 구성원들이 해야 할 일을 분배하고 모둠 발표를 준비하는 날짜를 정해 발표 당일에 멋진 발표로 많은 사람의 박수를 받았다.
• 현수: 뛰어난 과학적 재능을 발휘해 기발한 아이디어를 내서 과학 발명품 발표 대회에 제출할 발명품을 만드는 일에 공헌했지만, 대회에 성실하게 참여하지는 않았다.

01. 각 친구에게 분배할 상금액과 분배한 근거를 써 보자.

• 민서:

• 서윤:

• 수지:

• 태훈:

• 현수:

3. 경쟁의 장단점

⊕ **다음 글을 읽고 물음에 답해 보자.**

경쟁은 개인과 기업의 가치를 높이고 사회 발전의 동력이 되지만 지나치게 심화되면 부정행위, 사회적 피로감, 갈등이 생길 수 있다.

예

상점 간의 경쟁	긍정적인 측면	상점은 경쟁력을 높이기 위해 비교적 낮은 가격으로 좋은 품질의 물건과 서비스를 제공한다.
	부정적인 측면	상점 간 가격 경쟁이 지나치게 심화되면 이윤이 나지 않아 모든 상점이 망할 수 있다.

01. 주변에서 경쟁 사례를 찾아 써 보자.

사례 1	
사례 2	

02. 각 사례의 긍정적인 측면과 부정적인 측면을 생각해 보자.

사례 1	긍정적인 측면	
	부정적인 측면	
사례 2	긍정적인 측면	
	부정적인 측면	

4. 분배 정의

◉ 다음 그림을 보고 물음에 답해 보자.

(가)	(나)	(다)

01. (가) ~ (다) 사례에 해당하는 분배 원리와 이유를 써 보자.

	(가)	(나)	(다)
분배 원리			
이유			

02. (가) ~ (다)의 분배 원리가 서로 바뀐다면 무슨 일이 일어날지 써 보자.

(가)	
(나)	
(다)	

03

북한 이해

보충 **북한의 집단주의**

북한 헌법 제63조에서는 '하나는 전체를 위하여, 전체는 하나를 위하여'라는 집단주의 원칙을 규정하고 있다. 북한에서 개인주의는 철저하게 배척되고 있으며, 집단주의 사상은 지도자를 우상화하고 사회주의 체제에 대한 이념적 동조를 유도하는 정치적 도구로 활용되고 있다.

1 북한을 어떻게 이해해야 할까?

1. 북한에 대한 이해
(1) **북한에 대한 올바른 이해**: 객관적 사실과 보편적 가치에 기초해 북한을 이해해야 함
(2) **북한의 이중적 성격** ┌ 안보상 위협적인 존재
   ① 경계의 대상인 동시에 통일해야 하는 한 민족임
   ② 북한의 이중적 성격을 정확하게 인식해 균형적인 시각을 갖춰야 함

2. 민족 공동체 형성과 국가 안보의 균형적 접근
(1) 튼튼한 국가 안보로 평화 통일의 바탕 마련
(2) 공존하고 협력하는 동반자 관계를 형성해야 함

2 북한 주민들은 어떻게 살고 있고, 그들은 우리에게 어떤 존재일까?

1. 북한 주민의 정치와 경제생활
┌ 개인의 의사와 이익보다 집단 전체의 이익을 우선하는 사상
(1) 보편적 가치보다 자신들만의 집단주의 원칙 강조
(2) **수령이 모든 권력을 가진 정치 체제**: 체제 비판이 불가능하고 조선 노동당의 결정과 정부 기관의 통제가 절대적임, 언론·출판·집회·결사·종교의 자유가 인정되지 않음
(3) **국가 계획에 따른 경제 활동**: 직업 선택은 당의 인력 수급 계획에 따라 이루어짐, 대부분의 생산 수단은 국가 소유임, 만성적인 식량난을 겪음
   └ 여러 사람이 공동의 목적을 이루기 위하여 단체를 조직하는 행위. 혹은 그렇게 조직된 단체

2. 북한 주민의 사회, 문화, 교육
(1) **사회**: 출신 성분과 계급에 따라 차별이 존재하며, 의무적으로 조직 생활을 해야 함
(2) **문화**: 사상 통제의 수단임, 이념 선전, 자유로운 창작 불가
(3) **교육**: 지도자에게 충성하고 집단주의 원칙에 복종하는 인간을 육성하고자 함

3. 북한 주민들은 우리에게 어떤 존재인가?
(1) 주민 대부분은 집단주의 가치관에 익숙함
┌ 국가나 사회보다 개인의 자유와 권리를 우선하는 사상
(2) 식량난과 경제난이 심화되면서 시장 경제적 사고와 개인주의가 확산됨
(3) 보편적인 인류애의 측면에서 북한 주민들도 통일 한국에서 더불어 살아갈 사람들임

보충 **표현의 자유**

언론·출판·집회·결사의 자유는 대한민국 헌법 21조에서 보장하는 국민의 기본적인 권리이다. 이 네 가지 자유는 개인의 의사 표현을 공적으로 확대해 정책과 제도에 영향을 미침으로써 개인의 권리를 보호하고 인간의 존엄성을 실현하는 민주주의 사회의 필수적인 권리이다.

3 북한 이탈 주민의 생활을 통해 본 통일의 과제는 무엇일까?

1. 북한 이탈 주민의 생활
(1) 북한 이탈 주민이 겪는 어려움
   ① 심리적 어려움: 탈북 과정의 고통, 북한에 두고 온 가족에 대한 죄책감
   ② 경제적 어려움: 취업이 어려워 경제적 안정을 찾기 힘듦
   ③ 문화적 어려움: 북한과 다른 남한 사회의 문화와 자본주의 체제에 적응이 어려움
(2) 북한 이탈 주민의 어려움을 이해하고 도와야 함

2. 북한 이탈 주민들이 겪는 어려움을 통해 본 통일의 과제
(1) 북한 주민에 대한 인식 개선
(2) 사회와 국가 차원의 물질적·제도적 지원이 필요함

66 Ⅱ단원 | 사회·공동체와의 관계

활동 속 자료&개념

북한을 어떻게 바라보아야 할까?

교과서 98쪽

북한 주민은 우리와 함께 살아갈 동포야. 가족끼리도 살다 보면 갈등이 발생할 때가 있잖아? 북한이 가끔 문제를 일으키더라도 통일을 하려면 우리가 북한에 양보해야 해.

북한 정권은 6·25 전쟁을 일으켰을 뿐만 아니라 그 이후에도 계속해서 갈등을 일으켜 왔어. 그러므로 우리는 북한과 사이좋게 지낼 수 없고 통일도 할 수 없어.

> **자료 해설**
>
> 남학생은 북한을 민족 공동체 형성을 위한 협력 관계로 생각하는 반면 여학생을 북한을 경계 대상으로 보고 있다. 그러나 두 학생 모두 북한의 이중적 성격을 인식하지 못하고 있다. 북한을 바라볼 때에는 경계 대상인 동시에 민족 공동체를 위한 동반자라는 점을 분명히 이해하고 균형적으로 접근해야 한다.

북한 이해를 위한 퀴즈

교과서 103쪽

분야	번호	문제	보기
정치	1	북한의 유일한 지배 정당은?	• 초급 중학교
	2	북한이 1950년에 남한을 기습하여 일어난 전쟁은?	• '일없다'
	3	남한의 국회에 해당하는 기관은?	• 국가
경제	4	북한 근로자 월급 2년 치를 모아야 살 수 있는 교통수단은?	• 손 전화기
	5	북한 주민이 거주하는 주택의 소유주는?	• 자전거
	6	북한의 사회주의 계획 경제가 무너지면서 나타난 시장은?	• 돈주
사회	7	남한의 중학교에 해당하는 북한의 학교는?	• 6·25 전쟁
	8	북한에서 장사해서 부자가 된 사람을 가리키는 말은?	• 장마당
	9	북한의 결혼식 때 신부가 주로 입는 옷은?	• 최고 인민 회의
문화	10	'괜찮다'에 해당하는 북한의 용어는?	• 한복
	11	남한의 휴대 전화에 해당하는 북한의 용어는?	• 조선 노동당
	12	북한의 표준말인 '문화어'의 기준이 되는 지역은?	• 평양

> **개념 쏙쏙**
>
> • 최고 인민 회의: 입법권을 행사하는 북한의 최고 주권 기관으로 남한의 국회에 해당한다. 인구 3만 명당 1명을 선출하는 대의원으로 구성된다.
> • 조선 노동당: 북한의 집권 정당이자 최고 권력 기구로 북한 정권의 수립 이래 모든 정치 생활을 규제한다.

개념 꿀꺽

1. 빈칸에 알맞은 말을 쓰시오.

(1) 북한은 (　　　) 사실과 (　　　) 가치에 기초하여 이해해야 한다.

(2) 대부분의 북한 주민은 (　　　) 원칙에 익숙하지만, 최근 식량난과 경제난이 이어지면서 시장 경제와 함께 (　　　)이/가 확산되고 있다.

2. 다음 내용이 옳으면 ○표, 틀리면 X표 하시오.

(1) 북한의 이중적 성격을 인식하고 균형 있게 이해해야 한다. (　　　)

(2) 북한은 언론·출판·집회·결사의 자유가 인정되고 있는 민주주의 사회이다. (　　　)

(3) 북한은 복수 정당제를 기초로 여러 당이 견제와 균형을 이루고 있다. (　　　)

(4) 북한 문화는 사상을 통제하는 수단으로 활용되고 있다. (　　　)

(5) 북한 이탈 주민에 대한 인식 개선과 사회적 제도의 지원이 필요하다. (　　　)

> **정답**
> 1. (1) 객관적, 보편적 (2) 집단주의, 개인
> 주의 2. (1) ○ (2) X (3) X (4) ○ (5) ○

01 북한을 바라보는 태도로 적절하지 <u>않은</u> 것은?

① 객관적으로 바라보아야 한다.
② 보편적 가치에 따라 북한 사회를 이해해야 한다.
③ 군사적 대결 구도로 보면 안보상 위협적인 존재이다.
④ 인도주의적으로 보면 우리와 함께 살아갈 겨레이다.
⑤ 서로 다른 이념을 가지고 있으므로 별개의 국가로 생각해야 한다.

주관식
02 다음 글이 설명하는 개념을 쓰시오.

> 개인의 의사와 이익보다 집단 전체의 이익을 우선하는 사상

(   )

03 북한을 바라보는 관점이 나머지와 <u>다른</u> 학생은?

① 민준: 북한에서 발생한 지진에 필요한 의약품을 지원해야 해.
② 예준: 남한과 북한이 군사적 대치 상태에 있다는 것을 잊지 말아야 해.
③ 정아: 오랜 시간 가족들과 떨어져 지냈을 이산가족의 아픔을 생각해야 해.
④ 준우: 남한과 북한 사이의 문제는 같은 민족이라는 입장에서 생각해야 해.
⑤ 하연: 남한과 북한은 언젠가 통일을 이루어야 하므로 인도주의적으로 접근해야 해.

04 북한 이탈 주민들이 겪고 있는 어려움만을 〈보기〉에서 있는 대로 고른 것은?

보기
ㄱ. 언어 장벽
ㄴ. 자본주의 경제 적응의 어려움
ㄷ. 정부의 과도한 적응 지원 사업
ㄹ. 어려운 취업으로 느끼는 경제적인 안정감

① ㄱ, ㄴ   ② ㄴ, ㄷ   ③ ㄷ, ㄹ
④ ㄱ, ㄴ, ㄹ   ⑤ ㄱ, ㄷ, ㄹ

05 북한의 정치·경제적 상황으로 가장 적절한 것은?

① 체제에 대한 비판이 자유롭게 허용된다.
② 만성적인 식량난으로 국민의 생존권이 위협받고 있다.
③ 조직 생활이 대부분이지만 자율적으로 이루어지고 있다.
④ 생산 수단은 개인이 가지고 있지만, 생산물은 국가가 소유한다.
⑤ 여러 정당이 자유롭게 서로 비판하고 견제하는 다당제 형태이다.

06 다음 글에 대한 설명으로 적절한 것만을 〈보기〉에서 있는 대로 고른 것은?

> 선군 정치는 1990년대 말부터 북한의 김정일 국방 위원장이 주장한 정치사상으로 군대를 우선하여 개발에 효율성을 높이겠다는 사상이다.

보기
ㄱ. 군대는 북한 주민들을 통제하는 수단이다.
ㄴ. 개인의 자유와 권리가 극대화되는 사회이다.
ㄷ. 선군 정치는 주민들의 요구로 이루어지고 있다.
ㄹ. 강력한 통제를 해야 할 만큼 북한 사회는 경제적·사회적으로 혼란한 상황이다.

① ㄱ, ㄴ   ② ㄱ, ㄹ   ③ ㄴ, ㄷ
④ ㄱ, ㄴ, ㄷ   ⑤ ㄴ, ㄷ, ㄹ

07 북한 이탈 주민을 대하는 자세로 가장 적절한 것은?

① 북한의 힘든 상황을 동정하고 어떤 일이든지 최대한 지원한다.
② 다문화 사회의 구성원으로 생각하고 다른 외국인들과 동등하게 대한다.
③ 북한이 우리나라 안보에 위협이 된다는 생각을 가지고 적대적인 태도로 대한다.
④ 북한 이탈 주민은 어수룩할 것이라는 선입견을 가지고 항상 친절하게 설명해 준다.
⑤ 통일 국가를 함께 만들어 나갈 이웃으로 생각하고 따뜻한 관심을 가지고 평등하게 대한다.

 08 다음 단어와 관련된 설명으로 가장 적절한 것은?

> 돈주, 장마당, 농민 시장

① 북한에 자본주의적 요소가 들어오고 있다.
② 북한의 정치 제도는 개인의 자유를 억압하고 있다.
③ 북한이 세계 평화를 위협하는 핵 도발을 감행하고 있다.
④ 북한은 우리와 한 민족이므로 인도주의적 관점에서 바라보아야 한다.
⑤ 북한 이탈 주민은 자본주의에 익숙한 남한에 적응하지 못하고 사회적 갈등을 일으킬 수 있다.

09 다음 글이 설명하는 단어를 쓰시오.

> 북한의 모든 영역을 지도하고 장악하는 권력의 중추로 주체 사상을 기초로 하는 북한의 집권당

( )

10 다음 글에 대한 설명으로 적절한 것만을 〈보기〉에서 고른 것은?

> 「당의 영도 체계 확립 원칙, 제3조」
> 위대한 수령 김일성 동지의 권위를 절대화하여야 한다.

보기
ㄱ. 북한 사회에는 사상의 자유가 없다.
ㄴ. 남한과 북한은 민주주의 국가라는 공통점이 있다.
ㄷ. 북한 사회는 개인을 신격화하여 무조건적으로 숭배하는 체제이다.
ㄹ. 북한은 중국과 밀접한 관계를 맺고 있으므로 통일에 대해서는 중국의 의견이 가장 중요하다.

① ㄱ, ㄴ   ② ㄱ, ㄷ   ③ ㄱ, ㄹ
④ ㄴ, ㄷ   ⑤ ㄴ, ㄹ

서술형

11 북한 이탈 주민이 겪는 어려움을 사회·문화적 측면에서 서술하시오.

12 국가 안보가 통일의 바탕인 이유를 서술하시오.

01 다음 글과 관련된 설명으로 적절하지 <u>않은</u> 것은?

> 북한은 남북 대화와 경제 협력을 추진하는 동시에 총격, 포격, 선박 납치, 영공 침범, 미사일 사격 등 3천여 건의 군사적 도발을 일으키고 있다.

① 북한은 우리에게 안보상 위협적인 존재이다.
② 하나의 민족이므로 북한의 경제 협력 요구를 다수 수용해야 한다.
③ 북한은 군사적 대결 상대인 동시에 대화 상대라는 것을 잊지 말아야 한다.
④ 튼튼한 안보를 바탕으로 인도주의적으로 대화하고 경제적으로 협력 해야 한다.
⑤ 지나치게 우호적이거나 적대적인 태도를 버리고 객관적인 자세로 북한을 대해야 한다.

02 다음 글과 관련된 설명으로 적절하지 <u>않은</u> 것은?

> 북한 투표지에는 조선 노동당이 지명한 후보의 이름만 인쇄되어 있다. 투표는 강제적이며 비밀 투표 원칙을 무시하고 있다. 투표 결과는 대부분 100%의 찬성률을 기록하며 집권 정당은 항상 조선 노동당이다.

① 북한도 선거 제도를 가지고 있다.
② 강제적 투표로 국가 권력을 견제할 수 없어 정치가 부패에 빠질 가능성이 높다.
③ 개인이 자유롭게 투표권을 행사할 수 없으므로 개인의 인권이 보장받지 않고 있다.
④ 하나의 정당이 계속 정권을 잡는다는 것은 국가 정치의 안정성을 보여 주는 사례이다.
⑤ 북한의 선거 제도는 비밀 선거의 원칙을 무시한다는 점에서 민주주의 원칙을 훼손한다.

03 다음 글과 관련된 설명으로 적절하지 <u>않은</u> 것은?

> 북한에는 개념상 두 개의 가정이 존재한다. 혈육으로 구성되는 '보통 가정'과 수령을 어버이로 하는 이른바 '사회주의 대가정'이다. 북한 주민들은 어버이인 수령에게 충성과 효성을 다해야 한다.

① 수령의 권력이 절대적이다.
② 다른 사회주의 국가에서 볼 수 없는 독특한 체제를 가지고 있다.
③ 정치 공동체를 가정과 동일시하는 집단주의 사상을 드러내고 있다.
④ 교육은 북한식 사회주의 체제를 정당화시키는 수단으로 이용될 것이다.
⑤ 권력을 견제할 수 있는 사회 제도가 있으므로 부패 가능성이 낮을 것이다.

고난도
04 북한 이탈 주민의 정착을 도와야 하는 이유로 적절하지 <u>않은</u> 것은?

① 민족 통합이라는 관점에서 접근해야 한다.
② 다문화를 수용하는 사회의 포용력을 높일 수 있다.
③ 보편적 인권의 관점에서 최소한의 인간다운 삶을 보장해야 한다.
④ 북한의 체제를 동요시켜 무력으로 통일하는 가능성을 확대할 수 있다.
⑤ 북한 이탈 주민의 성공적인 정착으로 통일 이후의 사회 변화를 예측할 수 있다.

주관식

05 다음 글이 설명하는 개념을 쓰시오.

> 사유 재산을 인정하고 개인이 생산 수단을 소유
> 하여 이윤을 얻을 수 있는 사회 경제 체제

(   )

빈출

06 다음 글에서 북한 주민들이 제한당하고 있는 보편적 가치로 가장 적절한 것은?

> (가) 북한에는 '출신 성분'이라는 계급이 존재한다.
> (나) 북한 주민은 거주지 40km 이내에서만 자유
>   로운 이동이 허가된다.

	(가)	(나)
①	자유	복지
②	자유	평등
③	평등	복지
④	평등	자유
⑤	평화	자유

07 북한 사회에 대한 설명으로 적절하지 않은 것은?

① 수령이 모든 권력을 가진 정치 체제이다.
② 정치 참여는 정부의 통제 속에서 제한적으로 가능하다.
③ 경제적인 어려움으로 대부분 주민들의 생존권이 위협받고 있다.
④ 정치적 자유는 제한되지만 사상과 종교의 자유는 보장되고 있다.
⑤ 문화는 주민들의 사상을 통제하고 체제를 유지하기 위한 수단으로 활용되고 있다.

서술형

08 표현의 자유가 제한되어 나타날 수 있는 문제점을 서술하시오.

09 북한 이탈 주민의 정착을 지원하는 방법을 두 가지 서술하시오.

10 북한을 적대적인 관점으로만 보는 태도의 문제점을 서술하시오.

창의쑥쑥 **수행평가**

1. 남북한의 언어 차이

🔹 다음 자료를 보고 물음에 답해 보자.

남한	북한
결빙	얼음얼이
경사각	비탈각
골키퍼	문지기
냉소	찬웃음
드레스	나리옷
러시아	로씨야
마찰	쏠림
세탁소	빨래집
예방	미리막이

01. 남한 언어와 북한 언어의 특징을 써 보자.

02. 남한 언어와 북한 언어 중 하나를 선택하고 그 언어의 장점을 생각해 보자.

03. 서로 다른 언어로 인해 북한 이탈 주민이 남한에서 겪을 수 있는 문제점을 해결할 방안을 생각해 보자.

2. 북한을 대하는 자세

● 다음 글을 읽고 물음에 답해 보자.

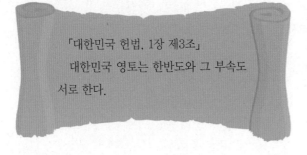

「대한민국 헌법, 1장 제3조」
대한민국 영토는 한반도와 그 부속도서로 한다.

「대한민국 헌법, 1장 제4조」
대한민국은 통일을 지향하며, 자유민주적 기본질서에 입각한 평화적 통일 정책을 수립하고 이를 추진한다.

01. 「대한민국 헌법 1장 제3조」를 참고해 북한은 우리에게 어떤 존재인지 써 보자.

02. 「대한민국 헌법 1장 제4조」를 참고해 북한은 우리에게 어떤 존재인지 써 보자.

03. 두 헌법 조항을 종합해 알 수 있는 점과 북한을 대하는 태도를 생각해 보자.

3. 남북한 관계 그래프

🔷 남북한 관계를 생각하며 물음에 답해 보자.

01. 대립적인 남북한 관계를 보여 주는 사건 세 가지를 조사해 보자.

----

02. 우호적인 남북한 관계를 보여 주는 사건 세 가지를 조사해 보자.

----

03. 01과 02의 내용을 종합해 그래프로 나타내 보자.

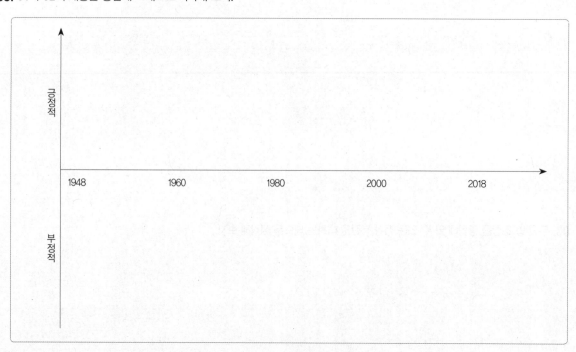

4. 북한 이탈 주민의 어려움

🔹 다음 글을 읽고 물음에 답해 보자.

오늘 한 친구가 북한에서 우리 반으로 전학 왔다. 소개하는 내내 자유롭게 웃고 떠드는 교실 분위기에 낯설어했고 쓰는 말과 행동도 조금 달랐다. 나는 문득 얼마 전에 뉴스에서 본 북한 이탈 주민이 남한 사회에 적응하면서 겪는 어려움에 대한 인터뷰가 생각나면서 북한에서 전학 온 친구가 큰 어려움 없이 학교에 적응할 수 있도록 도와주고 싶어졌다. 친구에게는 어떤 어려움이 있으며 어떻게 도와줄 수 있을지 생각해 보아야 겠다.

01. 북한에서 전학 온 친구가 겪을 수 있는 어려움을 써 보자.

---

02. 북한에서 전학 온 친구의 어려움을 도와줄 수 있는 방법을 써 보자.

---

1 도덕적으로 바라볼 때 통일은 왜 필요할까?

1. 인간답게 살기 위한 보편적 가치의 추구와 통일
(1) **자유를 신장하기 위한 통일**: 분단은 우리가 만나는 사람과 할 수 있는 일을 제한함
(2) **인권을 보장하기 위한 통일**: 북한 주민들의 인권 보장을 위해 통일이 필요함
(3) **평화를 누리기 위한 통일**: 분단은 전쟁의 가능성을 높여 인간다운 삶을 위협함

2. 생존과 번영을 위한 통일
(1) **인도주의적 문제 해결**: 이산가족, 실향민, 북한 주민의 인권 문제 해결
(2) **새로운 민족 공동체 건설**: 민족의 정통성을 계승하고 동질성 회복
(3) **지역 안정과 세계 평화에 이바지**: 전쟁의 위험을 제거하고 평화 실현
(4) **경제적 발전과 번영**: 새로운 성장 동력 확보, 국가 경쟁력 제고
└ 끌어서 높인다는 뜻

2 통일 한국을 어떤 모습으로 가꾸어야 할까?

1. 통일 한국의 정치·경제
(1) 민족 구성원 모두에게 자유와 복지, 인간의 존엄성을 보장하는 선진 민주 국가
(2) 자유 민주주의를 지향하는 국가 체제
(3) 시장 경제를 바탕으로 한 선진 복지 국가

2. 통일 한국의 사회·문화와 평화 지향
(1) 민족 동질성을 회복하고 진정한 사회 통합을 이룬 민족 공동체
(2) 안으로는 성공적 다문화 사회, 밖으로는 한류 문화를 수출하는 문화 선진국 이룩
(3) 한반도 평화 정착을 통해 동북아 평화 공동체 건설에 기여

3 통일 국가를 형성하고 세계 평화에 이바지하는 데 필요한 자세는 무엇일까?

1. 통일 국가 형성을 위한 남북한 교류·협력
(1) 남북한 교류와 협력은 통일을 위해 반드시 필요한 과정
(2) 점진적이고 단계적이며 평화적인 교류를 통한 상호 신뢰 관계 조성
(3) 서로의 실체를 인정하고 군사적 위협과 침략 행위 중지
(4) 어느 한쪽에 대한 일방적 지원이나 시혜가 아닌 상호 이익에 따른 공동 번영
└ 은혜를 베푸는 것

2. 남북통일과 세계 평화를 위한 자세
(1) **더불어 사는 삶을 위한 노력**: 관용, 공존, 편견 해소, 상호 존중의 가치 내면화
└ 서로 다른 의견, 행동을 너그럽게 받아들이거나 타인의 잘못을 용서하는 태도
(2) **냉철하고 균형 잡힌 태도**
　① 한반도 통일은 민족 내부 문제이며 동시에 국제적 문제임을 인식
　② 균형 잡힌 태도로 갈등을 조정하고 통일에 유리한 환경을 조성
(3) **세계 평화를 위한 역량 발휘**: 우리의 경험을 세계 평화 증진을 위해 제공

★ **분단 비용**

분단으로 인해 부담해야 하는 비용으로, 국방비, 생산 인구 감소로 인한 손해, 전쟁 위험으로 인한 투자 감소, 국제적 위상 하락 등 통일을 하지 않는다면 지속적으로 발생하는 유·무형의 비용

★ **통일 비용**

통일 과정에서 부담해야 하는 비용으로, 북한 지역의 사회 간접 자본 건설, 민족 동질성을 위한 교육 등 소모적 비용이 아니라 일시적인 투자 비용이며 통일 준비에 따라 변동이 있을 수 있음

★ **통일 편익**

통일로 얻게 되는 경제적, 비경제적 편익을 모두 포함하는 개념으로 북한 지역 자원 개발을 통한 이익, 이산가족 문제 해결, 국제적 위상 강화 등이 있음

보충 **통일과 다문화 사회**

다문화 사회는 서로 다른 인종, 민족 등 여러 문화가 공존하는 사회를 의미한다. 남한과 북한은 같은 민족이지만 약 50년 동안 서로 다른 사회 문화 속에서 살아왔기 때문에 통일 이후에 다문화 사회로 진입한다고 말할 수 있다.

📍 **분단과 평화의 관계**

교과서 115쪽

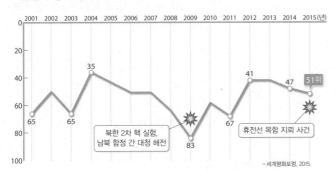

북한 2차 핵 실험.
남북 함정 간 대청 해전

휴전선 목함 지뢰 사건

— 세계평화포럼, 2015.

[자료 해설]

1953년 7월 27일에 휴전이 이루어졌으나, 남한과 북한은 정식으로 평화 조약을 맺지 않고 휴전 상태를 이어가고 있다. 이후 지금까지 남한과 북한 사이에는 군사적으로 크고 작은 충돌과 대립이 있었다. 북한은 2003년 핵 확산 방지 조약(NPT) 탈퇴 후 지속적인 핵 실험, 제1, 2차 연평 해전, 2010년 천안함 침몰, 연평도 해안포 공격 등 끊임없이 무력 도발을 시도해 국민의 평화를 위협하고 있다.

📍 **통일 한국의 발전과 번영**

교과서 119쪽

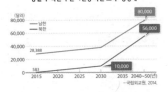

통일 후 북한 주민 '1인당 국민 소득' 성장세

— 국립외교원, 2014.

행복한 통일 한국의 사회·문화 요소

[개념 쏙쏙]

• **북한의 지하자원**: 현재 북한에는 유용한 광물만 200여 종이 매장되어 있다. 북한에 매장된 광물의 잠재적 가치는 무려 7,000여 조로 우리나라가 289조 원인데 비해 24.1배의 가치를 가지고 있다.

• **대륙 횡단 철도**: 통일이 되면 한반도 종단 철도(TKR), 시베리아 횡단 철도(TSR)가 연결되어 한반도에서 유럽으로 기차 여행 및 물류 수송이 가능해져 문화적, 경제적 가치가 높아진다.

대내적 효과
• 한반도 통일은 국민에게 분단 극복의 성취감과 역사적 자존감을 심어 준다.
• 무력 충돌 가능성이 해소되고, 심리적 안정 및 국방비 부담이 줄어든다.
• 북한 지역에 대한 투자 및 개발을 통해 한반도 경제에 활력을 불어넣을 수 있다.
• 상대적으로 젊은 인구가 많은 북한과 통일을 하면 고령화 문제가 완화된다.
• 한반도 전체의 민주화가 완성된다.

대외적 효과
• 통일 한국은 인구 8,000만의 세계 7대 경제 강국으로 부상한다.
• 유라시아 대륙과 태평양을 잇는 교량 역할을 할 수 있다.
• 북한 핵 문제를 해결함에 따라 비핵 평화 국가의 모범 사례가 된다.
• 남북 갈등에 따른 소모적 외교전 대신 자유로운 외교 역량을 발휘해 입지가 강화된다.

— 국립외교원, 「2040 통일 한국 비전 보고서—글로벌 리더 통일 한국」

[개념 꼼꼼]

1. 빈칸에 알맞은 말을 쓰시오.

(1) 분단은 북한 주민의 (   )을/를 위협하며 보편적 가치 실현을 가로막고 있다.

(2) 한반도 통일은 민족 내부의 문제이면서 동시에 (   ) 문제라는 점을 인식하고 균형 잡힌 태도로 (   )을/를 조정하고 통일에 유리한 환경을 조성해야 한다.

2. 다음 내용이 옳으면 ○표, 틀리면 ✕표 하시오.

(1) 현재 한반도는 분단되었지만 전쟁의 가능성은 없다. (   )

(2) 통일이 되면 이산가족, 북한 주민 인권 문제 등의 인도주의적 문제를 해결할 수 있다.
(   )

(3) 통일 한국은 자유로운 경제 활동을 바탕으로 정의와 복지를 실현해야 한다. (   )

(4) 통일은 경제력이 우세한 남한이 북한에게 시혜하는 관점에서 이루어져야 한다.
(   )

(5) 통일은 민족 내부의 문제이지 국제적 문제가 아니다. (   )

정답
1. (1) 인권 (2) 국제적, 갈등
2. (1) ✕ (2) ○ (3) ○ (4) ✕ (5) ✕

01 통일을 해야 하는 이유로 적절하지 <u>않은</u> 것은?

① 한반도의 경제적 발전을 위해서
② 한반도에 평화를 실현하기 위해서
③ 북한 주민의 인권을 개선하기 위해서
④ 분단으로 제한된 자유를 증진하기 위해서
⑤ 막강한 군사력으로 세계를 제패하기 위해서

주관식
02 다음 글이 설명하는 개념을 쓰시오.

> 인간의 존엄성을 바탕으로 개인의 자유와 권리를 보장하는 헌법을 세우고 민주적 절차를 통해 의사 결정을 하는 체제로 통일 한국이 지향해야 할 국가 체제

(   )

중요
03 통일의 경제적 측면에 대한 설명으로 적절하지 <u>않은</u> 것은?

① 지현: 통일이 되면 유·무형의 경제적 혜택이 있어.
② 연우: 통일로 소멸되는 통일 비용을 함께 고려해 봐야 해.
③ 준일: 통일 비용은 통일 국가를 건설하기 위한 투자 비용이야.
④ 민정: 북한의 개발 가능한 지하자원에 대해서도 생각해 볼 필요가 있어.
⑤ 기태: 한반도와 대륙이 육로로 연결되면 무역할 때 드는 비용을 절감할 수 있어.

04 다음 글을 읽고 할 수 있는 말로 적절한 것만을 〈보기〉에서 있는 대로 고른 것은?

> 독일은 갑작스러운 통일 이후, 동독 주민의 마음을 얻기 위해 동독 주택 개발을 실시했다. 하지만 수요를 제대로 파악하지 못해 100만 호에 이르는 빈집이 발생했고, 30만 호를 철거해야 했다.

보기
ㄱ. 주택 개발에 든 비용은 통일 편익이다.
ㄴ. 독일의 통일 정책 실패 사례를 배워야 한다.
ㄷ. 통일 비용은 우리의 준비 상황에 따라 감소할 수 있다.
ㄹ. 북한 주민들을 위한 단기적이고 선심적인 정책이 필요함을 알 수 있다.

① ㄱ, ㄴ   ② ㄴ, ㄷ   ③ ㄷ, ㄹ
④ ㄱ, ㄴ, ㄷ   ⑤ ㄴ, ㄷ, ㄹ

05 다음 글에 나타난 통일의 당위성으로 가장 적절한 것은?

> 우리나라의 국립 문화재 연구소와 북측의 조선 중앙 역사 박물관 발굴단이 공동으로 수행한 '개성 만월대 남북 공동 조사'는 민관 협력의 대표적인 사업이다. 남북 공동 발굴 조사팀은 발굴 조사를 통해 금속 활자 1점을 추가로 발견하는 성과를 거두었다.

① 경제 발전과 번영
② 인도주의적 문제의 해결
③ 인류의 보편적 가치 실현
④ 전쟁의 위협 제거 및 평화의 실현
⑤ 민족 동질성을 회복한 민족 공동체 건설

06 바람직한 통일 한국의 모습으로 옳지 <u>않은</u> 것은?

① 사회 통합을 달성한 민족 공동체이다.
② 인간의 존엄성을 최고 가치로 존중한다.
③ 자유로운 경제 활동을 통해 정의를 실현한다.
④ 개인의 자유와 권리가 지켜지는 민주 국가이다.
⑤ 수준 높은 문화를 바탕으로 배타성을 유지한다.

07 통일 국가 형성을 위한 남북 교류 방침으로 적절하지 <u>않은</u> 것은?

① 상호 간 신뢰 관계를 조성한다.
② 남측의 일방적 지원과 시혜가 필요하다.
③ 상호 이익을 위해 경제 협력을 실시한다.
④ 서로의 실체를 인정하고 군사적 위협과 침략을 중지한다.
⑤ 민족 화해와 공동 번영이라는 장기적 목표를 가지고 진행한다.

08 정우의 말을 듣고 할 수 있는 말로 가장 적절한 것은?

> 정우: 저의 꿈은 훌륭한 역사학자가 되는 것이에요. 특히 저는 고구려 역사에 관심이 많은데, 분단 때문에 북한에 있는 고구려 유적지를 방문할 수 없어서 아쉬워요.

① 통일은 개인의 자유를 증진시킨다.
② 북한에 인도주의적 지원이 필요하다.
③ 통일은 국제 평화에 이바지할 수 있다.
④ 사회·문화적 협력보다 경제적 협력이 중요하다.
⑤ 남북한은 경제 협력을 통해 상호 이익을 얻을 수 있다.

09 다음 글을 읽고 알 수 있는 내용으로 옳은 것은?

> 6자 회담은 북한의 핵 문제를 해결하는 방안을 논의하기 위해 남북한과 한반도 주변국 4개국이 참가하는 다자 회담이다.

① 통일에 앞서 문화 교류가 필요하다.
② 통일에 많은 통일 비용이 소모된다.
③ 통일을 위해 튼튼한 안보가 필요하다.
④ 통일은 개인의 자유와 평등을 증진한다.
⑤ 한반도 통일은 국제적 문제로 볼 수 있다.

10 다음 글을 읽고 할 수 있는 말로 적절한 것을 〈보기〉에서 고른 것은?

> 오랜 세월 분단이 이어지며 남한과 북한은 서로 다른 모습으로 바뀌고 있다. 진정한 통일을 위해서는 정치적 통일뿐만 아니라 문화적 통일 역시 중요하다.

보기
ㄱ. 언어의 차이를 줄이기 위해 통일된 맞춤법을 연구해야 한다.
ㄴ. 북한 주민의 인권을 생각해 대북 지원 사업을 확대해야 한다.
ㄷ. 남한의 기술력과 북한의 노동력을 합쳐서 경제적 효과를 거둘 수 있다.
ㄹ. 연극, 영화 등 문화 산업 부문에서 적극적으로 교류하고 서로를 이해해야 한다.

① ㄱ, ㄴ   ② ㄱ, ㄷ   ③ ㄱ, ㄹ
④ ㄴ, ㄷ   ⑤ ㄴ, ㄹ

서술형

11 통일 한국을 다문화 사회로 볼 수 있는 이유를 서술하시오.

12 통일이 경제적 발전과 번영의 기반이 될 수 있는 이유를 <u>두 가지</u> 서술하시오.

01 남북 협력의 성격이 나머지와 다른 것은?

① 스포츠 단일팀을 운영한다.

② 역사 유적을 함께 발굴한다.

③ 매장된 지하자원을 공동 개발한다.

④ 민족 문화를 알리는 박람회를 공동 개최한다.

⑤ 남북한 언어의 차이를 줄이기 위한 사업을 실시한다.

02 다음 글에서 알 수 있는 통일의 당위성으로 적절한 것은?

> 4개월밖에 안 된 딸을 북한에 두고 남한으로 온 한 어르신은 평생 여기서 혼자 살았다고 해요. 그분이 딸에게 이 말을 꼭 하고 싶다면서 '널 버린 게 아니다.'라고 하시는데 저도 울컥했어요.

① 분단은 지속적인 경제 손실을 준다.

② 통일은 세계 평화를 증진할 수 있다.

③ 분단은 개인의 평등한 권리를 침해한다.

④ 분단은 남한과 북한의 전쟁 비용을 증대시킨다.

⑤ 인도주의적 문제를 해결하기 위해서 통일이 필요하다.

03 통일 한국 사회에 대한 전망으로 옳지 않은 것은?

① 한반도 전체의 민주화가 완성된다.

② 유라시아 대륙과 태평양을 잇는 다리 역할을 한다.

③ 북한 지역에 투자하고 개발하여 한반도 경제에 활력을 줄 수 있다.

④ 분단을 극복하고 통일을 이루었다는 성취감과 역사적 자존감을 심어 준다.

⑤ 남북한의 인구를 합치면 상대적으로 생산 가능 인구가 줄어들어 고령화가 심화된다.

04 다음 글을 읽고 할 수 있는 말로 적절한 것을 〈보기〉에서 고른 것은?

> 북한은 2000년부터 고구려 고분군을 유네스코 문화유산으로 등재하려 했으나 미흡한 준비와 중국의 방해로 보류되었다. 이에 남한은 각국 대표를 상대로 등재 지지 활동을 벌여 2004년, 고구려 고분군을 유네스코 문화유산으로 등재했다.

보기

ㄱ. 남북이 협력해 인도주의적 문제를 해결했다고 볼 수 있다.

ㄴ. 협력을 통해 경제적 이익이 생길 수 있다는 것을 보여 준 사례이다.

ㄷ. 국제 문제에서 남한과 북한의 외교적 역량을 하나로 모은 협력 사례이다.

ㄹ. 함께 공유하고 있는 역사 교류를 시작으로 다양한 분야의 교류로 확대해야 한다.

① ㄱ, ㄴ   ② ㄱ, ㄷ   ③ ㄴ, ㄷ

④ ㄴ, ㄹ   ⑤ ㄷ, ㄹ

빈출

05 통일 비용에 대한 설명으로 옳지 않은 것은?

① 통일로 인하여 부담해야 하는 비용이다.

② 북한의 경제 발전을 위한 사회 간접 자본 등을 짓는 비용도 포함된다.

③ 장기적인 관점으로 봤을 때 통일로 인한 편익보다 통일 비용이 더 크다.

④ 남한과 북한의 서로 다른 사회 제도를 통합하는 데 드는 비용도 포함된다.

⑤ 통일 준비가 얼마나 탄탄하게 이루어져 왔는지에 따라 통일 비용이 감소할 수도 있다.

주관식

06 ㉠에 들어갈 개념을 쓰시오.

> 통일 한국은 수준 높은 문화를 추구해 전통문화를 계승하며 밖으로는 전 세계에 한류 문화를 수출하는 문화 선진국을, 안으로는 성공적인 ㉠ 을/를 이루어 나가야 한다.

(   )

고난도

07 다음 글을 읽고 예측할 수 있는 통일 이후의 문제점으로 가장 적절한 것은?

> 통일 이후 독일에서는 오씨(Ossi)와 베씨(Wessi)라는 말이 나타났다. 오씨는 '게으른 동독인'을 뜻하는 말이며 베씨는 '돈 좀 있다고 거만한 서독인'을 지칭하는 말이었다.

① 언어의 차이로 인한 혼란
② 남한과 북한 주민의 상호 간 편견
③ 북한 이탈 주민 유입으로 집값 폭등
④ 북한 재건 비용으로 인한 경제적 어려움
⑤ 서로 다른 사회적 제도로 인한 행정 혼란

08 다음 글을 읽고 할 수 있는 말로 옳지 <u>않은</u> 것은?

> 꽃제비는 먹을 것을 찾아 헤매는 북한의 어린아이들을 지칭하는 은어이다. 90년 이후 북한의 극심한 경제난으로 굶주림을 견디다 못한 북한 아이들은 꽃제비가 되어 일정한 거처 없이 구걸과 소매치기로 하루하루 연명하고 있다.

① 북한 주민의 생존권이 위협받고 있다.
② 북한에 인도주의적 지원 정책이 필요하다.
③ 북한과의 관계를 고려한다면 북한 인권에 대한 개선을 요구할 수 없다.
④ 북한과 경제 협력을 통해 간접적으로 북한 주민 생존권 개선을 도모할 수 있다.
⑤ 평화 정책을 통해 줄어든 군사 비용으로 북한 주민 생존권 개선에 필요한 복지를 마련할 수 있다.

서술형

09 분단 비용의 개념과 관련 사례를 서술하시오.

10 한반도에 평화를 정착시키기 위한 남북 교류 사업을 <u>두 가지</u> 서술하시오.

11 통일이 국내적 문제인 동시에 국제적 문제인 이유를 서술하시오.

1. 다른 나라의 통일 과정

⊙ 다음 글을 읽고 물음에 답해 보자.

통일은 민족 내부의 문제인 동시에 주변 국가와도 관련된 국제적 문제라는 점에서 복잡한 사안이다. 그렇기 때문에 다른 나라의 통일 과정을 살펴보고 거기서 교훈을 얻을 필요가 있다.

• 독일의 통일: 1989년 11월 9일 베를린 장벽이 무너지고 1990년에 합법적인 선거를 통해 동독과 서독이 통일되었다.

• 예멘의 통일: 1989년 남예멘과 북예멘 양국 정상이 통일 예멘 공화국을 수립하기로 합의하고 통일 헌법을 마련해 1990년 5월 22일 예멘 공화국을 수립했다.

• 베트남의 통일: 북베트남이 1975년 무력으로 남베트남의 수도인 사이공을 점령하고 베트남 사회주의 공화국을 수립하면서 하나의 국가로 통일되었다.

01. 위 국가 중 하나를 골라 통일 과정을 구체적으로 조사해 보자.

---

02. 01에서 조사한 통일 과정에서 우리가 얻을 수 있는 교훈을 써 보자.

---

2. 남북한의 힘을 합쳐서

⚙ 다음 글을 읽고 물음에 답해 보자.

> 현재 우리나라는 자원 부족, 높은 인구 밀도, 출산율 저하 등으로 사회 발전의 동력이 감소하고 있다. 그런 점에서 통일 한국은 남한과 북한의 강점을 합쳐서 새로운 도약의 기회가 될 수 있다. 예를 들어, 반도체 산업의 경우 우리나라는 세계 최고 수준의 반도체를 만들 수 있는 기술력을 보유하고 있고, 북한은 반도체의 원료가 되는 희토류를 세계 2위 수준으로 보유하고 있다. 우리나라의 기술력과 북한의 자원을 합친 반도체 산업은 통일 이후 새롭게 도약하는 산업이 될 것이다.

01. 윗글처럼 통일 한국에서 주목받을 수 있는 또 다른 산업을 조사해 보자.

02. 남한이 01의 산업에서 가지고 있는 강점을 써 보자.

03. 북한이 01의 산업에서 가지고 있는 강점을 써 보자.

3. 국제적 문제로서의 한반도 통일

🔅 다음 글을 읽고 물음에 답해 보자.

현재 한반도의 통일 문제는 한반도 주변국들의 외교적·정치적 문제가 복잡하게 얽혀 있다. 통일은 일차적으로는 민족 내부의 문제이지만, 주변국에서 통일에 대해 부정적인 의견을 표시하거나 영향을 행사한다면 통일이 늦춰질 수도 있다. 따라서 우리는 한반도의 통일이 주변국의 이익에 부합하는 이유를 설명해서 그들이 한반도 통일을 지지할 수 있도록 해야 한다.

01. 한반도 통일에 관심이 있는 주변국들이 어디일지 써 보자.

----

02. 01의 주변국 중 두 국가를 골라 한반도 통일로 얻을 수 있는 이익을 설명해 보자.

국가	통일 후 얻을 수 있는 이익

4. 통일 한국의 구체적인 정책

◉ 다음 그림을 보고 물음에 답해 보자.

오늘의 뉴스입니다.
남한과 북한은 합의를 통해 급작스럽게 통일을 이룩하였습니다. 하지만 급하게 통일한 한반도 내부에서 여러 문제가 나타나고 있어 평화적, 안정적인 내부 통일을 위한 구체적인 정책이 필요해 보입니다. 이와 관련해 통일부 장관의 이야기를 들어 보겠습니다.

01. 통일 이후 한국 사회에 생길 수 있는 문제점을 써 보자.

....

....

....

02. 내가 통일부 장관이라면 우선적으로 시행할 정책과 그 이유를 제시해 보자.

순위	정책	이유
1		
2		

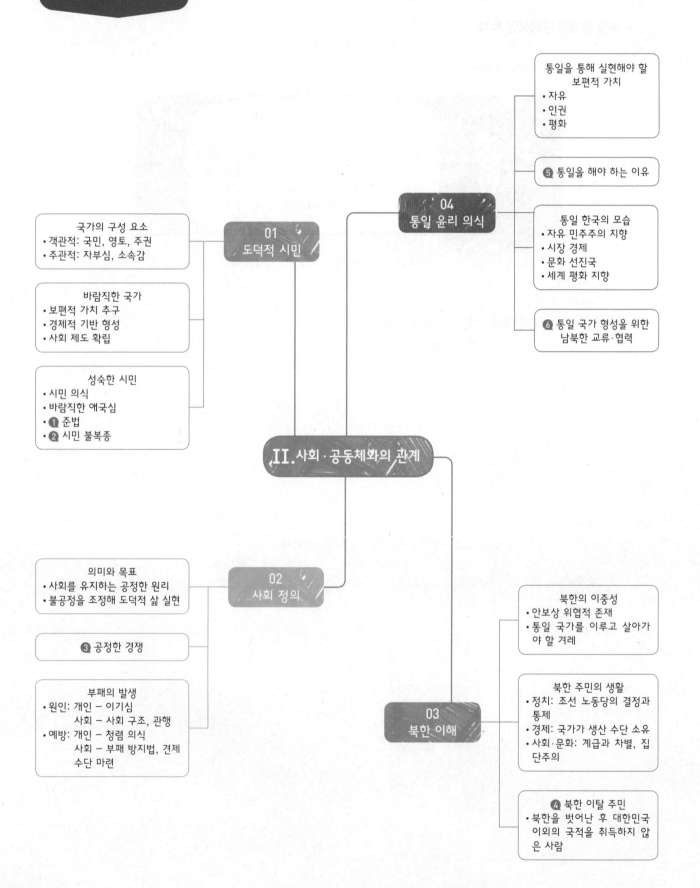

국가의 구성 요소
• 객관적: 국민, 영토, 주권
• 주관적: 자부심, 소속감

바람직한 국가
• 보편적 가치 추구
• 경제적 기반 형성
• 사회 제도 확립

성숙한 시민
• 시민 의식
• 바람직한 애국심
• ❶ 준법
• ❷ 시민 불복종

01
도덕적 시민

Ⅱ. 사회 · 공동체와의 관계

통일을 통해 실현해야 할
보편적 가치
• 자유
• 인권
• 평화

❺ 통일을 해야 하는 이유

04
통일 윤리 의식

통일 한국의 모습
• 자유 민주주의 지향
• 시장 경제
• 문화 선진국
• 세계 평화 지향

❻ 통일 국가 형성을 위한
남북한 교류 · 협력

의미와 목표
• 사회를 유지하는 공정한 원리
• 불공정을 조정해 도덕적 삶 실현

❸ 공정한 경쟁

부패의 발생
• 원인: 개인 − 이기심
사회 − 사회 구조, 관행
• 예방: 개인 − 청렴 의식
사회 − 부패 방지법, 견제
수단 마련

02
사회 정의

03
북한 이해

북한의 이중성
• 안보상 위협적 존재
• 통일 국가를 이루고 살아가
야 할 겨레

북한 주민의 생활
• 정치: 조선 노동당의 결정과
통제
• 경제: 국가가 생산 수단 소유
• 사회 · 문화: 계급과 차별, 집
단주의

❹ 북한 이탈 주민
• 북한을 벗어난 후 대한민국
이외의 국적을 취득하지 않
은 사람

보충 설명

❶ 준법

(1) **의미**: 국가의 정의로운 법을 지키는 행위

(2) **필요성**

① 국가가 주는 혜택을 받으려면 법을 지켜야 함

② 국가 구성원으로서 법을 지키는 것을 약속함

③ 모든 시민이 법을 지킬 때 공익이 증진됨

❷ 시민 불복종

(1) **의미**: 잘못된 법과 제도를 개선하고자 법을 위반하는 의도적 행위

(2) **조건**

① **목적의 정당성**: 공익을 증진하고 정의에 부합하는 목적을 가지고 행해져야 함

② **처벌의 감수**: 정의를 지향하는 법질서를 존중하여 불복종으로 인한 처벌을 감수해야 함

③ **비폭력성**: 정의를 위해 폭력적 수단을 동원하는 것은 그 자체로 정의를 위반하는 것

④ **최후의 수단**: 법 테두리 안에서 합법적인 모든 수단이 실패했을 경우 최후의 수단으로 사용해야 함

❸ 공정한 경쟁

(1) **장점과 단점**

① **장점**: 자신이나 상품의 가치를 높여 경쟁력을 갖추고 이윤을 창출

② **단점**: 부정행위 등의 문제로 인한 사회 구성원 간 신뢰와 협력 붕괴, 불평등 심화

(2) **필요성**

① 개인의 행복과 사회 발전이 공존하는 공동체를 만듦

② 공동체 전체의 발전과 사회의 효율성 증대를 통한 국가 발전

(3) **조건**

① **과정의 공정성**: 경쟁 규칙이 공정해야 하고 누구나 자유롭게 경쟁에 참여할 수 있어야 하며 사람들 사이의 차이를 조정해야 함

② **결과의 공정성**: 부정행위자를 보상에서 배제하고 경쟁에 뒤처진 사람에게도 최소한 인간다운 삶을 보장해야 함

❹ 북한 이탈 주민

(1) **북한 이탈 주민의 어려움**

① **심리적**: 탈북 과정의 고통, 남겨진 가족에 대한 죄책감

② **경제적**: 기술, 학업 차이로 취업 등 경제 활동의 어려움

③ **문화적**: 자본주의, 개인주의 문화에 적응하기 어려움

(2) **북한 이탈 주민을 통해 본 통일의 과제**

① 북한 이탈 주민에 대한 인식 개선

② 사회적 차원의 물질·제도적 지원

(3) **북한 이탈 주민과 통일**

① 북한 이탈 주민의 어려움은 통일 후 북한 주민의 어려움

② 성공적인 정착을 한 북한 이탈 주민은 통일 후 남북한의 사회·문화 통합에 기여

❺ 통일을 해야 하는 이유

(1) **인도주의적 문제 해결**: 이산가족, 실향민, 북한 주민의 비인간적 상황 해소

(2) **새로운 민족 공동체의 형성**: 민족의 정통성을 계승하고 동질성을 회복해 민족 재도약의 기회가 됨

(3) **전쟁의 위협 제거 및 평화의 실현**: 전쟁의 공포에서 벗어나 평화를 누리고 동북아시아와 세계 평화에 이바지

(4) **경제적 발전과 번영**: 물적·인적 자원의 효율적 이용, 육지를 통한 직접 교류 증가, 안정된 국가 신용도 등을 통한 발전 기대

❻ 통일 국가 형성을 위한 남북한 교류·협력

(1) **남북한 교류·협력의 자세**

① 튼튼한 안보를 바탕으로 진행

② 점진적이며 단계적인 평화 교류

③ 상대방의 실체를 인정하고 교류 시작

④ 군사적 행위를 중단하는 평화 협정 실시

⑤ 일방적 시혜가 아닌 상호 협력을 통한 공동의 발전 모색

(2) **남북한 교류·협력의 사례**

① 금강산 관광

② 이산가족 상봉

③ 대북 지원 사업

④ 개성 공단 사업

01 다음 글에 나타난 국가에 대한 내용으로 옳지 <u>않은</u> 것은?

> 내가 남의 침략에 가슴 아팠으니, 내 나라가 남을 침략하는 것을 원치 않는다. 우리의 경제력은 우리 생활을 풍족하게 할 만하고, 우리의 군사력은 남의 침략을 막을 만하면 충분하다. 오직 한없이 가지고 싶은 것은 높은 문화의 힘이다. 문화의 힘은 우리 자신을 행복하게 하고 나아가 남에게도 행복을 주기 때문이다.
> — 김구, 「나의 소원」

① 국가는 외부의 침략으로부터 국민을 보호해야 한다.
② 보편적 가치에 입각한 바람직한 애국심을 가져야 한다.
③ 사회적 합의에 따른 공정한 사회 제도를 확립해야 한다.
④ 배타적 애국심을 가지고 다른 나라를 침략하는 행동은 옳지 않다.
⑤ 국가는 최소한의 경제적 기반을 형성하고 복지 혜택을 제공해야 한다.

02 가장 높은 수준의 준법 의식을 보여 준 학생은?

① 자신의 욕구를 참지 못하고 도둑질을 한 성준
② 벌금이 두려워 자전거 정차 구역을 지킨 민철
③ 쓰레기통에 버리기 귀찮아 바닥에 껌을 뱉은 주영
④ 도덕 선생님께 칭찬을 듣고 싶어 교통 신호를 지키는 호영
⑤ 교통 신호를 지켜서 나부터 공공선을 실현하자고 마음먹은 지현

03 시민 불복종의 조건으로 옳은 것은?

① 폭력적인 수단을 사용한다.
② 불의한 법에 따른 처벌은 인정하지 않는다.
③ 공공장소가 아닌 곳에서 비밀 집회로 진행되어야 한다.
④ 불복종의 목적은 개인적 가치를 지키는 것이어야 한다.
⑤ 모든 합법적 수단 이후 최후의 수단으로 사용되어야 한다.

04 다음 글에 나타난 사회에 대한 설명으로 옳은 것은?

> 개인의 삶은 공동체의 목적 달성을 위한 자신의 역할을 배제한 채 생각할 수 없다. 좋은 사회는 서로를 공동체의 구성원으로 정체성을 가지고 배려하는 사회이다.

① 지나친 이기주의로 흐를 수 있다.
② 국민이 애국심을 잃어버릴 수 있다.
③ 개인의 자유와 권리를 지키고자 노력한다.
④ 개인보다 공공선과 공익을 중요하게 생각한다.
⑤ 구성원의 책임을 소홀히 할 가능성이 존재한다.

05 다음 글에 나타난 준법의 근거로 가장 적절한 것은?

> 여러분 중에서 누구라도 법이나 국가에 만족하지 못해 우리 식민지 중 어느 곳이나 다른 나라로 가고자 한다면 어떤 법도 여러분의 이주를 막지 않는다. 반대로 여러분이 이 땅에 머물기로 했다면 바로 그 사실로 인하여 여러분은 아테네의 법을 선택한 것이며 법을 지키겠다고 작정한 것이다.

① 자발적 동의
② 처벌의 두려움
③ 보편적 정의의 실현
④ 평등한 시민의 권리
⑤ 법을 준수하여 얻는 혜택

06 현대 자본주의 사회와 정의에 대한 설명으로 옳은 것은?

① 신분제 사회에 비해 경쟁이 적다.
② 인종·성별·출신의 영향이 절대적이다.
③ 신분 제도가 있는 사회보다 부정의하다.
④ 불평등이 존재하지 않는 완전한 평등 사회다.
⑤ 노력과 능력, 환경에 우연적 요소가 있으므로 완전히 정의로운 사회는 아니다.

07 다음 글을 읽은 학생들의 반응으로 적절하지 <u>않은</u> 것은?

> 소수계 우대 정책은 사회적 약자의 위치에 있는 소수 집단에 특혜를 주는 정책이다. 이러한 정책은 소외되고 차별을 받아 온 집단을 배려해 사회 정의를 실현한다는 측면에서 긍정적인 평가를 받지만 다른 측면에서는 비판을 받기도 한다.

① 이슬: 이 정책이 시행되면 사회적 불평등이 심화되어 혼란이 올 수 있어.
② 민정: 경쟁 참여자의 차이를 조정해 공정한 경쟁을 목표로 하는 정책이야.
③ 주현: 정책에 찬성하는 사람은 불리한 소수자의 입장을 조정한다고 생각하는 거야.
④ 경태: 정책에 반대하는 사람은 다수 집단이 역차별로 피해를 입는다고 생각하는 거야.
⑤ 정연: 소수 집단이 받는 차별을 잘 살피고 정책을 시행해야 역차별의 피해를 방지할 수 있어.

08 ㉠에 들어갈 개념으로 옳은 것은?

> 오늘날의 사회 정의는 '각자에게 정당한 몫'을 준다는 의미에서 ㉠ 의 측면이 강조되고 있다.

① 교정 정의
② 보편 정의
③ 분배 정의
④ 일반 정의
⑤ 절차 정의

09 다음 글을 읽고 할 수 있는 말로 가장 적절한 것은?

> 20대의 분노 조절 장애의 원인은 개인의 성향보다는 불평등한 사회 환경이다. 대부분의 20대 청년은 아등바등 노력해도 사회에 첫발을 내딛기 어렵고, 취업에 성공해도 언제 낙오될지 모르는 무한 경쟁 환경에 있기 때문이다.

① 경쟁을 폐지하고 평등하게 살아야 한다.
② 무한 경쟁을 막기 위해 공정한 경쟁이 필요하다.
③ 능력과 노력에 따라 경쟁했다면 어떤 결과도 받아들여야 한다.
④ 경쟁의 부작용을 고려해야 하며 상생이 가능한 경쟁을 유도하는 제도가 필요하다.
⑤ 경쟁을 견딜 수 있는 심리적인 스트레스 대응 능력도 경쟁력의 일부라고 볼 수 있다.

10 다음 글을 읽고 할 수 있는 말로 적절하지 <u>않은</u> 것은?

> 정치인 A 씨는 장시간의 경찰 조사 끝에 B 기업 최고 경영진으로부터 3억 원을 정치 자금 명목으로 받아 온 사실을 인정했다. 그는 조사에서 '지역 정치인들이 돈을 받고 경제인들에게 유리한 정책을 만드는 것은 오랜 관행이었다.'라고 밝혔다.

① 국가 행정, 입법 등 나랏일을 하는 사람은 청렴 의식이 필요하다.
② 위와 같은 사건이 반복된다면 기업과 정치에 대한 국민의 신뢰가 무너질 수 있다.
③ 해외 기업을 상대로 국가의 이익을 위한 사업이라면 위 사례가 정당화될 수 있다.
④ 위와 같은 행위를 예방하기 위해서는 시민의 지속적인 감시와 부패 방지법이 필요하다.
⑤ B 기업이 뇌물의 결과로 다른 기업과의 경쟁에서 승리했다면 공정한 경쟁으로 보기 어렵다.

[11~12] 다음 글을 읽고 물음에 답하시오.

> 북한은 '하나는 전체를 위하여, 전체는 하나를 위하여'라는 구호 아래 □ (가) □ 을/를 추구하고 있다. 그리고 체제를 유지하기 위해 언론, 출판, 집회 등 이른바 □ (나) □ 을/를 인정하지 않고 있다.

11 (가), (나)에 들어갈 말로 옳은 것은?

	(가)	(나)
①	개인주의	양심의 자유
②	개인주의	표현의 자유
③	집단주의	공정의 원리
④	집단주의	표현의 자유
⑤	집단주의	양심의 자유

12 (나)에 대한 설명으로 옳은 것만을 〈보기〉에서 있는 대로 고른 것은?

보기
ㄱ. 국민의 참정권을 제한한다.
ㄴ. 개인의 권리를 보호할 수 있다.
ㄷ. 국가가 통제력을 확보하기 쉽다.
ㄹ. 공적 발언으로 정책과 제도에 영향을 준다.

① ㄱ, ㄴ   ② ㄴ, ㄹ   ③ ㄷ, ㄹ
④ ㄱ, ㄴ, ㄷ   ⑤ ㄴ, ㄷ, ㄹ

13 북한을 바라보는 자세로 적절하지 <u>않은</u> 것은?

① 북한의 이중성을 인식한다.
② 북한의 사회 제도를 비판 없이 수용한다.
③ 튼튼한 안보에 기초한 균형적 접근이 필요하다.
④ 보편적 가치를 바탕으로 북한 체제를 이해한다.
⑤ 평화 통일을 위한 동반자 관계라는 점을 잊지 않는다.

14 다음 글을 읽고 할 수 있는 말로 적절하지 <u>않은</u> 것은?

> 국내로 들어온 북한 이탈 주민이 연 1,000명 수준을 훨씬 넘어서고 있으나 지금까지 북한 이탈 주민의 85% 이상이 기초 생활 보장에 따라 생계비를 지급받고 있다. 이는 이들이 남한 사회 적응에 실패하고 있다고 볼 수 있다. 북한 이탈 주민들이 적응에 실패하는 이유는 첫 번째, 통제 사회에서 살다가 갑작스러운 자유를 겪고 있다는 것, 두 번째로 획일적 사고방식에서 다양성을 존중하는 사고방식의 사회로 왔다는 것, 세 번째로 시장 경제 체제에 익숙하지 않다는 것이다.

① 북한 사회는 국민을 강압적으로 통제하는 분위기이다.
② 남한 사회를 북한과 유사하게 만들어 북한과의 동질성을 높여야 한다.
③ 통일 이후 남북한의 사회적·문화적 통합 문제가 발생할 수 있음을 알 수 있다.
④ 북한 이탈 주민의 적응을 돕기 위한 사회적·제도적 장치가 필요함을 알 수 있다.
⑤ 북한 이탈 주민을 통일 정책의 한 부분으로 생각하고 적극적으로 대처해야 한다.

15 북한 주민의 생활 모습으로 옳지 <u>않은</u> 것은?

① 중앙 기관의 통제가 절대적이다.
② 대부분의 주민은 집단주의 원칙에 익숙하다.
③ 최근 시장 경제와 개인주의가 확산되고 있다.
④ 교육 목표는 지도자에게 충성하는 인간을 양성하는 것이다.
⑤ 예술은 개인의 자유를 적극적으로 표현하기 위한 수단으로 활용된다.

16 다음 글과 관련 있는 보편적 가치로 가장 적절한 것은?

> ○○ 섬 주민 A 씨는 최근까지 잠을 제대로 이루지 못한다. 북한이 ○○ 섬을 포격한 사건 이후로 꿈속에서도 폭탄이 터지는 소리가 들리곤 하기 때문이다.

① 공정   ② 복지   ③ 자유
④ 평등   ⑤ 평화

17 통일을 맞이하는 자세로 적절하지 <u>않은</u> 것은?

① 북한 지역 재건 경험을 바탕으로 개발 도상국의 개발을 지원한다.

② 인도주의적 문제는 신경 쓰지 않고 경제 발전을 위해 북한 지역을 개발한다.

③ 우리나라가 문화 선진국이 될 수 있도록 한류를 더욱 높은 수준으로 발전시킨다.

④ 자유로운 경제 활동을 바탕으로 정의와 복지가 한반도 전역에서 보장되도록 한다.

⑤ 한반도에 있었던 전쟁의 경험을 교훈 삼아 국제 사회에 평화가 정착되도록 노력한다.

18 남북한의 교류·협력 태도로 가장 적절한 것은?

① 적대국이므로 상대의 실체를 부정한다.

② 남한의 일방적 시혜로 발전을 도모한다.

③ 보편적 가치가 아닌 민족적 가치로 교류한다.

④ 점진적이고 단계적인 평화 교류를 추진해야 한다.

⑤ 압도적인 군사력을 사용해 북한에 통일을 강요한다.

19 다음 글의 교훈으로 가장 적절한 것은?

> 독일이 통일을 이룰 수 있었던 결정적 계기는 제2차 세계 대전 후 독일을 분할 점령했던 미국, 소련, 영국, 프랑스의 동의를 이끌어 냈기 때문이다. 미국을 제외한 승전국들은 베를린 장벽이 무너지는 순간에도 통일 독일의 국제적 위상 강화를 경계하면서 독일의 통일에 반대했다. 그러나 서독이 승전국들을 설득해, 1990년 9월 개최된 '2+4' 회담에서 동서독과 승전 4개국 외상은 '독일 문제 최종 해결 조약'에 합의하고, 독일의 통일을 인정했다.

① 북한과 평화 조약을 바탕으로 한 점진적 교류가 필요하다.

② 통일은 민족적 역량을 하나로 모으면 해결할 수 있는 내부 문제이다.

③ 북한 지역에 경제 특구를 개설해 자본주의 질서로 편입시켜야 한다.

④ 북한 지역의 자원을 개발하면 남한과 북한 모두에게 이익이 발생할 것이다.

⑤ 통일은 국제적 문제이므로 주변국을 설득하여 통일에 대한 실질적 동의와 지원을 얻어야 한다.

20 (가), (나)에 해당하는 용어를 바르게 연결한 것은?

> (가) 분단으로 인해 우리가 부담해야 하는 지속적인 손실
>
> (나) 통일로 인하여 얻게 되는 다양한 경제적, 비경제적 이익

	(가)	(나)
①	분단 비용	통일 편익
②	분단 비용	통일 비용
③	분단 비용	분단 편익
④	통일 비용	통일 편익
⑤	통일 비용	분단 비용

[21~22] 다음 글을 읽고 물음에 답하시오.

> 1910년 한일 합방 이후 일본은 조선인의 고등 교육을 엄격하게 금지했다. 조선인은 초등 교육 이후 중등학교에서 실업 교육만 받았으며, 고등 교육 기관(대학교)에 진학할 수 있는 방법은 전혀 없었다. 이것은 지식인을 양성하지 못하게 해 우리나라의 독립운동을 억제하고 조선인을 일본의 2등 국민으로 만들고자 하는 일본의 의도가 반영된 것이었다.

21 조선인과 일본인이 대학에 진학하고자 했을 때, 어떤 부정의가 일어날 수 있는지 서술하시오.

22 윗글을 바탕으로 국가가 정의롭지 못한 경우 생길 수 있는 문제점을 <u>두 가지</u> 서술하시오.

23 북한의 문화가 획일주의적인 이유를 서술하시오.

24 을이 말하는 조건이 필요한 이유를 서술하시오.

> 갑: 시민 불복종은 부정의에 저항한다는 의미에서 정의로운 행동이지만 무제한적으로 허용되는 것은 아니야.
> 을: 맞아. 조건이 있지. 합법적인 과정을 거친 다음 최후의 수단으로 사용되어야 하고 비폭력적으로 이루어져야 해.

25 애국심의 의미와 진정한 애국심이란 어떤 것인지 서술하시오.

26 다음 글에 나타난 국가관의 장점과 단점을 한 가지씩 서술하시오.

> 개인은 가치를 스스로 선택하는 불가침적인 권리를 지니므로 공동선을 위한다는 명목으로 누구도 타인을 강제할 수 없다. 도덕과 정치를 결합하려는 시도는 강제되지 않을 개인의 권리를 침해하므로 부당하다.

27 국가의 법을 지켜야 하는 이유를 <u>두 가지</u> 서술하시오.

III

자연·초월과의 관계

01

자연관

1 인간은 자연의 주인일까?

1. 인간과 자연
(1) **자연의 가치**: 인간의 삶에 다양한 혜택을 제공하며 그 자체로 소중하고 가치를 지님
(2) **인간과 자연의 관계**: 서로 영향을 주고받는 관계로 조화롭게 살아가야 함

2. 환경 문제의 심각성
(1) **환경 문제의 원인**: 자연의 자정 능력을 넘어선 자연 훼손과 변형
(2) **해결의 어려움**: 영향 범위가 넓고 오랫동안 지속하여 꾸준한 노력과 비용이 필요

3. 인간과 자연의 조화로운 삶
(1) **인간 중심적 가치관에 대한 반성**: 도덕적 고려의 범위를 자연에 속한 동식물과 무생물까지 확장 ─ 자연을 정복의 대상이자, 인간만을 위한 도구로 보는 관점
(2) **환경친화적 자연관의 필요성**: 환경 파괴 최소화, 미래 세대와 생태계의 지속 가능성 고려 ─ 인간의 삶과 환경을 동시에 고려해 조화를 추구하는 관점

사례 환경 문제의 영향
· 인간의 생명을 위협하는 다양한 질병 유발
· 기상 이변, 생물 종(種) 감소 등 지구 생태계 위협

2 환경에 대한 가치관과 소비 생활은 어떤 관계가 있을까?

1. 자연을 바라보는 관점
(1) **자연을 이해하는 관점** ─ 올바른 자연관을 지닐 때, 자연과 조화로운 관계를 만들어 갈 수 있음

인간 중심주의	생명 중심주의	생태 중심주의
·자연을 도구적 수단으로 보는 관점 ·자연은 인간을 위한 수단	·동·식물 등 생명의 가치를 존중하는 관점 ·인간을 다른 생명체보다 우월한 존재로 보지 않음	·자연에 속한 모든(흙, 바위 등) 전체 환경을 배려 ·자연 속 모든 존재는 동등한 가치를 지님

2. 환경친화적 소비 생활
(1) **소비의 종류**: 합리적 소비, 윤리적 소비, 녹색 소비
(2) **환경친화적 소비**
① 소비하는 제품의 생산, 유통, 소비, 폐기, 재생의 순환까지 전체 과정을 고려
② 환경 보전의 가치와 미래 세대를 동시에 고려한 지속 가능한 소비 생활 추구

보충 윤리적 소비
윤리적 소비는 인간, 동물, 환경에 해를 끼치지 않고 어린이 및 노약자 등의 노동을 착취하지 않으며, 정상적으로 생산한 윤리적 상품 및 서비스를 소비하는 것을 말한다. 윤리적 소비에는 공정 무역, 슬로푸드 운동, 로컬 푸드 운동 등이 있다.

3 환경친화적 삶을 위한 구체적 실천 방안은 무엇일까?

1. 환경친화적 습관의 실천 방법
(1) **일상생활 속에서 환경친화적 삶 실천**: 쓰레기 줄이기, 재활용, 대중교통 이용, 녹색 소비 실천 등

2. 환경친화적 삶을 위한 사회적 실천 방안
(1) **사회적 실천의 필요성**: 경제 발전과 환경친화적 삶의 조화는 개인의 노력만으로 어려움
(2) **우리나라의 환경친화적 제도**: 탄소 포인트 제도, 서울시의 에코 마일리지
(3) **국제 사회의 노력**: '환경적으로 건전하고 지속 가능한 발전' 추구 ─ 국제 NGO에는 그린피스, 국제 환경 단체 등이 있음

보충 탄소 포인트 제도
'탄소 포인트 제도'란 가정이나 상업 건물의 전기, 상수도, 도시가스 절약 실적에 따라 포인트를 발급하고, 이에 상응하는 인센티브를 제공하는 제도이다. 지난 2009년부터 환경부 주관으로 전국적으로 추진되고 있으며, 참여자는 연간 최고 7만 원의 인센티브(현금 또는 그린 카드 포인트)를 받을 수 있다.

활동 속 자료&개념

◉ 생활 속의 환경 문제 찾아보기

교과서 134쪽

●●● 〈 환경 문제 단어 카드 〉 ●●●

도시	기계	소비	개발
오염	자원 고갈	지구 온난화	생태계 파괴
동식물 멸종	기후 난민	사막화	황사
미세 먼지	아토피 피부염	환경 호르몬	알레르기성 비염

[개념 쏙쏙]

인간과 자연은 서로 영향을 주고받는 관계이다. 발전과 편리함을 중심으로 생각하고 자연 보존을 고려하지 않은 산업화와 도시화의 결과 자연이 오염되었고, 이러한 오염은 우리 주변에 여러 문제로 실제 생활에 깊숙이 스며들었다.

미세 먼지로 창문을 열고 환기할 수 없는 교실, 아토피 피부염을 지닌 친구 등 우리 주위에서 어렵지 않게 찾아볼 수 있는 모습들을 통해 환경 문제가 곧 우리의 삶의 문제로 연결된다는 것을 알 수 있다.

◉ 개발과 보존 중 무엇이 더 중요할까?

교과서 136쪽

멸종 위기인 식물의 서식지와 잘 보전된 생태계를 파괴할 수 있습니다. 이들을 보호할 방법이 있습니까?

◉ 자연을 사랑하는 산악인

주민의 일자리도 늘어나고 세계적인 관광 도시로 거듭날 기회입니다. 우리 지역이 발전할 수 있는 대안이 있습니까?

◉ 지역 주민

저는 △△산의 고유한 아름다움을 보려고 한국을 방문했습니다. 인공 시설이 늘어나면 자연의 고유한 아름다움을 잃게 되지 않을까요?

◉ 한국을 찾은 외국 관광객

[자료 해설]

환경을 둘러싼 일을 결정할 때, 다양한 사람들의 이해관계가 개발과 보존이라는 양쪽의 입장에서 나타난다. 모든 삶의 방식을 포기하고 자연만을 보존하는 것은 실현 불가능한 주장이며, 경제 발전만을 고려하는 것은 지구 공동체 전체를 파괴하는 주장이다. 그러므로 환경친화적 관점에서 환경 보전과 미래 세대를 동시에 고려해 다각적으로 접근해 서로 다른 이해관계에 있는 사람들의 고민을 해결할 수 있는 방안을 모색해야 한다.

개념 꿀꺽

1. 빈칸에 알맞은 말을 쓰시오.

(1) (　　　　) 가치관이란, 자연을 정복의 대상이자 인간만을 위한 도구로 보는 관점이다.

(2) (　　　　) 소비란, 환경 보전의 가치와 미래 세대를 동시에 고려한 지속 가능한 소비이다.

2. 다음 내용이 옳으면 ○표, 틀리면 ✕표 하시오.

(1) 오늘날의 환경 문제는 그 범위가 넓고 오랫동안 지속한 것으로, 쉽게 해결하기 어렵다. (　　　)

(2) 인간 중심적 가치관은 자연을 정복의 대상이자 인간만을 위한 도구로 보는 관점이다. (　　　)

(3) 생명 중심주의는 흙, 바위 등 자연 속 전체 환경에 대한 배려를 강조하는 입장이다. (　　　)

(4) 합리적 소비란 생산과 유통 과정이 올바른 제품을 고려하는 소비이다. (　　　)

(5) 환경친화적 삶을 위한 사회적 실천 방안에는 탄소 포인트 제도가 있다. (　　　)

정답 1. (1) 인간 중심적 (2) 환경친화적
2. (1) ○ (2) ○ (3) ✕ (4) ✕ (5) ○

01 인간과 자연의 관계에 대한 설명으로 옳은 것을 〈보기〉에서 고른 것은?

보기
ㄱ. 자연에 속한 생명체는 그 자체로 소중한 가치를 가진다.
ㄴ. 시냇물은 생명체가 아니므로 나름의 가치를 갖지 않는다.
ㄷ. 인간을 포함한 자연의 모든 존재는 서로 영향을 주고받는다.
ㄹ. 인간은 자연을 이용하는 존재로 자연에 속한 존재와의 조화를 고려하지 않아도 된다.

① ㄱ, ㄴ   ② ㄱ, ㄷ   ③ ㄱ, ㄹ
④ ㄴ, ㄷ   ⑤ ㄴ, ㄹ

주관식
02 ㉠에 들어갈 알맞은 말을 쓰시오.

환경친화적 자연관은 건강한 생태계를 ㉠ 까지 지속적으로 이용할 수 있게 해 주는 정신적 기초가 된다.

(   )

03 환경친화적 자연관의 입장으로 옳은 것을 〈보기〉에서 고른 것은?

보기
ㄱ. 환경 파괴를 최소화하고자 한다.
ㄴ. 도덕적 고려의 범위는 생명체까지이다.
ㄷ. 미래 세대와 생태계의 지속 가능성을 고려한다.
ㄹ. 환경을 위해 인간의 삶의 방식을 포기해야 한다.

① ㄱ, ㄴ   ② ㄱ, ㄷ   ③ ㄱ, ㄹ
④ ㄴ, ㄷ   ⑤ ㄴ, ㄹ

주관식
04 ㉠에 들어갈 알맞은 말을 쓰시오.

인간 중심적 가치관에 대한 반성은 인간과 자연에 속한 동식물과 심지어 무생물에 이르기까지 ㉠ 의 범위를 확장해 나갔다.

(   )

[05~06] 다음 글을 읽고 물음에 답하시오.

(가) 자연을 도구적 수단으로 보는 관점
(나) 동식물 등 생명의 가치까지 존중하는 관점

빈출
05 (가), (나)에 해당하는 관점으로 옳은 것은?

	(가)	(나)
①	생태 중심주의	인간 중심주의
②	생태 중심주의	환경친화적 자연관
③	인간 중심주의	생명 중심주의
④	인간 중심주의	생태 중심주의
⑤	인간 중심주의	환경친화적 자연관

고난도
06 (가), (나)에 대한 옳은 설명만을 〈보기〉에서 있는 대로 고른 것은?

보기
ㄱ. (가)는 자연을 정복의 대상, 인간만을 위한 도구로 여긴다.
ㄴ. (가)는 자연의 본래적 가치를 지킬 것을 주장하는 입장이다.
ㄷ. (나)는 인간을 다른 생명체보다 우월한 존재로 보지 않는다.
ㄹ. (나)는 바위 등 지구 생태계의 모든 가치를 존중하는 입장이다.

① ㄱ, ㄴ   ② ㄱ, ㄷ   ③ ㄴ, ㄷ
④ ㄱ, ㄷ, ㄹ   ⑤ ㄴ, ㄷ, ㄹ

07 다음 글의 시사점으로 가장 적절한 것은?

> 자연을 인간을 위한 수단으로 한정해 생각한다면, 자연을 파괴하는 소비 습관이 확산할 것이다. 반대로 자연의 모든 존재를 고려한다면, 자연을 활용한 소비에 신중해질 것이다.

① 합리적 소비 습관을 길러야 한다.
② 인간 중심주의의 한계를 인식해야 한다.
③ 자연에 속한 모든 가치를 동등하게 존중해야 한다.
④ 자연을 어떻게 효과적으로 이용할지 생각해야 한다.
⑤ 자연을 바라보는 관점에 따라 소비 생활도 영향을 받는다.

08 환경친화적 소비 생활에 대한 설명으로 옳은 것을 〈보기〉에서 고른 것은?

보기
ㄱ. 소비가 환경에 미치는 영향을 고려한다.
ㄴ. 소비할 때 비용을 최소로 아끼는 것을 중시한다.
ㄷ. 제품의 폐기와 재생의 과정에는 관심을 두지 않는다.
ㄹ. 제품의 생산과 유통, 소비, 재생의 순환까지 전체 과정에 관심을 둔다.

① ㄱ, ㄴ　　② ㄱ, ㄷ　　③ ㄱ, ㄹ
④ ㄴ, ㄷ　　⑤ ㄴ, ㄹ

09 다음 글이 설명하는 개념으로 옳은 것은?

> 미래 세대의 필요를 충족할 가능성을 손상하지 않는 범위에서 현세대의 필요를 충족하는 개발 방식으로, 1992년 브라질의 리우데자네이루 정상 회의에서 합의한 개념

① 공정 무역
② 탄소 포인트
③ 에코 마일리지
④ 로컬 푸드 운동
⑤ 환경적으로 건전하고 지속 가능한 발전

고난도
10 ㉠에 들어갈 질문으로 가장 적절한 것은?

> 선생님: ㉠
> 갑: 탄소 포인트 제도를 시행합니다.
> 을: 에코 마일리지를 도입하고 홍보합니다.
> 병: 환경적으로 건전하고 지속 가능한 발전을 추구합니다.

① 환경친화적 소비를 실천해야 하는 이유는 무엇일까?
② 현세대의 경제적 필요를 최대화할 수 있는 방법은 무엇일까?
③ 환경친화적 삶을 위한 개인적 실천 방안에는 무엇이 있을까?
④ 환경친화적 삶을 위한 사회적 실천 방안에는 무엇이 있을까?
⑤ 환경 문제 해결에 있어 개인의 노력이 중요한 이유는 무엇일까?

서술형

11 오늘날 환경 문제를 해결하기 어려운 이유를 두 가지 서술하시오.

12 중학생인 우리가 학교에서 실천할 수 있는 환경친화적 습관을 두 가지 서술하시오.

01 다음 글에 나타난 문제를 해결하는 방법으로 가장 적절한 것은?

> 꿀벌은 꽃의 수술과 암술을 교배시켜 열매를 맺도록 돕는다. 이러한 꿀벌은 식물의 교배를 돕는 곤충 중 70%가량을 차지하며, 생태계의 큰 축을 담당하고 있다.
>
> 하지만 요즈음 이러한 꿀벌이 사라지는 '꿀벌 군집 붕괴 현상'이 나타나고 있다. 그린피스에 따르면, 최근 10년간 미국에서는 꿀벌의 개체 수가 40%가량 감소했으며, 해마다 피해는 더 늘어나고 있다. 공기 오염, 살충제 살포, 전자파 발생, 지구 온난화 등 '인간의 욕심'에서 비롯된 무분별한 개발이 그 원인으로 꼽힌다.

① 지구 생태계 자정 능력의 무제한성을 인식한다.
② 합리적 소비를 통해 현실적 해결 방안을 모색한다.
③ 인간 중심주의적 관점에서 해결 방안을 모색한다.
④ 소비가 사회와 환경에 미치는 영향을 고려해 소비한다.
⑤ 지속 가능한 발전을 통해 미래 세대보다 현세대의 만족감을 높이는 방안을 찾는다.

주관식
02 다음 글에 나타난 인디언들의 자연관을 쓰시오.

> 인디언들은 아기가 태어난 지 사흘이 지나면 아기와 함께 언덕으로 올라가 자연에 인사를 한다. 동물을 사냥하고서도 사과한다. "내 사랑하는 친구여, 나는 이제 너를 죽이려 한다. 집에 늙은 숙모님이 오셨는데 몸이 좋지 않으시다." "고맙다. 내가 죽인 사슴 형제, 그대는 진정으로 날쌔고 강인하며 민첩하였다. 형제여." 인디언들에게 자연과 동물은 형제들이다.

(   )

03 환경친화적 삶의 모습으로 적절하지 않은 것은?

① 재사용하기
② 재활용하기
③ 지역 농산물을 찾아 먹기
④ 스마트폰을 자주 바꾸지 않기
⑤ 현재의 경제 발전을 중단하기

04 다음 사례를 환경친화적 관점에서 옳게 평가한 내용을 〈보기〉에서 고른 것은?

> • 방수되는 천으로 만든 가방
> • 페트병을 활용해 만든 전시관
> • 골판지, 캔 등 버려진 소재로만 꾸민 쇼핑몰

보기

> ㄱ. 비용을 최소로 아끼면서 만족감을 높이는 모습이다.
> ㄴ. 자원 순환의 새로운 모습을 보여 주는 업사이클링의 예시이다.
> ㄷ. 사용한 물건을 재활용하므로 제품의 폐기 과정도 윤리적이다.
> ㄹ. 위와 같은 활동은 쓰레기 사용량을 증가시켜 환경 오염을 일으키는 문제가 발생한다.

① ㄱ, ㄴ   ② ㄱ, ㄷ   ③ ㄱ, ㄹ
④ ㄴ, ㄷ   ⑤ ㄴ, ㄹ

05 환경친화적 관점에 대한 설명으로 옳은 것은?

① 개발과 보존이 대립할 때 개발을 중시한다.
② 자연의 본래적 가치는 인간의 삶보다 중요하다.
③ 환경친화적 관점의 한계로 인간 중심적 자연관이 등장했다.
④ 건강한 생태계를 미래 세대까지 지속적으로 이용할 수 있도록 하는 기초이다.
⑤ 건강한 생태계 보호를 위해 인간의 삶에서 자연을 이용해서는 안 된다는 관점이다.

[06~07] 다음 표를 보고 물음에 답하시오.

관점	입장
A	자연에 속한 전체 환경에 대한 배려를 강조한다.
B	인간은 다른 생명체보다 우월한 존재로 볼 수 없다.
C	자연은 정복의 대상으로 인간의 필요와 이익에 따른 수단이다.

06 A~C에 대한 옳은 설명을 〈보기〉에서 고른 것은?

보기
ㄱ. A는 생태 중심주의, B는 생명 중심주의다.
ㄴ. A는 생명 중심주의, B는 생태 중심주의다.
ㄷ. B는 동식물 등 생명체의 가치를 존중한다.
ㄹ. B와 C는 무분별한 소비 습관을 불러일으킨다.

① ㄱ, ㄴ   ② ㄱ, ㄷ   ③ ㄱ, ㄹ
④ ㄴ, ㄷ   ⑤ ㄴ, ㄹ

고난도
07 A~C에 대해 올바른 의견을 제시하고 있는 사람을 〈보기〉에서 고른 것은?

보기
하늘: A는 바위와 흙도 도덕적 고려의 대상으로 인식해.
진리: B는 A보다 도덕적 고려의 범위가 좁다고 볼 수 있어.
나라: C는 B보다 도덕적 고려의 범위가 넓다고 볼 수 있어.
호수: C를 가지면 윤리적 소비를 선택하는 습관을 갖게 돼.

① 하늘, 진리   ② 하늘, 나라   ③ 진리, 나라
④ 진리, 호수   ⑤ 나라, 호수

08 다음 상황의 남학생이 휴대 전화를 구매하지 않아야 하는 근거를 환경친화적 소비의 입장에서 서술하시오.

지금 가지고 있는 휴대 전화에 전혀 문제가 없지만, 최신 휴대 전화 광고를 보니 최신 휴대 전화가 사고 싶어졌다.

09 윤리적 소비의 사례를 한 가지 서술하시오.

10 환경친화적 삶을 위해 다음과 같은 사회적 방안을 마련해야 하는 이유를 두 가지 서술하시오.

탄소 포인트 제도

서울시의 에코 마일리지

1. 환경에 대한 가치관

💬 다음 활동을 보고 타이포셔너리를 제작해 보자.

예

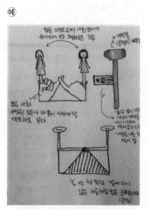

• 타이포셔너리(문자도)
글자의 의미와 관련된 것들을 글자 속에 넣어 글씨를 구성하는 그림

• 주제: 자연

• 조건
① 자연이 나에게 주는 혜택 1가지를 반영할 것
② 인간 중심주의 자연관의 의미 혹은 특징을 반영할 것
③ 생명 중심주의 자연관의 의미 혹은 특징을 반영할 것
④ 생태 중심주의 자연관의 의미 혹은 특징을 반영할 것

▲ 다음의 글자는 '법'으로, 법의 특징으로 '공정', '약속', '평화 유지'의 조건을 반영해 타이포셔너리로 완성한 것이다.

01. 위 조건에 맞추어 '자연'을 타이포셔너리로 만들어 보자.

2. 인간과 자연의 조화로운 삶

01. 생활에서 환경 문제의 심각성을 느꼈던 경험을 써 보자.

---

02. 인디언들의 입장에서 01의 환경 문제를 해결할 수 있는 조언 두 가지를 써 보자.

> 인디언들은 아기가 태어난 지 사흘이 지나면 아기와 함께 언덕으로 올라가 자연에 인사를 한다. '대지 어머니'에게 발을 닿게 하고 해와 물, 불, 보름달과 별에 소개한다. 동물을 사냥하고서도 사과한다. "내 사랑하는 친구여, 나는 이제 너를 죽이려 한다. 집에 늙은 숙모님이 오셨는데 몸이 좋지 않으시다." "고맙다. 내가 죽인 사슴 형제, 그대는 진정으로 날쌔고 강인하며 민첩하였다. 형제여." 인디언들에게 태양은 창조신이요, 달은 그 부인 신이고, 대지는 어머니이며, 자연과 동물은 형제들이다.

> 우리는 자연을 소중히 여겨야 합니다. 평소 자연을 소중히 여기지 않았던 행동을 반성하고 개선할 방법을 찾아야 합니다. 우리는 환경친화적 자연관을 바탕으로 삶을 살아가고 있습니다. 우리와 같은 삶의 방식에서 **01**과 같은 문제를 해결하기 위해서 해 줄 수 있는 조언은
>
> 첫째,
>
> ---
>
> ---
>
> 둘째,
>
> ---
>
> ---

3. 환경친화적 삶을 위한 구체적인 실천 방안

◉ 다음 주제를 보고 물음에 답해 보자.

> 우리 교실에서 실천할 수 있는 환경친화적 생활 실천 캠페인 계획 세우기

01. 환경친화적 관점에서 우리 교실에서 개선이 필요한 점을 써 보자.

----

02. 01이 개선되지 않을 경우 발생할 수 있는 문제를 써 보자.

----

03. 02를 해결할 수 있는 방안을 써 보자.

----

04. 03을 홍보하는 캠페인의 문구를 만들어 보자.

----

4. 환경친화적 소비 생활

◈ 제시된 윤리적 소비 중 한 가지를 실천한 후, 아래 표를 완성해 보자.

〈윤리적 소비〉
공정 무역 제품 소비, 슬로푸드 운동, 로컬 푸드 운동

1. 내가 선택한 윤리적 소비	2. 구체적인 실천 과정

3. 실천한 뒤 느낀 점	4. 윤리적 소비를 추천하는 글

02

과학과 윤리

보충 유전자 가위의 명암과 도덕적 책임감의 필요성

• 유전자 가위 기술: DNA의 특정 서열을 제거·수정·삽입하는 기술로 문제 되는 유전자만 잘라 내고 새로운 유전자로 바꿀 수 있다.

• 생활에 제공하는 유용함: 난치병 치료, 멸종 위기에 빠지거나 멸종된 생물 복원 등 다양한 분야에서 활용할 수 있다.

• 기술의 한계와 위험성: 중국에서 진행된 배아 DNA 편집 실험은 전 세계적으로 생명 윤리 논란을 일으키며 많은 이들의 우려를 낳았다. 유전자 가위가 '맞춤형 아기'를 등장시켜 윤리적·사회적 문제를 일으킬 수 있기 때문이다.

• 개발과 활용에 대한 도덕적 책임감의 필요성: 미국 재생 의학을 위한 연합 의장인 에드워드 랜피어 박사 등 네 명의 저명한 과학자는 유전자 가위를 활용한 인간 배아 연구를 중단해야 한다고 밝혔고, 노벨상 수상자인 데이비드 볼티모어 미국 칼텍 교수 등도 월스트리트 저널 기고를 통해 경고했다.

① 과학 기술은 인간의 삶을 어떻게 바꾸어 놓았을까?

1. 과학 기술의 의미와 목적

(1) **의미:** 과학 지식을 현실에 적용하여 인간 생활을 유용하게 가공하는 수단
　　　　　└ 자연을 탐구하고 과학적 진리를 발견하는 이론 체계

(2) **목적**

　① 수단적 목적: 삶에 필요한 다양한 수단 제공

　② 궁극적 목적: 삶의 질 향상을 통한 인간의 존엄성 구현

2. 과학 기술을 통한 삶의 긍정적 변화

(1) **풍요롭고 편리한 생활:** 의식주 및 노동 조건을 개선

(2) **인간관계의 확장:** 시공간을 초월한 다양한 교류 가능

(3) **건강 증진과 위험 예방:** 질병 치료 및 재해 예측 가능

(4) **지식과 문화의 확산:** 다양한 문화 예술 활동 기회를 제공

② 과학 기술로 모든 문제를 해결할 수 있을까?

1. 과학 기술 발달에 따른 부작용 ┌ 과학이 모든 문제를 해결해 줄 것이라고 보는 과학 만능주의 경계

(1) **과학 기술에 대한 지나친 의존:** 인간의 주체성 상실과 비인간화

(2) **배아 복제, 유전자 가위 등 생명 과학 기술의 발달:** 생명의 존엄성 훼손

(3) **원자력, 핵무기 등 대량 살상 무기 발명:** 잠재적 인류 평화 위험

(4) **정보·통신 기술 발달:** 인권과 사생활 침해

2. 과학 기술의 한계와 그 위험성

(1) **과학 기술의 한계:** 모든 문제점을 예측할 수 없고 모든 문제를 해결할 수 없음

(2) **과학 기술의 위험성 인식:** 과학 기술로 발생할 수 있는 도덕적 문제에 대한 관심과 점검
　　　└ 요나스의 '공포의 발견술'을 활용하여 과학 기술의 위험성 예측

보충 '공포의 발견술'과 과학 기술에 대한 도덕적 책임

공포의 발견술이란, '우리가 실제로 무엇을 보호해야 하는가를 알아내기 위해서 희망보다는 공포를 논의의 대상으로 삼아야 한다'는 관점이다. 우리의 도덕적 책임은 과학 기술의 발달에 따른 인류의 미래에 대해 책임 윤리를 제시하며, 기술과 자연의 관계를 돌아보는 것이다.

③ 과학 기술에 책임이 필요한 이유는 무엇일까?

1. 과학 기술 개발과 인간의 존엄성

(1) **과학 기술 개발의 도덕적 전제:** 인간의 존엄성과 삶에 대한 도덕적 고려

(2) **과학 기술의 도덕적 책임:** 과학 기술은 도덕적 고려의 대상으로, 개발과 활용에 도덕적 책임감 필요

2. 과학 기술에 대한 도덕적 고려

(1) 과학 기술에 부정적인 영향 최소화 → 바람직하고 지혜롭게 활용하도록 노력
　　　　　　　　　　　　　　└ 비도덕적 요구, 상업적 이익, 특정 집단의 이익 등

3. 과학 기술에 대한 도덕적 책임

(1) **과학 기술 연구자의 도덕적 책임감:** 전문 능력을 바탕으로 올바른 가치 판단을 내리고 책임 있게 행동해야 함

(2) **사회적 합의와 제도의 필요:** 현대 사회에서는 특정 과학 기술자에게만 책임을 묻는 것이 어려움
　　　└ 과학 기술은 과학 분야를 넘어 사회 전체에 영향을 주므로 다양한 입장에서 논의 필요

활동 속 자료&개념

📍 모든 인간을 위한 과학 기술

교과서 151쪽

우리는 일반인보다 어려운 처지에 있는 사람들의 필요에 맞게 과학 기술을 활용할 수 있다. 예를 들어, 신호등 음향 신호기는 시력이 약한 노약자 또는 장애인의 통행을 돕기 위해 개발되었다.

신호등 음향 신호기는 빨간색 신호등에는 "잠시만 기다려 주십시오.", 초록색 신호등에는 "녹색 불이 켜졌습니다. 건너가도 좋습니다." 라고 신호등의 상태를 안내함으로써 보행을 돕는다. 이를 이용해 교통 약자들은 다른 사람의 도움 없이 안전하게 도로를 이용할 수 있게 되었다.

🔵 신호등 음향 신호기

개념 쏙쏙

일상생활에서 손을 활용하는 것이 불편한 사람이 편리하게 열 수 있는 문이라면, 모든 사람이 그 문을 편리하게 열 수 있다. 이처럼 장애의 유무와 상관없이 모든 사람이 무리 없이 이용할 수 있도록 도구, 시설, 설비를 설계하는 것을 '모든 사람을 위한 디자인(Design For All)', '범용(汎用) 디자인', 유니버설 디자인(공용화 설계)이라고 한다. 이는 삶의 질 향상 및 인간의 존엄성 구현이라는 과학 기술의 목적에 맞게 활용한 사례이다.

📍 자율 주행차의 윤리적 문제

교과서 157쪽

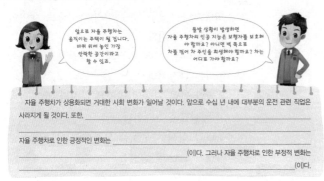

앞으로 자율 주행차는 움직이는 주택이 될 겁니다. 바퀴 위에 놓인 가장 안락한 공간이라고 할 수 있죠.

돌발 상황이 발생하면 자율 주행차의 인공 지능은 보행자를 보호해야 할까요? 아니면 백 쪽으로 차를 꺾어 차 주인을 희생해야 할까요? 차는 어디로 가야 할까요?

자율 주행차가 상용화되면 거대한 사회 변화가 일어날 것이다. 앞으로 수십 년 내에 대부분의 운전 관련 직업은 사라지게 될 것이다. 또한, _____

자율 주행차로 인한 긍정적인 변화는 _____ (이)다. 그러나 자율 주행차로 인한 부정적 변화는 _____ (이)다.

자료 해설

과학 기술의 등장은 단지 기술 발전에만 영향을 미치는 것이 아니다. 과학 기술을 개발하는 사람, 그 기술을 사용하는 기업, 구체적인 결과물을 이용하는 일반 대중 등 사회 구성원 전체에 영향을 미친다. '자율 주행차'가 주는 생활의 편리함과 함께 나타날 수 있는 부정적인 변화를 생각해 보고, 과학 기술의 긍정적, 부정적 영향을 탐구해 보자. 과학 기술의 활용에는 다양한 입장에서의 도덕적 고려가 필요하다.

개념 꿀꺽

1. 빈칸에 알맞은 말을 쓰시오.

(1) ( )(이)란, 과학의 객관적 지식을 현실에 적용해 인간 생활을 유용하게 가공하는 수단을 의미한다.

(2) 과학 기술 연구자는 전문 능력을 바탕으로 올바른 ( )을/를 내리고 책임 있게 행동하는 도덕적 책임감을 가져야 한다.

2. 다음 내용이 옳으면 ○표, 틀리면 X표 하시오.

(1) 과학 기술은 삶에 긍정적 변화만 주며, 모든 문제를 해결해 준다. ( )

(2) 과학 기술을 개발할 때는 인간 존엄성을 실현하고 삶의 질을 개선해야 한다는 도덕적 전제가 요구된다. ( )

(3) 과학 기술을 개발, 활용할 때는 다수의 이익을 위해 특정 집단은 고려의 대상으로 볼 수 없다. ( )

(4) 요나스는 공포의 발견술을 통해 과학 기술에 대한 문제점을 발견할 것을 강조했다. ( )

(5) 특정 과학 기술의 영향에 관해 정부, 시민 단체, 당사자 등이 함께 의논하는 도덕적 책임감이 필요하다. ( )

정답
1. (1) 과학 기술 (2) 가치 판단
2. (1) X (2) ○ (3) X (4) ○ (5) ○

01 과학 기술에 대한 설명으로 옳지 <u>않은</u> 것은?

① 우리에게 편리함과 혜택만을 제공한다.
② 우리 삶에 필요한 다양한 수단을 제공한다.
③ 과학과 기술은 상호 발전을 촉진하는 관계이다.
④ 과학 기술을 사용할 때는 올바르게 사용해야 한다.
⑤ 과학 기술의 궁극적 목적은 삶의 질 향상을 통한 인간 존엄성 구현이다.

[02~03] 다음 글을 읽고 물음에 답하시오.

> 과학 기술이 제공하는 현재의 편리함 또는 긍정적인 영향만을 강조하면 ㉠과학 기술의 한계와 ㉡과학 기술의 위험성을 지나치기 쉽다.

02 ㉠, ㉡에 대한 설명으로 옳은 것만을 〈보기〉에서 있는 대로 고른 것은?

보기
ㄱ. ㉠은 진리로 통했던 이론이 오류로 판명되는 경우가 해당한다.
ㄴ. ㉠은 과학 기술 개발이 미흡해서 발생한 문제로 도덕적 문제와 무관하다.
ㄷ. ㉡을 인식해 과학 기술이 인류의 모든 문제를 해결하도록 해야 한다.
ㄹ. ㉡은 새로운 과학 기술을 실제로 적용하기 전까지 모든 문제를 예상할 수 없기에 발생한다.

① ㄱ, ㄴ　　② ㄱ, ㄹ　　③ ㄴ, ㄷ
④ ㄱ, ㄷ, ㄹ　　⑤ ㄴ, ㄷ, ㄹ

03 윗글에서 알 수 있는 윤리적 교훈으로 가장 적절한 것은?

① 과학 기술에 대한 낙관적인 자세가 필요하다.
② 과학 윤리는 과학 기술의 개발을 가로막는다.
③ 과학 기술을 통해 인간 소외를 해결해야 한다.
④ 과학 기술로 인한 윤리적 과제를 인식해야 한다.
⑤ 과학 기술을 통해 윤리적 과제를 해결해야 한다.

[04~05] 다음 글을 읽고 물음에 답하시오.

> 요나스는 　(가)　을/를 통해 과학 기술의 발달로 초래할 인류의 종말을 예상해 보고 대비할 것을 주장했다.

주관식
04 (가)에 들어갈 알맞은 말을 쓰시오.

(　　　　　)

05 (가)에 대한 설명으로 옳은 것만을 〈보기〉에서 고른 것은?

보기
ㄱ. 희망보다는 공포를 논의의 대상으로 삼아야 한다는 관점이다.
ㄴ. 공포보다는 희망을 논의의 대상으로 삼아야 한다는 관점이다.
ㄷ. 우리가 과학 기술의 영향은 자신과 관련 있다고 인식함을 전제한다.
ㄹ. 우리가 실제로 무엇을 보호해야 하는가를 알아내기 위한 방법이다.

① ㄱ, ㄴ　　② ㄱ, ㄷ　　③ ㄱ, ㄹ
④ ㄴ, ㄷ　　⑤ ㄴ, ㄹ

06 다음 글의 시사점으로 가장 적절한 것은?

> 신호등 음향 신호기는 시력이 약한 노약자 또는 장애인의 통행을 돕기 위해 개발되었다. 신호등 음향 신호기는 빨간색 신호등에는 "잠시만 기다려 주십시오.", 초록색 신호등에는 "녹색 불이 켜졌습니다. 건너가도 좋습니다."라고 신호등의 상태를 안내함으로써 보행을 돕는다. 이를 이용해 교통 약자들은 다른 사람의 도움 없이 안전하게 도로를 이용할 수 있게 되었다.

① 과학 기술은 수단적 의미를 지닌다.
② 과학 기술은 도덕적 의미와 무관하다.
③ 우리는 과학 기술의 혜택에 주목해야 한다.
④ 과학 기술의 목적은 과학적 진리를 발견하는 데 있다.
⑤ 과학 기술의 궁극적 목적은 인간의 존엄성 구현이다.

[07~08] 다음 글을 읽고 물음에 답하시오.

과학 기술의 활용에 따른 위험성이나 부작용에 관한 문제는 과학자와 같은 전문가만이 판단할 수 있다는 생각이 지배적이다. 정작 직접적인 영향을 받는 시민들은 과학 기술과 관련된 제도나 정책을 마련할 때 소외될 수 있다. 이러한 생각에서 과학 기술과 관련된 정책을 결정할 때 시민들이 참여할 기회를 마련하고자 등장한 제도가 합의 회의이다. 합의 회의는 보통 시민이 과학 기술과 관련된 주제를 전문가들의 도움을 받아 이해한 후 자신들의 견해를 발표하는 토론의 장이다.

빈출

07 윗글의 시사점으로 가장 적절한 것은?

① 과학 기술 개발은 인간의 존엄성을 해친다.
② 과학 기술을 개발하는 개발자의 책임이 중요하다.
③ 과학 기술의 개발로 인류는 편리한 삶을 살게 되었다.
④ 과학 기술 개발에 도덕적 책임이 필요한 이유를 인식해야 한다.
⑤ 과학 기술 활동에 대한 사회적 합의와 제도를 마련하는 일이 필요하다.

08 윗글을 읽고 할 수 있는 말로 가장 적절한 것을 〈보기〉에서 고른 것은?

보기

ㄱ. 현대 과학 기술 개발 과정이 더욱 복잡해짐에 따라 중요성이 커지고 있다.
ㄴ. 과학 기술의 사회적 합의를 통해 과학자의 윤리적 책임을 덜어 줄 수 있다.
ㄷ. 합의 회의에는 사회학자나 윤리학자와 같이 과학과 관련 없는 사람은 참여할 수 없다.
ㄹ. 자율 주행 자동차의 활용이나 인공 지능 로봇과 같은 주제들이 회의의 주제로 적합하다.

① ㄱ, ㄴ   ② ㄱ, ㄷ   ③ ㄱ, ㄹ
④ ㄴ, ㄷ   ⑤ ㄷ, ㄹ

09 ㉠에 들어갈 적절한 말을 〈보기〉에서 고른 것은?

인간이 과학 기술에 지나치게 의존하는 사례가 빈번하게 발생하고 있다. 예를 들어 편리함을 우선시하는 사회 분위기는 ⎡ ㉠ ⎤ 을/를 불러왔다.

보기

ㄱ. 비인간화   ㄴ. 국력의 강화
ㄷ. 인간 중심주의   ㄹ. 인간의 주체성 상실

① ㄱ, ㄴ   ② ㄱ, ㄷ   ③ ㄱ, ㄹ
④ ㄴ, ㄷ   ⑤ ㄴ, ㄹ

서술형

10 과학 기술로 인한 긍정적인 변화를 **두 가지** 서술하시오.

_____

_____

_____

11 과학 기술 발달에 따른 부작용을 **두 가지** 서술하시오.

_____

_____

_____

12 다음 주장을 뒷받침할 수 있는 근거를 서술하시오.

과학 기술 연구와 직접 관련된 과학 기술자는 더욱 높은 수준의 도덕적 책임감이 필요하다.

_____

_____

01 과학 기술의 한계로 옳은 것에 모두 표시한 학생은?

방법＼학생	갑	을	병	정	무
미처 예측하지 못한 문제가 등장할 수 있다.	✓		✓		✓
과학 기술의 발달은 인류의 현실 문제를 해결해 줄 것이다.		✓		✓	✓
인간 소외와 비인간화 현상에 대한 도덕적 성찰이 필요하다.	✓	✓			
기술의 발달로 인간은 겪어보지 못한 경험을 누릴 기회가 줄어든다.				✓	✓

① 갑   ② 을   ③ 병
④ 정   ⑤ 무

[고난도]
02 다음 글을 읽고 할 수 있는 말로 적절하지 <u>않은</u> 것을 〈보기〉에서 고른 것은?

> 챌린저호는 미국에서 제작된 4대 우주 왕복선 중 하나이다. 과학 기술자들은 발사 장치의 성능에 문제가 발생할 수 있음을 뒤늦게 발견했고, 챌린저호를 발사하기 바로 전날(1986년 1월 27일) 화상 회의에서 다음 날 발사를 중지해야 한다는 의견을 경영진에게 전달했다. 하지만, 회사의 경영진들은 과학 기술자의 발사 중지 권고를 무시하였고, 다음 날 아침 발사 73초 만에 챌린저호는 폭발하고 말았다.

보기
ㄱ. 과학 기술 발전의 미흡으로 발생한 사건이다.
ㄴ. 과학 기술을 활용할 때 도덕적 고려를 하지 않았다.
ㄷ. 과학 기술에 대한 상업주의적 사고가 문제 원인이다.
ㄹ. 도덕적 책임을 느껴야 하는 대상을 제시문에서 찾을 수 없다.

① ㄱ, ㄴ   ② ㄱ, ㄷ   ③ ㄱ, ㄹ
④ ㄴ, ㄷ   ⑤ ㄴ, ㄹ

03 갑과 을에 대한 옳은 설명을 〈보기〉에서 고른 것은?

> 갑: 인간의 일을 기계가 도와주면서 인간은 시간을 좀 더 효율적으로 사용하고, 자신을 위해 사용할 수 있게 되었어요.
> 을: 과학 기술이 발달하기 전에는 인간 스스로 하던 것도 하지 못하게 되거나, 기술에 중독되는 등 인간은 점점 기계의 노예가 되는 것 같아요.

보기
ㄱ. 갑의 주장이 지나칠 경우 과학 기술의 한계를 인식하지 못할 수 있다.
ㄴ. 갑의 주장이 지나칠 경우 과학 기술의 긍정적 역할을 망각할 수 있다.
ㄷ. 을의 주장은 과학 기술의 위험성에 대비하는 자세를 갖게 한다.
ㄹ. 갑과 을은 공통으로 과학 기술이 제공하는 편리함만을 강조한다.

① ㄱ, ㄴ   ② ㄱ, ㄷ   ③ ㄱ, ㄹ
④ ㄴ, ㄷ   ⑤ ㄴ, ㄹ

04 다음 글의 시사점으로 가장 적절한 것은?

> 한편, 과학 기술의 경제적 가치가 나날이 커짐에 따라 과학 기술에 관한 상업주의적 사고가 팽배할 수 있다. 또한, 과학 기술에 대한 믿음과 의존적인 경향이 강해지므로 특정한 과학 기술에 영향을 받는 사람들을 충분히 고려하지 않을 가능성이 있다.

① 과학 기술은 도덕적 고려의 대상이 아니다.
② 과학 기술을 개발한 사람이 모든 결과를 책임져야 한다.
③ 과학 기술의 부정적 영향을 최소화하려는 노력이 필요하다.
④ 과학 기술자는 연구 성과의 도덕적 영향력을 예측할 수 없다.
⑤ 인간 존엄성을 훼손하거나 윤리적 문제를 남겨도 과학 기술을 개발해야 한다.

[05~07] 다음 글을 읽고 물음에 답하시오.

> 요나스는 '공포의 발견술'이라는 말을 사용해서 과학 기술의 발달로 초래할 인류의 ___㉠___ 을/를 예상해 볼 것을 강조한다.

05 ㉠에 들어갈 내용으로 적절한 것을 〈보기〉에서 고른 것은?

> **보기**
> ㄱ. 고통　　ㄴ. 발전　　ㄷ. 종말　　ㄹ. 희망

① ㄱ, ㄴ　　　② ㄱ, ㄷ　　　③ ㄱ, ㄹ
④ ㄴ, ㄷ　　　⑤ ㄴ, ㄹ

주관식
06 밑줄의 활용 단계 중 (가), (나)에 해당하는 것을 쓰시오.

1단계	(가)
2단계	문제점 명료화하기
3단계	(나)

(가): _____
(나): _____

고난도
07 06번 문항의 (가)에 해당하는 질문으로 가장 적절한 것은?

① 자율 주행차에서 말하는 자율의 의미는?
② 자율 주행차 도입에 관해 필요한 사회적 논의는?
③ 자율 주행 기술 개발자가 가져야 할 도덕적 책임감은?
④ 자율 주행차가 등장했을 때 다수의 사람이 누릴 수 있는 편리함은?
⑤ 자율 주행차가 오작동해 탑승자가 수동으로 제어가 불가능한 상황이 벌어진다면?

08 밑줄 친 내용의 윤리적 문제점을 서술하시오.

> 유전자 가위 기술은 인간과 동식물 세포의 유전체(유전자와 염색체의 합성어)를 편집하는 데 사용되는 유전자 편집 기술이다. 손상된 디엔에이(DNA)를 잘라 내고 정상 디엔에이를 갈아 끼우는 짜깁기 기술을 말한다.
> 이는 유산을 막는 방법을 찾는 것이 목적인데, 영국 인간 생식 배아 관리국은 이 연구를 허가했다. 이에 따라 연구팀은 기증받은 수정란을 이용해 특정 유전자 디엔에이(DNA)를 유전자 가위로 잘라 낼 계획이다. 하지만, 유전자가 편집된 배아를 자궁에 착상하는 것은 금지했다.

09 다음 사진에 나타난 과학 기술의 긍정적인 면과 부정적인 면을 구체적으로 한 가지씩 서술하시오.

1. 과학 기술은 인간의 삶을 어떻게 바꾸어 놓았을까?

01. 내가 가장 자주 사용하는 과학 기술을 생각해 보고, 아래 표를 채워 보자.

내가 자주 사용하는 과학 기술	자주 사용하는 이유

이로 인해 내가 얻는 혜택	이로 인해 나에게 새로 생겨난 문제점

02. 내가 자주 사용하는 과학 기술을 올바르게 이용하기 위해 필요한 도덕적 덕목을 써 보자.

내가 중요하게 사용하는 과학 기술 도구인 _____을/를 올바르게 이용하기 위해서 필요한 가치는 _____이다.

내가 제시한 가치 _____(이)란, _____(이)라는 의미이다.

가치_____이/가 필요한 이유는 _____ 때문이다.

2. 모든 인간을 위한 기술

⚙️ **다음 글을 읽고 물음에 답해 보자.**

모든 사람을 위한 디자인

'모든 사람을 위한 디자인(Design For All)'은 성별, 연령, 국적, 문화적 배경, 장애의 유무와 상관없이 모든 사람이 무리 없이 이용할 수 있도록 도구, 시설, 설비를 설계하는 것을 말한다. 범용(汎用) 디자인, 유니버설 디자인(universal design)이라고도 불린다.

△ 큐드럼을 사용하는 모습

그것의 예시가 큐드럼(Q drum)이다. 큐드럼은 도넛형 플라스틱 컨테이너로 약 50ℓ의 물을 담고 굴려서 이동시킬 수 있는 물통이다. 가운데 커다란 구멍이 있어 로프로 묶어 드럼을 끌거나 굴릴 수 있다.

물을 구하기 힘든 아프리카에서는 아이들이 멀리까지 나가 가정에서 쓸 깨끗한 물을 구해야 했다. 무거운 물통을 들고 먼 길을 왔다 갔다 하느라 아이들은 학교에 갈 수 없었다. 하지만 큐드럼이 보급되면서 물 운반이 쉬워지자 아프리카 아이들의 학교 출석률과 진학률이 증가했다.

01. 내 주위에서 도움이 필요한 사람들을 써 보자.

----

02. 그 사람들이 겪는 어려움과 어떤 도움이 있을 때 삶의 질이 높아질지 생각해 보자.

----

03. 그들에게 필요한 기술을 써 보자.

----

3. 과학 기술의 의미와 목적

● 다음 글을 읽고 물음에 답해 보자.

> 과학 기술은 우리 삶에 필요한 다양한 수단을 제공하고 있지만, 과학 기술의 목적은 단순한 수단적 의미에 그치지 않는다. 과학 기술의 궁극적 목적은 삶의 질 향상을 통해 인간의 존엄성을 구현하는 데 있다. 그러므로 우리는 과학 기술이 제공하는 편리함과 혜택에만 집착하지 말고, 도덕적으로 올바른 과학 기술의 이용에 대해 생각해 봐야 한다.

01. 가족들과의 관계에서 '스마트폰'을 도덕적으로 활용할 수 있는 방법을 써 보자.

02. 친구들과의 관계에서 '스마트폰'을 도덕적으로 활용할 수 있는 방법을 써 보자.

03. 지역 사회 안에서 '스마트폰'을 도덕적으로 활용할 수 있는 방법을 써 보자.

04. 지구 공동체 안에서 '스마트폰'을 도덕적으로 활용할 수 있는 방법을 써 보자.

4. 과학 기술로 모든 문제를 해결할 수 있을까?

🔵 다음 기사를 읽고 모둠별로 물음에 답해 보자.

> 영국 프랜시스 크릭 연구소는 초기 배아 유전자를 편집하는 실험을 당국에 신청하였다. 이 실험의 목적은 유산을 막는 방법을 찾는 것으로, 영국 인간 생식 배아 관리국은 연구를 허락해 주었다. 이에 따라 연구 팀은 기증받은 수정란을 이용해 특정 유전자 디엔에이(DNA)를 *유전자 가위로 잘라 낼 계획이다. 하지만, 유전자가 편집된 배아를 자궁에 착상하는 것은 금지되었다.
>
> – ○○신문, 2016. 02. 02.
>
> *유전자 가위: 인간과 동식물 세포의 유전체(유전자와 염색체의 합성어)를 편집하는 데 사용되는 유전자 편집 기술이다. 손상된 디엔에이(DNA)를 잘라 내고 정상 디엔에이를 갈아 끼우는 짜깁기 기술을 말한다.

01. '유전자 가위' 기술의 대중화에 찬성해야 하는 이유를 써 보자.

02. '유전자 가위' 기술의 대중화에 반대해야 하는 이유를 써 보자.

03. 유전자 가위 기술의 활용이 적합한지 판단할 때 근거가 될 수 있는 기준 두 가지를 설정해 보자.

03 삶의 소중함

교과서 164~179쪽

1 나의 삶을 소중하게 만드는 것은 무엇일까?

1. 삶이 소중한 이유
(1) 자신 및 나와 관계된 모든 가치 즉, 인생의 모든 가능성을 실현하기 위한 조건
(2) 두 번 주어지지 않는 유일하고 한정된 소중한 순간

2. 생명 존중의 중요성
(1) 생명 존중의 중요성
    ① 나의 삶을 소중히 하려면 모든 사람을 존중 → 서로를 귀한 존재로 생각해야 함
    ② 자신이나 타인의 생명을 소홀히 여기는 것은 인간의 존엄성을 부정하는 태도
(2) 생명 존중을 위한 노력
    ① 어떤 일이 있어도 삶을 포기해서는 안 됨
    ② 다른 사람의 생명을 위협하거나 해치지 말아야 함
    ③ 생명의 가치를 지키고 생명 존중을 위해 노력해야 함

2 죽음을 어떻게 생각해야 할까?

1. 죽음의 의미
(1) 모든 존재에게 일어나는 일: 생명을 지닌 존재는 모두 맞이하는 사건
(2) 모든 가능성과의 단절: 삶에서 가능했던 모든 것들과의 결별
(3) 잊고 있었던 인생의 가치를 깨닫는 계기
    └ 죽음의 순간을 생각해 보며 이루고 싶은 꿈과 진정으로 원하는 삶의 모습 성찰

2. 죽음을 대하는 태도
(1) 자연스러운 과정으로 이해: 죽음은 누구도 피할 수 없는 자연스러운 과정
(2) 사고 예방을 위해 노력: 전쟁, 사고, 재해 등에 의한 죽음 예방
(3) 생명을 지키기 위해 노력: 자살 등 인위적인 죽음을 막고 생명을 지키기 위한 노력

3. 인간의 삶에 관한 이해
(1) 죽음에 관한 성찰: 삶을 적극적이고 능동적으로 살아가게 함

3 의미 있는 삶을 위해 해야 할 일은 무엇일까?

1. 의미 있는 삶
(1) 자신에게 당당하고 다른 사람들에게 모범이 되는 삶: 자신의 한계 극복, 자신에게 주어진 가능성 발휘, 도덕적인 삶의 태도를 갖추었을 때 실현 가능
(2) 도덕적 이상을 추구하는 자세: 바람직한 가치가 무엇인지를 알고 올바른 삶의 목표와 방향을 설정하여 실천해야 함 ─ 도덕성과 양심을 발휘하며 살 때 후회없는 좋은 삶을 살 수 있음

2. 의미 있는 삶을 위한 노력
(1) 현재의 삶에 충실하게 최선을 다하는 것
(2) 시련과 고난의 극복으로 삶의 진정한 행복과 기쁨을 느낌
(3) 나의 삶에 관한 주체적인 자세를 가짐
(4) 소질과 재능 발휘로 자아실현과 인류에 봉사 ─ 자신이 좋아하는 것과 원하지 않는 것이 무엇인지 묻고 답하는 과정에서 나를 탐구하고 주체성을 가질 수 있음

보충 죽음의 특징
· 보편성: 모든 사람이 맞이한다.
· 불가피성: 누구도 피할 수 없다.
· 일회성: 누구나 단 한 번 겪는다.

보충 죽음을 대하는 태도; 웰다잉(Well-dying)
'죽음'도 '삶'처럼 준비와 교육이 필요하다. 무의미한 치료는 거부하겠다는 '사전 의료 의향서'를 써 놓는다든가, 가족 품에서 생을 마감할 수 있는 호스피스 병동 정보 같은 것이 필요하다. 아름답게 죽는 삶, 이른바 '웰다잉'을 배우는 것이다. 미리 써 보는 유언장을 통해 자신에게 소중한 사람이 누군지, 인생의 우선순위는 무엇인지 돌아볼 수도 있다.
– ○○ 신문, 2015. 10. 14.

사례 삶의 의미를 위한 명언
· "과녁을 맞히지 못하는 것은 활의 책임도 아니고 화살의 책임도 아니다. 물론 과녁에 책임이 있는 것도 아니다. 또 글씨가 엉망인 것은 붓의 책임도 아니고 먹의 책임도 아니며, 종이에 책임이 있는 것은 더더욱 아니다." – 뤼신우
· "같은 방법을 반복하면서 다른 결과를 기대하는 사람은 정신병자이다." – 아인슈타인
· "나는 지금까지 9,000번도 넘게 샷을 성공시키지 못했다. 나는 300번도 넘게 져봤다. 사람들이 나를 믿어 주었을 때 나는 26번이나 클러치를 미쓰해 봤다. 나는 계속 실패하고, 실패하고 또 실패했다. 그것이 내가 성공한 이유다." – 마이클 조던

📍 인간다운 죽음

최근에는 잘 사는 방법을 넘어 잘 죽는 방법에 대한 논의가 진행되고 있다. 이른바 '웰다잉(Well-dying)법'이 2016년 1월 8일 국회를 통과하였다. 법의 정식 명칭은 '호스피스·완화 의료 및 임종 과정에 있는 환자의 연명 의료 결정에 관한 법률'이다. 이것은 회생 가능성이 없는 환자가 자기의 결정이나 가족의 동의로 연명 치료를 받지 않도록 하는 법률이다. 현재까지는 환자가 살아날 가능성이 없어도 치료를 해 왔기 때문에, 이 법을 당장 시행하면 혼란이 있을 것으로 보인다. 특히, 인위적인 방법으로 인간의 생명 활동을 중단하므로 도덕적 논란을 피할 수 없다.

— 『한겨레신문』, 2016. 1. 8.

개념 쏙쏙

현재 삶에 충실하고, 의미 있게 살아가야 하는 것만큼 인생의 마무리도 준비가 필요하다. '당하는 죽음이 아니라 맞이하는 죽음'의 차원에서 자기의 결정에 따라 죽음을 맞이하기 위해 죽음을 공부하는 '웰다잉'에 대한 사회적 관심이 높아지고 있다.

'회생 가능성이 없는 환자가 인위적 혹은 기계적인 생명 연장 치료를 원하지 않는 경우는 치료를 하지 않아야 할까?'와 같은 질문과 함께 죽음에 대한 자신의 가치관에 따라 다양한 선택의 경우가 등장하며 인간다운 죽음이란 무엇인가에 대한 사회적·법적 논의도 이어지고 있다.

📍 동서양의 사상 속에 나타난 삶과 죽음

공자의 죽음관

공자의 제자 계로가 어느 날, 공자에게 귀신을 섬기는 것에 관해 물었다. 그러자 공자께서 "사람을 섬기지 못하면서 어찌 귀신을 섬기겠느냐?"라고 말씀하셨다.

또한, 계로가 물었다. "그렇다면 스승님, 죽음은 무엇입니까?" 계로의 이야기를 들은 공자께서는 이렇게 말씀하셨다. "삶을 알지도 못하면서 어떻게 죽음을 알겠느냐?"

— 『논어』

에피쿠로스의 죽음관

"가장 두렵고 나쁜 일인 죽음은 우리에게 아무것도 아니다. 왜냐하면, 우리가 존재하는 한 죽음은 우리와 함께 있지 않으며, 죽음이 오면 우리는 이미 존재하지 않기 때문이다. 그렇다면 죽음은 산 사람이나 죽은 사람 모두와 아무런 상관이 없다. 왜냐하면, 산 사람에게는 아직 죽음이 오지 않았고, 죽은 사람은 이미 존재하지 않기 때문이다."

— 에피쿠로스, 「메노이케우스에 보내는 편지」

자료 해설

죽음은 동서고금을 막론하고 모든 인간이 겪는 인생의 마지막이다. 죽음에 대해 다양한 생각을 제시하는 사상가들 중 공자와 에피쿠로스의 입장을 살펴볼 수 있는 제시문이다. 공자와 에피쿠로스 모두 죽음보다 현재의 삶에 집중하려는 태도를 보인다. 생을 마감하는 것(죽음)에 관한 동서양의 다양한 관점을 이해함으로써, 우리는 지금의 생을 더 의미 있게 살아가기 위한 동기 부여를 받을 수 있다.

개념 꿀꺽

1. 빈칸에 알맞은 말을 쓰시오.

(1) 죽음의 특징 세 가지는 (   ), (   ), (   )이다.
(2) 의미 있는 삶을 살기 위해서는 자신의 (   )을/를 극복하고, 자신에게 주어진 가능성을 발휘려는 노력이 필요하다.

2. 다음 내용이 옳으면 ○표, 틀리면 X표 하시오.

(1) 죽음을 이해하는 방식과 대하는 태도는 모든 사람이 보편적으로 같다. (   )
(2) 도덕적으로 어긋난 삶은 자신과 타인에게 떳떳한 삶이라고 할 수 없다. (   )
(3) 의미 있는 삶을 위해 삶의 시련과 한계를 무시하려는 자세가 필요하다. (   )
(4) 죽음에 관한 생각은 스스로 잊고 있던 인생의 가치를 깨닫는 계기가 된다. (   )
(5) 죽음은 생명체로서 수명을 다하는 자연스러운 과정이다. (   )

정답
1. (1) 보편성, 불가피성, 일회성 (2) 한계
2. (1) X (2) ○ (3) X (4) ○ (5) ○

01 삶이 소중한 이유로 옳은 것만을 〈보기〉에서 있는 대로 고른 것은?

> **보기**
> ㄱ. 타인의 삶보다 가치 있기 때문이다.
> ㄴ. 부모님의 사랑으로부터 시작되었기 때문이다.
> ㄷ. 인생의 가능성 실현을 위한 조건이기 때문이다.
> ㄹ. 나를 둘러싼 모든 가치를 실현하기 위한 시작점이기 때문이다.

① ㄱ, ㄴ ② ㄱ, ㄹ ③ ㄴ, ㄷ
④ ㄱ, ㄷ, ㄹ ⑤ ㄴ, ㄷ, ㄹ

[02~03] 다음 글을 읽고 물음에 답하시오.

> 죽음의 세 가지 특징은 ㉠ 보편성, ㉡ 일회성, ㉢ 이다.

주관식

02 ㉢에 들어갈 알맞은 말을 쓰시오.

(   )

고난도

03 ㉠~㉢을 올바르게 이해한 것을 〈보기〉에서 고른 것은?

> **보기**
> ㄱ. ㉠은 모든 사람이 맞이한다는 속성이다.
> ㄴ. ㉠은 죽음이 슬픔의 대상이 아님을 말한다.
> ㄷ. ㉡은 누구나 단 한 번 겪는 특징을 설명한다.
> ㄹ. ㉡, ㉢은 죽음이 막연히 두려운 것임을 설명한다.

① ㄱ, ㄴ ② ㄱ, ㄷ ③ ㄱ, ㄹ
④ ㄴ, ㄷ ⑤ ㄴ, ㄹ

주관식

04 ㉠에 들어갈 알맞은 말을 쓰시오.

> 생명의 가치를 드높이기 위해서는 먼저 자신을 ㉠ 하고, 나와 함께 살아가는 모든 사람을 ㉠ 해야 한다.

(   )

빈출

05 다음 글의 시사점으로 가장 적절한 것은?

> '생명의 전화'의 '삶 라인(Life line) 운동'은 1963년 스스로 목숨을 끊으려는 한 젊은이의 전화를 받은 알렌 워커 목사에 의해 호주 시드니에서 시작되어 현재는 세계 19개국에서 펼쳐지고 있는 운동이다. 한국에서는 1973년 '아가페의 집'을 시작으로 1976년 9월 1일 한국 최초의 전화 상담 기관으로 활동하기 시작하였다. 하루 24시간, 1년 365일, 전국 17개 도시에서 5,600여 명의 자원봉사자들이 전화 상담을 통해 고독과 갈등, 위기와 자살 등 삶의 어려움을 느끼는 사람들에게 희망과 용기를 주고 있다.

① 우리는 생명을 선택할 권리가 있다.
② 타인의 생명보다 자신이 더욱 귀중하다.
③ 죽음은 누구나 겪는 자연스러운 일이다.
④ '웰다잉법'으로 자살 선택을 정당화할 수 있다.
⑤ 괴롭고 힘든 일이 있더라도 생명을 포기하거나 좌절하지 말아야 한다.

06 죽음을 대하는 태도로 옳은 것을 〈보기〉에서 고른 것은?

> **보기**
> ㄱ. 사고 예방을 위해 노력한다.
> ㄴ. 고통의 대상으로 회피하려 한다.
> ㄷ. 누구도 피할 수 없는 자연스러운 과정으로 인식한다.
> ㄹ. 자연스러운 현상이지만 인위적인 방법으로 선택할 수 있음을 인식한다.

① ㄱ, ㄴ ② ㄱ, ㄷ ③ ㄱ, ㄹ
④ ㄴ, ㄷ ⑤ ㄴ, ㄹ

07 '삶의 소중함'을 주제로 다음 글을 읽고 질문 만들기 활동을 할 때, 주제를 올바르게 이해한 질문만을 〈보기〉에서 고른 것은?

대추 한 알

— 장석주

저게 저절로 붉어질 리는 없다.
저 안에 태풍 몇 개
저 안에 천둥 몇 개
저 안에 벼락 몇 개

저게 저 혼자서 둥글어질 리는 없다.
저 안에 무서리* 내리는 몇 밤
저 안에 땡볕 두어 달
저 안에 초승달 몇 날이 들어서서
둥글게 만드는 것일 게다

대추야
너는 세상과 통하였구나!

★ 무서리: 늦가을에 내리는 묽은 서리

> **보기**
>
> ㄱ. 나의 생명에 도움을 주는 사람은 누가 있을까?
> ㄴ. 부모님의 잔소리는 나의 성장에 얼마나 부정적인 영향을 줄까?
> ㄷ. '대추가 세상과 통하였다'는 말처럼, 나는 세상과 어떻게 소통하고 있을까?
> ㄹ. 대추가 혼자서 성장했듯이, 우리가 혼자서 성장할 수 있는 방법은 무엇일까?

① ㄱ, ㄴ   ② ㄱ, ㄷ   ③ ㄱ, ㄹ
④ ㄴ, ㄷ   ⑤ ㄴ, ㄹ

(중요)
08 의미 있는 삶을 위한 노력으로 옳지 않은 것은?

① 삶에 관한 주체적인 자세가 필요하다.
② 자신감을 가지고 도전하는 태도가 필요하다.
③ 자신이 진정으로 원하는 삶이 무엇인지 고민해야 한다.
④ 세상 사람들의 평가를 고려해 주위 사람들이 원하는 삶을 살아야 한다.
⑤ 자신이 처한 상황에 맞는 계획을 세우고 실천하면서 보람 있는 삶을 만들 수 있다.

09 다음 글의 시사점으로 가장 적절한 것은?

> 농구를 할 때 우리는 단지 농구만 하는 것이 아니다. 농구 동아리의 대표가 되기도 하고, 다른 친구들을 가르치기도 하며, 농구에 관한 이야기를 나누기도 한다. 그리고 관심사가 같은 여러 사람을 만나고 새로운 친구를 사귀기도 한다. 때로는 농구를 하다가 다친 친구에게 도움을 주기도 하고 승리를 위해 협동심을 배우기도 한다.

① 취미 활동은 나에게 이익을 준다.
② 취미 활동을 통해 삶의 의미를 확장할 수 있다.
③ 취미 활동이 지나치면 학업에 지장을 줄 수 있다.
④ 취미 활동은 자신의 흥미를 높일 수 있는 기회가 된다.
⑤ 취미 활동에서의 시련과 한계를 극복하면 의미 있는 삶을 살 수 있는 계기가 된다.

서술형

10 죽음에 대한 성찰을 통해 얻을 수 있는 시사점을 서술하시오.

11 의미 있는 삶을 위한 노력을 **두 가지** 서술하시오.

[01~02] 다음 글을 읽고 물음에 답하시오.

> 음성의 한 초등학교에 제비가 찾아와 둥지를 틀었다. 제비는 다섯 개의 알을 낳았고, 이 중 네 마리가 부화했다. 학교에서는 학생들에게 생명의 소중함을 교육하고 '제비집에 돌 던지지 않기', '제비집 밑에서 제비가 놀라지 않도록 조용히 하기' 등을 지키도록 했다.
>
> 그러던 어느 날, 새끼 제비 한 마리가 제비집에서 떨어져 죽었다. 이를 본 아이들은 무척 슬퍼하며 정성껏 학교 뜰에 죽은 제비를 묻어 주었다. 또한, 새끼 제비가 또 떨어져 죽을까 봐 제비집 밑에 푹신푹신한 깔개와 이불을 깔아 주었다.   – ○○신문, 2016. 07. 13.

01 윗글의 시사점으로 가장 적절한 것은?

① 인간은 생명을 선택할 권리가 있다.
② 모든 생명이 존엄하고 귀한 것은 아니다.
③ 괴롭고 힘든 일이 있을 때 생명의 가치가 약해진다.
④ 타인의 생명을 위해 자신의 생명을 소홀히 할 수 있다.
⑤ 생명의 가치를 드높이기 위해서 함께 살아가는 생명을 존중해야 한다.

02 윗글에 나타난 초등학생의 행동을 적절하게 평가한 것을 〈보기〉에서 고른 것은?

보기
ㄱ. 생명을 포기하지 않는 모습을 보여 준다.
ㄴ. '웰다잉법'을 올바르게 이해하지 못한 모습이다.
ㄷ. 생명 존중 실천을 위해 자신이 할 수 있는 노력을 다한다.
ㄹ. 생명 존중 실천의 의미는 이해했지만 행동으로 옮기지 못하고 있다.

① ㄱ, ㄴ   ② ㄱ, ㄷ   ③ ㄱ, ㄹ
④ ㄴ, ㄷ   ⑤ ㄴ, ㄹ

[03~04] 다음 그림을 보고 물음에 답하시오.

03 ❶과 같은 삶의 모습이 의미 있는 삶과 거리가 먼 이유를 〈보기〉에서 고른 것은?

보기
ㄱ. 다른 사람에게 모범이 될 수 없기 때문이다.
ㄴ. 자신의 한계를 극복하려는 노력이 부족하기 때문이다.
ㄷ. 자신이 처한 현실적 여건을 고려하지 못했기 때문이다.
ㄹ. 도덕적으로 어긋난 삶은 스스로에게 떳떳할 수 없기 때문이다.

① ㄱ, ㄴ   ② ㄱ, ㄷ   ③ ㄱ, ㄹ
④ ㄴ, ㄷ   ⑤ ㄴ, ㄹ

고난도
04 ❹와 같은 삶의 모습으로 변화한 이유로 옳은 것을 〈보기〉에서 고른 것은?

보기
ㄱ. 사고 예방을 위해 노력했기 때문이다.
ㄴ. 잊고 있던 인생의 가치를 인식했기 때문이다.
ㄷ. 죽음을 이해하는 방식이 보편적이기 때문이다.
ㄹ. 삶의 유한성을 깨닫고 보람된 삶에 대해 성찰했기 때문이다.

① ㄱ, ㄴ   ② ㄱ, ㄷ   ③ ㄱ, ㄹ
④ ㄴ, ㄷ   ⑤ ㄴ, ㄹ

[05~06] 다음 글을 읽고 물음에 답하시오.

(가) 공자의 제자 계로가 어느 날, 공자에게 귀신을 섬기는 것에 관해 물었다. 그러자 공자께서 "사람을 섬기지 못하면서 어찌 귀신을 섬기겠느냐?"라고 말씀하셨다. 또한, 계로가 물었다. "그렇다면 스승님, 죽음은 무엇입니까?" 계로의 이야기를 들은 공자께서는 이렇게 말씀하셨다. ㉠

– 「논어」

(나) "가장 두렵고 나쁜 일인 죽음은 우리에게 아무것도 아니다. 왜냐하면, 우리가 존재하는 한 죽음은 우리와 함께 있지 않으며, 죽음이 오면 우리는 이미 존재하지 않기 때문이다. ㉡ 그렇다면 죽음은 산 사람이나 죽은 사람 모두와 아무런 상관이 없다. 왜냐하면, 산 사람에게는 아직 죽음이 오지 않았고, 죽은 사람은 이미 존재하지 않기 때문이다."

– 에피쿠로스, 「메노이케우스에게 보내는 편지」

빈출

05 ㉠에 들어갈 대답으로 가장 적절한 것은?

① 죽음은 불가피한 것이 아니겠느냐?
② 죽음은 고통을 받아들이는 것이 아니겠느냐?
③ 삶을 초월하여 있는 귀신의 세계 아니겠느냐?
④ 삶을 알지도 못하면서 어떻게 죽음을 알겠느냐?
⑤ 죽음을 통해 삶을 이해할 수 있는 것이 아니겠느냐?

고난도

06 ㉠, ㉡에 대한 설명으로 적절한 것에 모두 표시한 학생은?

방법＼학생	갑	을	병	정	무
㉠은 현재 삶에 집중해야 함을 의미한다.	✓		✓		✓
㉠은 삶의 허무함과 덧없음을 알려 주고 있다.		✓		✓	✓
㉡은 죽음에 대한 두려움을 강조해 현재 삶에 충실하도록 한다.		✓	✓		
㉡은 죽음에 대한 두려움보다 현재 삶을 중시하는 태도로 이어진다.	✓			✓	

① 갑　② 을　③ 병　④ 정　⑤ 무

서술형

07 밑줄 친 '웰다잉법'의 도덕적 논란을 서술하시오.

최근에는 잘 사는 방법을 넘어 잘 죽는 방법에 대한 논의가 진행되고 있다. 2016년 1월 8일 이른바 '웰다잉(Well-dying)법'이 국회를 통과했다. 법의 정식 명칭은 '호스피스·완화 의료 및 임종 과정에 있는 환자의 연명 의료 결정에 관한 법률'이다.

이 법은 회생 가능성이 없는 환자가 자기의 결정이나 가족의 동의로 연명 치료를 받지 않도록 한다는 내용이다. 현재까지는 환자가 살아날 가능성이 없어도 치료를 해 왔기 때문에, 이 법을 당장 시행하면 혼란이 있을 것으로 보인다.

08 밑줄 친 A의 행동을 생명 존중으로 볼 수 없는 이유를 서술하시오.

A는 도덕 시간에 생명 존중의 중요성에 대해 배우고, 자신의 삶을 위해 무엇이든 더 열심히 해야겠다고 느꼈다. 날씨가 추웠던 어느 날, A는 자신의 생명을 존중하고자, 버스를 탈 때 다른 사람을 밀치고 새치기를 했다.

1. 죽음을 어떻게 생각해야 할까?

🔅 다음 물음에 답해 보자.

01. 내가 죽은 뒤에 나와 나의 주변인들은 내 삶을 어떻게 평가할지 써 보자.

평가자	나의 삶에 대한 평가
나	
부모님	
선생님	
친구들	

02. 01의 평가를 바탕으로 현재의 삶을 성찰하는 글을 써 보자.

나의 현재 삶에서 칭찬할 부분	나의 현재 삶에서 발전시키고 싶은 부분

2. 의미 있는 삶을 위해 해야 할 일은 무엇일까?

⊙ 모둠별로 다음 표를 채워 보자.

01. 모둠 친구들의 취미 활동으로 확장할 수 있는 활동과 가치를 찾아보자.

모둠원	취미	확장할 수 있는 활동과 가치

3. 생명 존중의 중요성

◉ 다음 표를 채워 보자.

01. 나의 주변에서 생명이 있는 존재를 관찰하고, 그것을 귀한 존재로 대우하는 '존중의 말'을 작성해 보자.

나에게	친구에게

( )에게	( )에게

4. 소중한 나의 삶

● 다음 글을 읽고 '의미 있는 삶'을 위한 나의 버킷리스트를 작성해 보자.

> 우리에게 주어진 삶의 시간은 유한하다. 우리는 유한한 삶 속에서 후회하고 부끄러운 순간을 겪기도 하고, 자신을 자랑스럽게 여기고 삶의 보람을 느끼는 순간을 경험하기도 한다. 이러한 삶의 다양한 순간을 경험하면서, 우리는 더욱 의미 있고 가치 있는 삶을 살기를 원한다.
>
> 의미 있는 삶을 살기 위해서는 자신의 한계를 극복하고 자신에게 잠재된 능력과 재능을 성실히 발휘해 자신에게 당당하고 다른 사람들에게도 모범이 되는 삶을 살아가도록 노력해야 한다. 또한, 의미 있는 삶의 기초가 되는 도덕적 이상의 가치를 추구하는 삶의 태도를 지녀야 한다.

01. 이번 달 안에 이루고 싶은 것을 써 보자.

_____

_____

_____

02. 올해 안에 이루고 싶은 것을 써 보자.

_____

_____

_____

03. 20살 전에 이루고 싶은 것을 써 보자.

_____

_____

_____

04. 인생을 살면서 이루고 싶은 것을 써 보자.

_____

_____

_____

04 마음의 평화

1 고통을 어떻게 대해야 할까?

1. 고통의 의미와 원인
(1) **고통의 의미와 종류** ── 몸으로 느껴지는 아픔
   ① 의미: 육체적으로나 정신적으로 아프고 괴로운 것
   ② 종류: 신체적 고통, 정신적 고통 ── 부정적인 감정 때문에 마음이 괴로운 것
(2) **고통의 원인**: 자신의 선택과 관련되기도 하지만, 무관하게 발생하기도 함

2. 고통의 역할
(1) **신체적 고통의 역할**: 건강에 대한 경고, 자신을 보호해야 한다는 신호, 신체 단련
(2) **정신적 고통의 역할**: 삶의 가치 발견
   ① 소중한 사람을 잃는 경험 → 유한한 삶의 가치, 함께 하는 사람의 소중함을 깨달음
   ② 성취하지 못한 것에 대한 불만족 → 욕심과 집착에 대한 반성, 새로운 도전
   ③ 여러 갈등으로 인한 고민 → 해결 과정에서 타인에 대한 태도를 성숙하게 함
    └ 타인과 갈등을 빚었을 경우, 해결 과정에서 상대의 입장에서 상황을 이해하면서 이해의 범위가 넓어짐

3. 마음의 평화를 얻기 위한 방법
(1) **고통을 대하는 바람직한 자세**: 고통을 수용하고 고통의 상태를 평온하게 관리하기
(2) **마음의 평화를 위한 동서양의 실천 방법** ── 구체적인 방법은 차이가 있지만, 동서양을 막론하고 마음의 평화의 중요성을 알고, 그에 도달하기 위한 수양법을 제시함
   ① 불교: 교리 공부나 참선을 통한 깨달음을 추구
   ② 유교: 경, 신독을 통한 일상에서의 마음 다스림
   ③ 장자: 심재를 통한 마음의 비움으로 편견의 제거 강조
   ④ 그리스도교: 예배, 성경 읽기, 기도를 통한 평안 추구

2 나는 무엇을 희망할 수 있을까?

1. 삶의 희망
(1) **희망의 의미**: 앞으로 다가올 인생에서 뜻하는 일이 잘 이루어질 것이라는 긍정적인 생각과 태도 ── 목표 도달의 방법과 실천에 대한 확신으로, 막연한 기대나 상상과는 차이가 있음
(2) **희망의 필요성**
   ① 어려움을 극복할 용기를 얻고 목표에 집중하여 문제를 해결할 수 있음
   ② 자신을 신뢰하고 더 큰 어려움에 도전할 수 있는 용기를 얻음

2. 마음의 평화와 도덕적 희망
(1) 자신의 감정과 욕구를 잘 다스리고 다른 사람에게 상처 주지 않기
(2) 나에게 주어진 조건과 상황을 긍정적으로 이해해 평정심을 유지하기
(3) 다른 사람을 용서하고 이해하고자 노력하기
(4) 도덕적 이상을 추구하는 가운데 삶에서 필요한 것을 희망하기

★ **경, 신독, 심재**
• 경(敬): 한 가지 일에 정신을 집중하는 수양 방법
• 신독(愼獨): 남이 알지 못하는 일이라도 도리에 어긋나는 욕심이 자라나지 않도록 조심하는 것
• 심재(心齋): 정신을 맑고 깨끗하게 가다듬는 것

보충 마음의 평화를 얻기 위한 방법, '화'를 마주하기
사회 심리학자들의 연구에 따르면, 가령 망치로 폐차를 치거나 주먹으로 베개를 치는 등의 행위로 화와 호전성을 발산하는 것은 전혀 도움이 되지 않고, 오히려 사태를 악화시킬 따름이라고 한다. 그런 행위를 할 때는 누구도 냉정할 수가 없을 것이고, 화가 줄어들지도 않을 것이다. 그것은 오히려 화를 연습하는 행동이 될 수 있다. 화가 일어나면 우리는 그것을 맞이해 주어야 한다. 화가 마음속에 있음을 인정하고 잘 보살펴 주어야 한다. 화를 억눌러서는 안 되고 그것의 존재를 인정하고 끌어안아야 한다는 것. 그것은 참으로 중요하고도 놀라운 일이다.
— 틱낫한, 「화」

📍 마음의 평화를 이루는 사랑의 힘

교과서 183쪽

활동 예시

1단계: 자신의 고통 받아들이기
> 예 나는 지금 괴롭다.

2단계: 자신의 고통을 인간의 공통점으로 이해하기
> 예 하지만 이건 누구나 겪는 일이다.
> 많은 사람이 나와 같은 고민을 안고 살아간다.

3단계: 친절하고 따뜻한 사랑의 말로 자신을 위로하기
> 예 내가 편안하기를…… 내가 행복하기를……
> 내가 강인하기를……
> 나를 있는 그대로 인정하기를……
> 내가 나를 용서할 수 있기를……

자료 해설

마음의 평화를 얻고 유지하기 위해서는 스스로의 마음을 점검하고, 격려해 주는 연습이 필요하다. 이때 중요한 것이 회복 탄력성이다. 회복 탄력성이란, 역경이나 좌절을 겪었을 때 어려움에 처한 상황을 극복하고 해결해 나갈 수 있도록 하는 마음의 힘을 의미한다.

우리는 다양한 상황 속에서 어려움을 마주하며 스트레스를 받고는 한다. 스트레스 상황에서 자신을 돌보는 마음가짐의 중요성을 이해하고 실제로 활용할 수 있는 자기 격려를 연습해 보도록 한다.

📍 '희망' 이어 가기 연설

교과서 189쪽

"저는 그때와 똑같은 말랄라입니다. 제 야망도 변하지 않았습니다. 제 희망도 마찬가지고요. 제 꿈도 똑같습니다. 우린 어둠을 접할 때 빛의 중요성을 깨닫습니다. 우리는 잠자코 있어야 할 때 목소리의 중요성을 깨닫습니다. 우리는 말의 힘과 파급력을 믿습니다. 오늘은 자신의 권리를 위해 목소리를 높인 모든 여성, 모든 소년, 모든 소녀를 위한 날입니다. 책과 펜을 듭시다. 그것이야말로 가장 강력한 무기입니다.

한 명의 아이, 한 명의 선생님, 한 권의 책, 한 개의 펜이 세상을 바꿀 수 있습니다."

— 말랄라 유사프자이의 국제 연합(UN) 연설 중 발췌

🔴 말랄라 유사프자이는 파키스탄의 여성 교육 운동가이다. 15살 때 무장 정치 단체로부터 공격을 받았지만 다행히 살아남았다. 2013년에는 국제 연합 본부에서 연설을 했으며, 2014년에 노벨 평화상을 수상하였다.

자료 해설

우리가 어떤 마음과 시각을 갖느냐에 따라 나의 오늘과 나의 1년이 달라질 수 있다. 즉, 내가 어떤 마음과 희망을 지니는가에 따라 다가올 인생은 영향을 받으며, 주변 사람과 사회에도 영향을 끼친다.

내가 가진 '희망'의 의미를 이해한 뒤, 나의 인생과 연결지어 '인생의 희망'을 성찰해 보도록 한다. 나아가 친구들과 생각한 의미를 공유하며 상호 긍정적인 교류를 통해 희망을 나눌 수 있다.

개념 꿀꺽

1. 빈칸에 알맞은 말을 쓰시오.

(1) 부정적인 감정 때문에 마음이 괴로운 것을 (   )(이)라고 한다.

(2) 도가의 사상가 장자는 마음을 다스리는 수양 방법으로 정신을 맑고 깨끗하게 하는 (   )을/를 제시했다.

2. 다음 내용이 옳으면 ○표, 틀리면 X표 하시오.

(1) 자신의 선택에 의한 고통은 없다. (   )

(2) 고통을 삶의 일부로 받아들이고 삶을 긍정적으로 바꾸는 요소로 대하는 자세가 필요하다. (   )

(3) 성취하지 못한 일에 대한 고통은 나의 삶에 긍정적인 역할을 할 수 없다. (   )

(4) 불교에서는 참선을 통해 마음을 다스리는 수양 방법을 제시한다. (   )

(5) 희망이란 목표 도달에 대한 막연한 기대와 상상을 의미한다. (   )

정답
1. (1) 정신적 고통 (2) 심재
2. (1) X (2) ○ (3) X (4) ○ (5) X

[01~02] 다음 글을 읽고 물음에 답하시오.

> (가) 친구랑 말다툼을 해서 정말 속상해.
> (나) 체육 시간에 넘어져서 다친 무릎이 아파.
> (다) 돌아가신 할머니를 볼 수 없어서 마음이 아파.

01 (가)~(다)에 대한 설명으로 옳은 것에 모두 표시한 학생은?

설명 \ 학생	갑	을	병	정	무
(가), (나)는 신체적 고통이다.	✓		✓		
(가), (다)는 정신적 고통이다.		✓		✓	
(나), (다)는 정신적 고통이다.		✓	✓		✓
(가)~(다)는 자신의 선택과 무관하게 생길 수도 있다.	✓			✓	✓

① 갑　② 을　③ 병　④ 정　⑤ 무

02 문제에 대한 답안으로 옳지 <u>않은</u> 것을 고른 것은?

> • 문제: (가)~(다)를 통해 고통의 의미와 원인을 분석하시오.
> • 답안
> ㄱ. 고통은 자신의 선택에 의해 생길 수도 있다.
> ㄴ. (가), (나)와 같은 신체적 고통은 건강상의 이유나 외부에서 신체에 가하는 물리적인 충격 등으로 발생한다.
> ㄷ. (가), (다)와 같은 정신적 고통은 슬픔, 갈등, 고민 속에서 발생한다.
> ㄹ. (가)~(다)와 같은 고통은 우리 삶의 장애물로 무조건 피해 가려는 마음가짐을 가져야 한다.

① ㄱ, ㄴ　② ㄱ, ㄷ　③ ㄱ, ㄹ
④ ㄴ, ㄷ　⑤ ㄴ, ㄹ

03 ㉠에 들어갈 개념으로 옳은 것은?

> ⎡　㉠　⎤ 은/는 앞으로 다가올 인생에서 뜻하는 일이 잘 이루어질 것이라는 긍정적인 생각과 낙관적인 태도를 의미한다.

① 상상　　　② 희망
③ 기대　　　④ 마음가짐
⑤ 자기 격려

04 고통을 대하는 자세를 올바르게 이해한 학생을 〈보기〉에서 고른 것은?

> **보기**
> • 우주: 자신의 고통을 인정하고 받아들인다.
> • 민우: 나의 고통이 일반적인 것임을 이해한다.
> • 서현: 고통은 행복과 별개의 것으로 생각한다.
> • 장미: 고통을 긍정적인 요소로 바라보면 도덕적인 삶과 거리가 멀어진다.

① 우주, 민우　② 우주, 서현　③ 우주, 장미
④ 민우, 서현　⑤ 민우, 장미

주관식
05 빈칸에 들어갈 알맞은 개념을 쓰시오.

> 심리학자들은 어려운 환경 속에서도 역경을 딛고 성공한 사람들을 연구하며 사랑을 주고받는 실천의 중요성을 강조한다. 하지만, 아낌없는 지지와 사랑을 보내 줄 만한 마땅한 어른이 주변에 없을 때, 스스로 자기 자신에게 사랑을 주는 방법도 있다는 것을 알아 둘 필요가 있다. ⎡㉠⎤ 을/를 연습함으로써 자신은 물론 다른 사람을 따뜻하고 친절하게 대하는 마음가짐을 배울 수 있다.
> ⎡　㉠　⎤ 은/는 자신의 고통 받아들이기, 자신의 고통을 인간의 공통점으로 이해하기, 친절하고 따뜻한 사랑의 말로 자신을 위로하기의 3단계로 활동할 수 있다.

(　　　　　　)

[06~07] 다음 표를 보고 물음에 답하시오.

입장	(가) 방법	
불교	(㉠)을/를 통한 깨달음을 추구	
유교	(㉡), 신독을 통한 마음 다스림	
장자	(㉢)을/를 통한 마음의 비움	

06 (가)에 들어갈 말로 가장 적절한 것은?

① 신체적인 고통을 해소할 수 있는
② 고통의 의미와 원인을 이해하기 위한
③ 고통을 대하며 마음의 평화를 얻기 위한
④ 나의 삶의 희망이 무엇인지 확인할 수 있는
⑤ 마음의 평화와 도덕적 희망을 연결할 수 있는

빈출
07 ㉠~㉢에 들어갈 말을 바르게 짝지은 것은?

	㉠	㉡	㉢
①	경	심재	참선
②	경	참선	심재
③	참선	경	심재
④	참선	심재	경
⑤	심재	참선	경

빈출
08 고통의 역할로 옳은 것만을 〈보기〉에서 있는 대로 고른 것은?

보기
ㄱ. 항상 부정적 요소로, 긍정적 요인이 될 수 없다.
ㄴ. 신체의 고통은 자신을 보호해야 한다는 신호이다.
ㄷ. 고통을 자발적으로 견디면서 신체를 단련하기도 한다.
ㄹ. 정신적 고통을 경험하는 과정에서 새로운 가치를 발견할 수 있다.

① ㄱ, ㄴ   ② ㄱ, ㄹ   ③ ㄴ, ㄷ
④ ㄱ, ㄷ, ㄹ   ⑤ ㄴ, ㄷ, ㄹ

09 밑줄 친 단계의 예시로 가장 적절한 것은?

자기 격려의 단계	
1단계	자신의 고통 받아들이기
2단계	자신의 고통을 인간의 공통점으로 이해하기
3단계	친절하고 따뜻한 사랑의 말로 자신을 위로하기

① 나는 지금 괴롭다.
② 이 고통은 나만 겪는 것이다.
③ 내가 평안하고 행복하기를 바란다.
④ 나를 있는 그대로 인정하기를 바란다.
⑤ 많은 사람이 나와 같은 고민을 안고 살아간다.

서술형

10 신독의 의미를 서술하시오.

_____
_____
_____

11 밑줄 친 내용의 이유를 서술하시오.

> 희망은 앞으로 다가올 인생에서 뜻하는 일이 잘 이루어질 것이라는 긍정적인 생각과 낙관적인 태도를 의미한다. 희망은 막연한 기대나 상상과는 다르다.

_____
_____
_____

[01~02] 다음 글을 읽고 물음에 답하시오.

서준이는 점심시간에 친구들과 축구 시합을 했다. ㉠점심을 먹고 바로 달리기를 했더니 배가 아팠다. 시합을 마치고 교실에 올라왔는데, 자신에게 패스하지 않았다며 친했던 ㉡친구가 퉁명스럽게 행동하자 서준이는 당황했다. 하지만 ㉢서준이는 자신이 평소에 친구를 배려하지 못한 점이 있었는지 반성하며 먼저 말을 걸기로 했다.

〔빈출〕

01 밑줄 친 내용에 대한 옳은 설명을 〈보기〉에서 고른 것은?

〔보기〕
ㄱ. ㉠은 신체적 고통에 해당한다.
ㄴ. ㉡은 외부의 물리적 충격으로 발생했다.
ㄷ. ㉢은 고통을 긍정적으로 바꾸는 모습이다.
ㄹ. ㉢은 자신의 선택으로 발생한 것이 아니므로 행복의 장애물에 해당하는 모습이다.

① ㄱ, ㄴ   ② ㄱ, ㄷ   ③ ㄱ, ㄹ
④ ㄴ, ㄷ   ⑤ ㄴ, ㄹ

02 ㉢의 입장에서 그림의 친구에게 해 줄 수 있는 조언으로 가장 적절한 것은?

오늘 있었던 일은 모두 나 때문이야.

① 혼자 참고 견디다 보면 다 해결될 것이다.
② 즐겁고 행복한 삶을 바란다면 고통을 피하는 것이 좋다.
③ 고통은 피할 수 없으니 삶에서 긍정적 요소도 될 수 없다.
④ 현재 고민을 헤쳐 나가는 방법을 찾는 것이 지혜로운 행동이다.
⑤ 정신적 고통은 신체적 고통보다는 정도가 약하므로 이겨 낼 수 있다.

[03~04] 다음 글을 읽고 물음에 답하시오.

에이미 멀린스는 종아리뼈 없이 태어나 평생 걷지 못할 것이라는 의사의 선고를 듣는다. 가족들은 휠체어 대신 의족을 선택했고 힘들게라도 걷기 위해 한 살에 두 다리를 절단했다. 운동 부족을 극복하기 위해 강도 높은 체력 훈련을 거듭했고, 1996년 애틀랜타 패럴림픽 육상 부문에 참가하여 세계 신기록을 달성했다.

"역경은 삶을 유지하기 위해 피하거나 부정하거나 넘어서야 하는 장애물이 아닙니다. 역경이야말로 우리의 자아와 능력을 일깨우고 우리 자신에게 선물을 가져다주기 때문이죠. 제가 생각하는 진짜 장애는 억눌린 마음입니다. 억눌려서 아무 희망도 없는 마음이요."

03 윗글의 시사점으로 가장 적절한 것은?

① 신체적 고통은 가장 큰 고통이다.
② 나의 선택과 무관하게 발생한 고통은 받아들일 수 없다.
③ 운이 나쁠 경우 엄청난 고통이 찾아올 수 있음을 인정해야 한다.
④ 역경은 소수의 강한 의지를 지닌 사람만이 극복할 수 있는 것이다.
⑤ 고통을 삶의 일부로 받아들이고 긍정적으로 바꾸는 요소로 만들 수 있다.

04 주제와 관련하여 윗글을 이해한 내용으로 옳지 않은 것을 고른 것은?

• 주제: 고통을 어떻게 대해야 할까?
• 답안: 주인공은 ㉠고통스러운 과정을 자발적으로 견디면서 신체를 단련하며 인내심을 기르는 모습을 보여 줬다. ㉡자신의 욕심과 집착의 문제를 반성하며 지나친 도전에 대해 반성하는 모습도 보여 줬다. 또한, ㉢주인공은 자신의 선택과 무관한 고통에 휩쓸려 역경을 최대한 피하고자 노력하였다. 그러나 ㉣고통을 통해 삶에 대한 진지한 성찰을 하며 자신의 삶을 더욱 빛나게 했다.

① ㉠, ㉡   ② ㉠, ㉢   ③ ㉠, ㉣
④ ㉡, ㉢   ⑤ ㉡, ㉣

05 교실에서 마음의 평화를 추구하는 방법으로 적절한 것만을 〈보기〉에서 있는 대로 고른 것은?

보기

ㄱ. 친구와 다투었을 때는 나의 감정을 잘 다스려 문제를 해결한다.
ㄴ. 당번일 때는 지각하지 않을 수 있음에 감사하는 마음을 가진다.
ㄷ. 우리 반의 문제점을 찾아내어 친구들을 어떻게 다그칠지 생각한다.
ㄹ. 성적이 떨어졌을 때는 친구들 탓을 하며 나의 마음을 편안하게 한다.

① ㄱ, ㄴ　　② ㄱ, ㄷ　　③ ㄴ, ㄷ
④ ㄱ, ㄷ, ㄹ　　⑤ ㄴ, ㄷ, ㄹ

06 다음 글의 주제로 가장 적절한 것은?

영화 「아름다운 세상을 위하여」의 주인공은 수업 중 '세상을 바꿀 수 있는 아이디어를 생각해서 실천에 옮기시오.'라는 과제를 받고 '다른 사람에게 베풀기' 운동을 생각한다. 이것은 한 사람이 세 사람에게 도움을 주고, 그 세 사람이 각자 또 다른 세 사람에게 도움을 주어 세상을 바꾸고자 하는 운동이다.

① 고통의 의미와 원인
② 마음의 평화를 얻기 위한 다양한 방법
③ 우리의 마음가짐에서 희망이 중요한 이유
④ 고통을 삶의 일부로 받아들이고 긍정적으로 바꾸어 가는 자세
⑤ 도덕적 이상을 추구하는 가운데 삶에서 필요한 것을 희망하는 태도

주관식
07 ㉠~㉢에 들어갈 알맞은 개념을 쓰시오.

불교에서는 교리 공부나 　㉠　을/를 통한 수양을, 유교에서는 경과 신독을 통한 수양을 강조했다. 도가 사상가인 　㉡　은/는 세상을 편견 없이 대하기 위해 마음을 비우는 　㉢　을/를 제시했다.

㉠:　　　　㉡:　　　　㉢:

08 경의 의미를 서술하시오.

09 〈조건〉에 맞게 밑줄의 근거를 서술하시오.

우리는 우리에게 주어진 삶의 조건을 개선하고자 앞으로 다가올 인생에서 많은 것을 희망할 수 있다. 그러나, 도덕적으로 올바르지 못한 것을 희망해서는 안 된다.

조건

(1) 타인에게 타당하지 못한 이유를 제시할 것
(2) 자신에게 타당하지 못한 이유를 제시할 것

10 다음 글을 읽고 고통이 삶에 주는 시사점을 서술하시오.

멕시코의 화가 프리다 칼로는 소아마비를 앓아 오른쪽 다리가 불편했으며, 18살에는 교통사고로 몸을 움직일 수조차 없었다. 석고 붕대를 한 채 침대에 누워 두 손만 자유로웠던 칼로가 할 수 있는 일은 손으로 그림을 그리는 것이었다. 프리다 칼로는 예술로 고통을 이겨 내는 삶을 보여 줬다.

1. 고통을 어떻게 대해야 할까?

● 다음 글을 읽고 물음에 답해 보자.

심리학자들은 어려운 환경 속에서도 역경을 딛고 성공한 사람들을 연구하며 사랑을 주고받는 실천의 중요성을 강조한다. 하지만, 아낌없는 지지와 사랑을 보내 줄 만한 마땅한 어른이 주변에 없을 때, 스스로 자기 자신에게 사랑을 주는 방법도 있다는 것을 알아 둘 필요가 있다. 자기 격려를 연습함으로써 자신은 물론 다른 사람을 따뜻하고 친절하게 대하는 마음가짐을 배울 수 있다.

01. 최근 나의 고민을 써 보자.

....

....

....

02. 01에서 작성한 내용에 대한 자기 격려 메시지를 써 보자.

	자기 격려 메시지
1단계 자신의 고통 받아들이기	
2단계 자신의 고통을 인간의 공통점으로 이해하기	
3단계 친절하고 따뜻한 말로 자신을 위로하기	

2. 나는 무엇을 희망할 수 있을까?

🔅 **다음 글을 읽고 물음에 답해 보자.**

"저는 그때와 똑같은 말랄라입니다. 제 야망도 변하지 않았습니다. 제 희망도 마찬가지고요. 제 꿈도 똑같습니다. 우린 어둠을 접할 때 빛의 중요성을 깨닫습니다. 우리는 잠자코 있어야 할 때 목소리의 중요성을 깨닫습니다. 우리는 말의 힘과 파급력을 믿습니다. 오늘은 자신의 권리를 위해 목소리를 높인 모든 여성, 모든 소년, 모든 소녀를 위한 날입니다. 책과 펜을 듭시다. 그것이야말로 가장 강력한 무기입니다.

한 명의 아이, 한 명의 선생님, 한 권의 책, 한 개의 펜이 세상을 바꿀 수 있습니다." — 말랄라 유사프자이의 국제 연합(UN) 연설 중 발췌

🔺 말랄라 유사프자이는 파키스탄의 여성 교육 운동가이다. 15살 때 무장 정치 단체로부터 공격을 받았지만 다행히 살아남았다. 2013년에는 국제 연합 본부에서 연설을 했으며, 2014년에 노벨 평화상을 수상했다.

01. 내가 생각하는 세상의 어둠을 써 보자.

---

02. 내가 생각한 어둠이 어떻게 변화하길 바라는지 써 보자.

---

03. 윗글을 참고해 '우리가 밝히는 세상'에 대한 릴레이 연설문을 작성하고 친구들과 공유해 보자.

3. 고통의 역할

⊕ 다음 상황을 보고 물음에 답해 보자.

> 우리나라를 대표하는 훌륭한 사람이 된 나는 현재까지의 인생을 되돌아보며 자서전을 남기려고 한다. 특히 내가 살면서 겪었던 고통과 고통을 극복하는 과정에서 얻게 된 긍정적인 배움을 이야기하고 싶다.

01. 자서전에 들어갈 나의 역경과 극복 과정, 그로 인해 배웠던 점을 써 보자.

○○○의 자서전

4. 아름다운 세상을 위하여

🔅 다음 글을 읽고 모둠별로 물음에 답해 보자.

주인공 트레버 맥킨니는 엄마와 함께 사는 열두 살 소년이다. 새로 부임한 사회 선생님 루벤은 '세상을 바꿀 수 있는 아이디어를 생각해서 실천에 옮기시오.'라는 과제를 준다. 그래서 맥킨니는 '다른 사람에게 베풀기' 운동을 생각해 낸다. 이 운동은 한 사람이 세 사람에게 도움을 주고, 그 세 사람이 각자 또 다른 세 사람에게 도움을 주어 세상을 바꾸고자 하는 운동이다.

– 영화 「아름다운 세상을 위하여」

01. 평화로운 학급을 위해 우리 반이 함께 가졌으면 하는 희망을 써 보자.

----

02. 01의 희망을 발전시키기 위해 개인이 노력할 수 있는 것을 써 보자.

----

03. 01의 희망을 발전시키기 위해 학급이 함께 노력해야 하는 것을 써 보자.

----

04. 이 희망이 실현되면 우리 반에 나타날 긍정적인 변화를 써 보자.

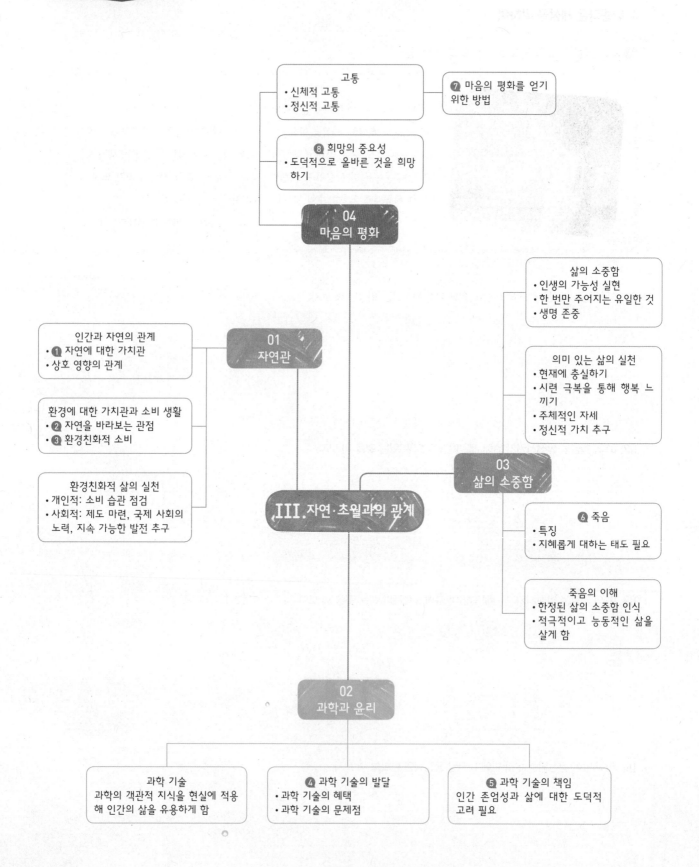

고통
• 신체적 고통
• 정신적 고통

❼ 마음의 평화를 얻기 위한 방법

❽ 희망의 중요성
• 도덕적으로 올바른 것을 희망하기

04
마음의 평화

삶의 소중함
• 인생의 가능성 실현
• 한 번만 주어지는 유일한 것
• 생명 존중

인간과 자연의 관계
• ❶ 자연에 대한 가치관
• 상호 영향의 관계

01
자연관

의미 있는 삶의 실천
• 현재에 충실하기
• 시련 극복을 통해 행복 느끼기
• 주체적인 자세
• 정신적 가치 추구

환경에 대한 가치관과 소비 생활
• ❷ 자연을 바라보는 관점
• ❸ 환경친화적 소비

환경친화적 삶의 실천
• 개인적: 소비 습관 점검
• 사회적: 제도 마련, 국제 사회의 노력, 지속 가능한 발전 추구

03
삶의 소중함

Ⅲ. 자연·초월과의 관계

❻ 죽음
• 특징
• 지혜롭게 대하는 태도 필요

죽음의 이해
• 한정된 삶의 소중함 인식
• 적극적이고 능동적인 삶을 살게 함

02
과학과 윤리

과학 기술
과학의 객관적 지식을 현실에 적용해 인간의 삶을 유용하게 함

❹ 과학 기술의 발달
• 과학 기술의 혜택
• 과학 기술의 문제점

❺ 과학 기술의 책임
인간 존엄성과 삶에 대한 도덕적 고려 필요

보충 설명

① 자연에 대한 가치관

(1) 인간 중심적 가치관
① 자연을 정복의 대상이자, 인간만을 위한 도구로 보는 관점
② 환경 문제의 발생 원인이 됨
③ 반성: 도덕적 고려의 범위를 자연에 속한 동식물, 무생물까지 확장

(2) 환경친화적 자연관
① 인간의 삶과 환경을 동시에 고려해 조화를 추구하는 관점
② 환경 파괴를 최소화하고 미래 세대와 생태계의 지속 가능성을 고려

② 자연을 바라보는 관점

(1) 인간 중심주의: 자연을 도구적 수단으로 보는 관점
(2) 생명 중심주의: 동·식물 등 생명의 가치를 존중하는 관점
(3) 생태 중심주의: 자연에 속한 모든 환경을 배려하는 관점
(4) 자연에 대한 관점과 태도: 인간의 소비 습관에 영향을 줌

③ 환경친화적 소비

(1) 의미
① 소비하는 제품의 생산부터 폐기까지 과정 전체를 고려하는 소비 생활
② 미래 세대를 고려한 지속 가능한 소비 생활

(2) 사례
① 공정 무역: 개발 도상국의 경제적 자립과 지속 가능한 발전을 위해 더욱 유리한 무역 조건을 제공하는 무역 형태
② 슬로푸드(slow food) 운동: 친환경적인 농산물을 이용한 먹거리의 생산과 방식을 지향하는 운동
③ 로컬 푸드(local food) 운동: 생활 지역과 가까운 곳에서 생산된 먹거리 소비를 강조하는 운동

④ 과학 기술의 발달

(1) 과학 기술의 목적: 인간의 존엄성 구현
(2) 과학 기술의 혜택: 풍요와 편리, 인간관계의 확장, 건강 증진과 위험 예방, 지식과 문화의 확산
(3) 과학 기술의 문제점
① 부작용: 주체성 상실과 비인간화, 생명 과학 기술 발달로 인한 인간 존엄성 훼손, 잠재적 인류 평화 위협, 사생활 침해

② 한계와 위험성: 모든 문제를 예측할 수 없다는 한계와 도덕적 문제에 대한 점검 필요

⑤ 과학 기술의 책임

(1) 과학 기술에 대한 도덕적 책임
① 인간 존엄성을 훼손하며 삶을 개선할 수 없음
② 부정적인 영향을 최소화해서 지혜롭게 활용

(2) 과학 기술자의 도덕적 책임
① 일반인보다 전문적인 능력으로 문제 예방 가능
② 현대의 과학 기술 개발 과정은 매우 복잡하므로 과학 기술에 대해 사회 구성원의 사회적 합의와 제도 마련 필요

⑥ 죽음

(1) 죽음의 특징
① 보편성: 모든 사람이 맞이하는 것
② 불가피성: 누구도 피할 수 없는 것
③ 일회성: 누구나 단 한 번 겪는 것

(2) 죽음을 대하는 태도
① 자연스러운 삶의 과정 중 하나로 이해
② 사고 예방과 생명을 지키기 위한 노력 필요

⑦ 마음의 평화를 얻기 위한 방법

(1) 불교: 교리 공부나 참선
(2) 유교: 경, 신독
(3) 도가의 장자: 심재
(4) 그리스도교: 예배, 성경 읽기, 기도를 통한 평안 추구

⑧ 희망의 중요성

(1) 삶의 희망
① 긍정적인 마음가짐은 상황을 극복할 수 있는 힘이 됨
② 희망의 중요성: 목표 도달에 대한 계획과 확신

(2) 마음의 평화와 도덕적 희망
① 마음의 평정심을 유지하기 위한 노력
② 몸과 마음을 건강하게 하고, 삶에 대한 긍정적 태도 유지
③ 도덕적 이상의 추구 가운데 필요한 것을 희망

[01~02] 다음 글을 읽고 물음에 답하시오.

> (가) 도덕적 고려의 범위는 동물, 식물 등 생명체이다.
> (나) 도덕적 고려의 범위는 자연에 속한 모든 것이다.
> (다) 도덕적 고려의 범위는 인간까지이다.

01 윗글에 대한 옳은 설명을 〈보기〉에서 고른 것은?

> 보기
> ㄱ. 도덕적 고려의 범위가 가장 넓은 것은 (가)이다.
> ㄴ. 도덕적 고려의 범위가 가장 넓은 것은 (나)이다.
> ㄷ. (다)는 환경 오염을 일으키는 관점이다.
> ㄹ. (다)는 환경 오염에 대한 반성으로 등장했다.

① ㄱ, ㄴ   ② ㄱ, ㄷ   ③ ㄱ, ㄹ
④ ㄴ, ㄷ   ⑤ ㄴ, ㄹ

02 (가)~(다)의 입장에 대해 올바르게 설명한 것에 모두 표시한 학생은?

설명＼학생	갑	을	병	정	무
(가)는 생태 중심주의, (나)는 생명 중심주의야.	✓		✓		
(가)의 관점은 소비 생활에 영향을 미치지 않아.		✓		✓	
(나)는 바위와 흙도 도덕적 고려의 대상으로 봐.	✓	✓			✓
(나)의 관점은 생태 중심주의, (다)의 관점은 인간 중심주의야.				✓	✓

① 갑   ② 을   ③ 병   ④ 정   ⑤ 무

03 다영이의 소비를 평가한 것으로 옳은 것은?

> 다영이는 초콜릿을 사려던 중, 다음과 같은 공정 무역 마크가 부착된 초콜릿을 발견했다. 이 마크가 있는 초콜릿은 다른 초콜릿보다 가격이 높았지만, 다영이는 공정 무역 마크가 부착된 초콜릿을 구매하기로 결정했다.

▲ 공정 무역 마크

① 합리적 소비를 실천하고 있다.
② 로컬 푸드 운동을 실천하고 있다.
③ 개발 도상국의 경제적 자립을 고려한 소비이다.
④ 패스트푸드를 반대하고 슬로푸드 운동을 실천했다.
⑤ 합리적 소비를 하고 있으나, 윤리적 소비로 볼 수는 없다.

04 ㉠에 들어갈 말로 옳은 것을 〈보기〉에서 고른 것은?

> 갑: 환경친화적 소비 생활이 뭐야?
> 을: 우리가 소비를 할 때, ┃ ㉠ ┃을/를 고려해서 소비하는 것을 말해.

> 보기
> ㄱ. 제품의 생산과 유통
> ㄴ. 제품 폐기와 재생의 과정
> ㄷ. 비용을 최소로 아끼는 것
> ㄹ. 만족감을 최대로 높일 수 있는 생산

① ㄱ, ㄴ   ② ㄱ, ㄷ   ③ ㄱ, ㄹ
④ ㄴ, ㄷ   ⑤ ㄴ, ㄹ

[05~06] 다음 글을 읽고 물음에 답하시오.

주제	조사한 사례
(가)	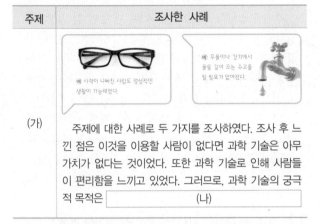 주제에 대한 사례로 두 가지를 조사하였다. 조사 후 느낀 점은 이것을 이용할 사람이 없다면 과학 기술은 아무 가치가 없다는 것이었다. 또한 과학 기술로 인해 사람들이 편리함을 느끼고 있었다. 그러므로, 과학 기술의 궁극적 목적은 ___(나)___

예) 시력이 나빠진 사람도 정상적인 생활이 가능해졌다.

예) 우물이나 강가에서 물을 길어 오는 수고를 할 필요가 없어졌다.

05 조사한 사례에 비추어 볼 때, (가)에 들어갈 주제로 가장 적절한 것은?

① 과학 기술의 한계
② 과학 기술의 위험성
③ 과학 기술이 주는 혜택
④ 과학 기술 발달에 따른 부작용
⑤ 과학 기술에 대한 도덕적 책임

06 (나)에 들어갈 내용으로 가장 적절한 것은?

① 편리함과 혜택의 지속적인 개발이다.
② 우리 삶의 다양한 수단을 제공하는 것이다.
③ 삶의 질 향상을 통한 국가 경쟁력 신장이다.
④ 삶의 질 향상을 통한 인간 존엄성 구현이다.
⑤ 기술과 과학의 상호 발전을 촉진하는 것이다.

[07~08] 다음 그림을 보고 물음에 답하시오.

07 위 상황에 나타난 '과학 기술의 발달에 따른 부작용'으로 가장 적절한 것은?

① 대량 살상 무기로 인한 잠재적인 위험성이 높아지고 있다.
② 정보·통신 기술의 발달로 인한 인권 및 사생활 침해 문제가 발생하였다.
③ 편리함을 우선시하는 사회 분위기는 인간의 주체성 상실과 비인간화를 불러왔다.
④ 생명 과학 기술의 발달로 생명의 존엄성을 훼손하는 새로운 윤리 문제가 발생하였다.
⑤ 개인 정보 유출 및 감시와 통제, 과도한 사생활 노출 등 다양한 문제가 나타나고 있다.

08 다음 글을 읽은 민수가 갖출 수 있는 비판적 사고로 가장 적절한 것은?

> 천동설(天動說)은 우주의 중심은 지구이고, 모든 천체는 지구의 둘레를 돈다는 학설이다. 근대 천문학이 발달하지 않은 16세기까지 세계적으로 널리 받아들여졌으나, 오늘날에는 비과학적인 학설임이 입증되었다.

① 과학 기술은 위험성을 가질 수밖에 없다.
② 과학 기술의 개발은 모든 것을 예측하게 된다.
③ 과학 기술은 도덕과 상관없이 별개로 발달한다.
④ 과학 기술은 모든 것을 예측할 수 없으므로 도덕적 책임과 무관하다.
⑤ 과학 기술은 모든 것을 예측하거나 해결해 줄 수 없다는 한계가 있다.

09 '공포의 발견술'을 바르게 이해하고 기사를 적용한 의견에 모두 표시한 학생은?

의견 \ 학생	갑	을	병	정	무
드론의 문제점을 명료화해 대책을 세워 볼 수 있다.	✓		✓		
드론의 긍정적 영향을 예측해 발생할 수 있는 문제를 예방할 수 있다.		✓		✓	
'공포의 발견술'에 적용하면, '드론, 이대로 괜찮은가?'라는 기사가 적합하다.		✓	✓		✓
'공포의 발견술'에 적용하면, '첨단 과학의 수확, 드론!'이라는 기사가 적합하다.	✓			✓	✓

① 갑   ② 을   ③ 병   ④ 정   ⑤ 무

10 다음 질문이 '과학 기술에 대한 도덕적 책임'에 주는 시사점으로 가장 적절한 것은?

돌발 상황이 발생하면 자율 주행차의 인공 지능은 보행자를 보호해야 할까요? 아니면 벽 쪽으로 차를 꺾어 차 주인을 희생해야 할까요? 차는 어디로 가야 할까요?

① 과학 기술자에게 책임을 묻는다.
② 기술 개발에 대한 사회적 논의가 필요하다.
③ 연구 성과의 도덕적 가치 판단이 불가능하다.
④ 기술 개발에 따른 소수의 희생을 수용해야 한다.
⑤ '공포의 발견술'에 따라 과학 기술 활동의 지원을 중단하도록 한다.

[11~12] 다음 글을 읽고 물음에 답하시오.

> 주인공 스나다 도모아키는 40여 년 동안 한 직장에서 일하고 정년퇴직하여 제2의 인생을 시작하려는 순간, 건강 검진을 통해 위암 말기 판정을 받는다. 하지만, 그는 보통 사람이라면 삶에 대한 희망을 잃고 좌절할 상황에서 성실하고 꼼꼼하게 자신만의 '엔딩 노트'를 준비한다.
> '평생 믿지 않았던 신을 믿어 보기', '일만 하느라 소홀했던 가족들과 여행 가기' 등 재치 있고 솔직한 마음을 담은 목록을 작성하며 그는 가족들과 소중한 추억을 쌓는다.
> — 영화 「엔딩 노트」

11 밑줄 친 부분의 시사점으로 가장 적절한 것은?

① 죽음은 인생의 가장 큰 고통이다.
② 죽음을 이해하는 방식과 태도는 각각 다르다.
③ 인간다운 죽음을 위해 연명 치료를 중단해야 한다.
④ 죽음은 보편성, 불가피성, 일회성이라는 특징을 갖고 있다.
⑤ 인간다운 죽음을 위해 연명 치료 중단을 선택해서는 안 된다.

12 윗글의 주인공에 대한 평가로 적절한 것만 모두 표시한 학생은?

의견 \ 학생	갑	을	병	정	무
죽음을 삶을 보람 있게 살기 위한 계기로 삼고 있다.	✓		✓		✓
죽음의 일회성과 불가피성을 받아들이지 못하고 있다.		✓		✓	✓
죽음을 슬픔과 두려움의 대상으로만 생각하고 있지 않다.	✓	✓			
죽음에 대한 이해를 통해 삶을 내려놓는 수동적인 모습을 보여 준다.				✓	✓

① 갑   ② 을   ③ 병   ④ 정   ⑤ 무

13 ㉠에 들어갈 적절한 내용을 〈보기〉에서 고른 것은?

> 생명이 있는 존재는 모두 언젠가 죽음을 맞이한다. 하지만 죽음을 두려움과 슬픔의 대상으로만 생각할 필요는 없다. 왜냐하면, 죽음에 관한 생각은 _____ ㉠ _____

보기

> ㄱ. 주어진 삶의 소중함을 깨닫게 한다.
> ㄴ. 두려움을 극대화시켜 인식하게 한다.
> ㄷ. 잊고 있던 인생의 가치를 깨닫는 계기가 된다.
> ㄹ. 삶의 한정성을 인식하여 삶의 허무함을 깨닫게 해 준다.

① ㄱ, ㄴ   ② ㄱ, ㄷ   ③ ㄱ, ㄹ
④ ㄴ, ㄷ   ⑤ ㄴ, ㄹ

14 죽음을 대하는 태도로 적절하지 <u>않은</u> 것은?

① 생명체의 수명이 다하는 것으로 본다.
② 누구도 피할 수 없는 자연스러운 것으로 본다.
③ 충동적이고 돌이킬 수 없는 죽음을 예방하기 위해 노력한다.
④ 두려움에 집중하고 현재 삶에 충실하지 않아도 됨을 인식한다.
⑤ 갑작스러운 사건, 사고에 의한 죽음이 일어나지 않도록 유의한다.

15 의미 있는 삶을 위한 노력으로 적절하지 <u>않은</u> 것은?

> 우리에게 주어진 삶의 유한성을 깨닫고, 삶을 의미 있게 살아가기 위해서는 ㉠예술·종교와 같은 가치를 추구해 현재 삶에 대한 가치를 줄이고 죽음 이후 세계에 집중하고, ㉡현재 자신에게 주어진 삶을 충실하게 살아간다. 또한, ㉢나의 삶에 대해 자신감을 갖고 주체적인 삶을 살아가려는 자세가 필요하다. 그리고, ㉣학문과 도덕 등의 가치를 추구하여 삶의 지평을 넓힐 수도 있다. 끝으로, ㉤나의 소질과 재능을 발휘하여 자아실현을 통한 봉사를 실천할 수 있다.

① ㉠   ② ㉡   ③ ㉢   ④ ㉣   ⑤ ㉤

[16~17] 다음 글을 읽고 물음에 답하시오.

> 2016년 1월 8일 이른바 '웰다잉(Well-dying)법'이 국회를 통과하였다. 법의 정식 명칭은 '호스피스·완화 의료 및 임종 과정에 있는 환자의 연명 의료 결정에 관한 법률'로 _____ ㉠ _____ 하는 내용을 담고 있다. 현재까지는 환자가 살아날 가능성이 없어도 치료를 계속 했기 때문에, 이 법을 당장 시행하면 혼란이 있을 것으로 보인다. 특히, 인위적인 방법으로 인간의 생명 활동을 중단하므로 도덕적 논란을 피할 수 없다.
>
> – ○○ 신문, 2016. 01. 08.

16 ㉠에 들어갈 내용으로 가장 적절한 것은?

① 환자가 자기의 결정이나 가족의 동의로 연명 치료를 받지 않도록
② 환자가 자기의 결정이나 가족의 동의로 모든 치료를 거부할 수 있도록
③ 회생 가능성이 있는 환자가 자기의 결정이나 가족의 동의로 연명 치료를 받지 않도록
④ 회생 가능성이 없는 환자가 자기의 결정이나 가족의 동의로 연명 치료를 받지 않도록
⑤ 회생 가능성과 무관하게 환자가 자기의 결정이나 가족의 동의로 연명 치료를 받지 않도록

17 생명 존중의 입장에서 위 기사를 보고 할 수 있는 말로 적절한 의견에 모두 표시한 학생은?

의견 \ 학생	갑	을	병	정	무
진정으로 자신을 존중하는 것이 무엇인지 고민해야 한다.	✓		✓		
자신과 타인의 생명을 존중하는 사람과는 관련 없는 법률이다.		✓		✓	
죽음의 두려움을 이겨 내지 못한다면 존엄성을 인정받을 수 없다.		✓	✓		✓
생명을 가볍게 여기는 것이라면 다양한 가능성이 있다고 해도 이 법률을 허용할 수 없다.	✓			✓	✓

① 갑   ② 을   ③ 병   ④ 정   ⑤ 무

[18~21] 다음 글을 읽고 물음에 답하시오.

> 도덕 시간에 마음의 평화를 얻기 위한 동서양의 다양한 수양법을 배웠다. 구체적으로 ㉠ 경(敬), ㉡ 참선(參禪), ㉢ 심재(心齋), ㉣ 신독(愼獨)의 의미를 배웠는데, 실제로 실천해 보고 싶다.

18 ㉠을 올바르게 이해하고 실천한 내용에 모두 표시한 학생은?

실천 내용＼학생	갑	을	병	정	무
잠들기 전에 하루 일과를 반성했다.	✓		✓		
한 번에 다양한 과목을 공부하면서 응용력을 높였다.		✓		✓	
음악을 틀고 친구와 대화를 하며 동시에 도덕적 글귀를 읽었다.		✓	✓		✓
친구랑 다툰 이유를 생각하면서 내가 무엇을 실수했는지 성찰했다.	✓			✓	✓

① 갑　② 을　③ 병　④ 정　⑤ 무

19 ㉡에 대한 옳은 설명을 〈보기〉에서 고른 것은?

> **보기**
> ㄱ. 불교에서 제시한 수양법이다.
> ㄴ. 마음을 다스려 깨달음에 이르고자 한다.
> ㄷ. 불교의 사상가 장자가 제시한 수양법이다.
> ㄹ. 도가 사상에서 마음을 비울 것을 강조했던 수양법이다.

① ㄱ, ㄴ　② ㄱ, ㄷ　③ ㄱ, ㄹ
④ ㄴ, ㄷ　⑤ ㄴ, ㄹ

20 ㉢에 대한 설명으로 옳은 것은?

① 교리 공부를 중시한다.
② 기도를 통해 얻는 평안을 강조한다.
③ 옳고 그름에 따라 세상을 분별하고자 한다.
④ 세상을 편견 없이 열린 마음으로 대하고자 한다.
⑤ 도리에 어긋나는 욕심이 자라지 않도록 조심한다.

21 다음 일기에서 ㉣을 바르게 이해한 내용을 고른 것은?

> 신독(愼獨)이란, ㄱ. 불교에서 마음을 비우기 위해 제시하는 수양법으로, ㄴ. 욕심이 자라지 않도록 마음을 다스리는 것을 강조한다. ㄷ. 또한, 특별한 상황에서만이 아니라 일상생활 속에서도 신독을 통해 마음을 다스리려는 노력을 강조했다. ㄹ. 신독은 타인에게 피해를 주지 않는 것을 강조하므로 타인이 알지 못하게 욕심의 마음이 생긴 것은 도덕적으로 정당하다고 본다. 다양한 수양법을 통해 마음의 평화를 얻으려는 노력을 실천하는 것이 중요하다고 느꼈다.

① ㄱ, ㄴ　② ㄱ, ㄷ　③ ㄱ, ㄹ
④ ㄴ, ㄷ　⑤ ㄴ, ㄹ

22 삶의 희망을 올바르게 이해하고 실천한 모습을 고른 것은?

> 시험을 앞두고 초조해진 나는 희망을 갖기로 했다. 우리의 마음가짐은 어떤 일을 시작할 때 그 성과에 큰 영향을 끼친다. ㉠ 부정적인 것만 생각하면 그것이 더 크게 보이고 결국 실패하기 쉽다. 반대로 ㉡ 희망을 생각한다면 좌절과 고통을 극복하고 어려움을 헤쳐 나갈 힘을 얻을 수 있다. 희망을 갖고 시험 기간을 지내기로 마음을 먹은 나는 ㉢ 구체적인 계획을 세워 괴롭고 힘들다는 느낌을 주는 일은 하지 않기로 성찰했다. 또한, ㉣ 막연한 기대와 상상을 하면서 시험에 대한 불안을 이겨 내려고 노력하고 있다.

① ㄱ, ㄴ　② ㄱ, ㄷ　③ ㄱ, ㄹ
④ ㄴ, ㄷ　⑤ ㄴ, ㄹ

23 다음 주장을 '환경적으로 건전하고 지속 가능한 발전'을 근거로 반박하시오.

> 환경친화적 삶을 사회적으로 실천한다면, 우리는 경제 발전을 할 수 없게 됩니다.

---

24 다음 기술을 요나스의 '공포의 발견술'의 첫 번째 단계에 적용했을 때 제시할 수 있는 의견을 한 가지 서술하시오.

> 가상 현실(VR, Virtual Reality)은 뇌로 전자 신호를 보내 가상의 상황에 실제로 있는 것처럼 느끼게 하는 기술이다.

---

25 다음 글을 바탕으로 과학 기술 연구자에게 도덕적 책임이 필요한 이유를 서술하시오.

> 챌린저호는 미국에서 제작된 우주 왕복선이다. 과학 기술자들은 발사 장치의 성능에 문제가 발생할 수 있음을 뒤늦게 발견하고, 챌린저호를 발사하기 바로 전날인 1986년 1월 27일 화상 회의에서 다음날 발사를 중지해야 한다는 의견을 경영진에게 전달하였다.

---

26 강제 수용되었던 우리의 삶을 '의미 있는 삶'이라고 평가할 수 있는 근거를 한 가지 서술하시오.

> 강제 수용되었던 우리는 수용소에서도 막사를 지나가면서 다른 사람들을 위로하거나 마지막 남은 빵을 나누어 주었던 사람들이 있었다는 것을 기억하고 있다. 물론 그런 사람이 아주 극소수였는지도 모른다.
>
> 하지만, 이것만 가지고도 다음과 같은 진리가 옳다는 것을 입증하기에 충분하다. 그 진리란 인간에게서 모든 것을 빼앗아 갈 수 있어도 단 한 가지 마지막 남은 자유, 즉 주어진 환경에서 스스로 자신의 태도를 결정하고 자기 자신의 길을 선택할 수 있는 자유만은 빼앗아 갈 수 없다는 것이다.

---

27 밑줄 친 내용의 사례를 구체적으로 한 가지 서술하시오.

> 갑: 저는 고통이 없는 삶을 살고 싶습니다. 모든 고통은 행복의 장애물입니다.
> 을: 그렇지 않습니다. 즐거움이 언제나 좋은 것이 아닌 것처럼 고통이 항상 나쁜 것은 아닙니다. 때로는 <u>고통이 삶의 긍정적 계기로 작용하기</u>도 합니다.

01 다음 공익 광고의 원인으로 가장 적절한 것은?

스마트폰을 내려놓으면
친구와 손잡고 팔씨름 하고
두 팔 벌려 엄마와 포옹하고
절친에게 비밀 쪽지 쓰고
상상의 나래를 마음껏 그려보고
있는 힘껏 큰소리로 노래 부르고
구름마다 이름을 지어주고
공원에서 숨이 찰 때까지 뛰어보고
음…또 뭐가 있을까?

스마트폰을 멈추면
따뜻한 즐거움이 시작됩니다.

고개들어요! 대한민국

– 출처: 한국 방송 광고 진흥 공사

① 사이버 공간에서의 악의적인 비방
② 사이버 공간에서의 지식 재산권 침해
③ 스마트폰 중독으로 인한 절제의 부족
④ 스마트폰 발전으로 인한 사생활 침해의 증가
⑤ 스마트폰을 사용한 인신공격 및 악성 댓글 증가

02 다음 글에 나타난 갈등의 유형과 원인을 바르게 짝지은 것은?

> 축제 준비를 하기 위해 춤 연습을 할 곳이 필요했다. 교내 동아리 방을 빌려서 연습하려고 선생님께 말씀드렸는데, 수업이 끝난 후 동아리 방에 가 보니 선배들이 이미 연습하고 있었다. 나와 친구들은 우리가 예약했다고 선배들에게 말했다. 그러자 갑자기 분위기가 이상해졌다.

	유형	원인
①	내적 갈등	제한된 자원
②	개인 간 갈등	가치관의 차이
③	집단 내 갈등	오해의 발생
④	집단 간 갈등	제한된 자원
⑤	집단 간 갈등	가치관의 차이

[03~04] 다음 글을 읽고 물음에 답하시오.

> 오늘은 도덕 시간에 ㉠ 정보화 시대에 요구되는 도덕적 원칙 네 가지와 ㉡ 네 가지 원칙들이 의미하는 구체적인 내용을 배웠다.

03 ㉠에 해당하는 내용으로 옳지 **않은** 것은?

① 개방의 원칙 ② 정의의 원칙
③ 존중의 원칙 ④ 책임의 원칙
⑤ 해악 금지의 원칙

04 ㉡에 대한 내용으로 적절한 것에 모두 표시한 학생은?

내용 \ 학생	갑	을	병	정	무
정보를 이용자 모두에게 개방해야 한다는 내용을 포함한다.	✓		✓		
나 자신이 존중받길 원하는 것처럼 타인을 존중해야 함을 포함한다.		✓		✓	
제공하는 정보가 진실성, 비편향성, 공정한 표현을 추구해야 함을 담고 있다.		✓	✓		✓
제공하는 정보를 타인에게 실시간으로 공유할 수 있어야 한다는 책임의 내용을 포함한다.	✓			✓	✓

① 갑 ② 을 ③ 병
④ 정 ⑤ 무

[05~06] 다음 그림을 보고 물음에 답하시오.

05 위 상황을 보고 할 수 있는 말로 가장 적절한 것은?

① 갈등이 일어난 학급이므로 부정적인 학급이다.

② 학급 회의의 과정이 불편하므로 회피해야 한다.

③ 회의를 통해 갈등을 해결하려는 과정은 서로를 신뢰할 수 없게 만든다.

④ 한 사람이 의견을 강력하게 주장하면 갈등을 평화롭게 해결할 수 있다.

⑤ 서로의 입장을 이해하는 소통은 민주적인 사회로 발전하는 데 도움을 준다.

06 다음 글의 입장에서 위 상황에 할 수 있는 적절한 조언을 〈보기〉에서 고른 것은?

> 메라비언의 법칙은 소통하는 데 어떤 말을 하느냐보다 어떻게 말을 하느냐가 더 중요하다는 비언어적 의사소통 기법의 중요성을 밝힌 법칙이다.

보기
- ㄱ. 자신의 의견을 정확하고 분명하게 말해야 한다.
- ㄴ. 친구들이 의견을 제시할 때는 바르게 앉아서 듣는다.
- ㄷ. 회의 중에 욕을 하는 방법으로 불편함을 드러낼 수 있다.
- ㄹ. 친구의 의견을 이해했다면 고개를 끄덕이면서 호응해 줄 수도 있다.

① ㄱ, ㄴ   ② ㄱ, ㄷ   ③ ㄴ, ㄷ
④ ㄴ, ㄹ   ⑤ ㄷ, ㄹ

[07~08] 다음 그림을 보고 물음에 답하시오.

07 위 상황을 폭력의 관점에서 옳게 분석한 것을 〈보기〉에서 고른 것은?

보기
- ㄱ. 언어폭력이 발생했다.
- ㄴ. 물리적 폭력이 일어나고 있다.
- ㄷ. 장난처럼 보이지만 폭력에 해당한다.
- ㄹ. 부작위에 의한 폭력을 찾아볼 수 있다.

① ㄱ, ㄴ   ② ㄱ, ㄷ   ③ ㄴ, ㄷ
④ ㄴ, ㄹ   ⑤ ㄷ, ㄹ

08 다음 내용 중 폭력을 이해한 것으로 옳지 <u>않은</u> 것은?

> 도덕 시간에 폭력의 문제를 공부했다. 공부한 내용에 비추어 볼 때, 위와 같은 상황이 지속할 경우 일어날 수 있는 문제는 다음과 같다. 첫째, ㉠폭력은 신체적인 고통뿐만 아니라 정신적인 고통도 줄 수 있다. 둘째, ㉡폭력의 피해자는 두려움과 우울 등의 정신적 피해를 입게 될 것이다. 셋째, ㉢또한 저러한 상황을 목격한 다른 친구들도 폭력에 대한 정서적인 불안을 느낄 수 있다. 특히 넷째, ㉣폭력의 악순환의 관점에서 보면 피해자는 두려움을 느껴 복수나 공격을 할 수 없지만, 가해자는 또 다른 폭력을 계속해서 저지른다는 문제가 생긴다. 그래서 다섯째, ㉤사회의 무질서와 혼란이 발생할 가능성이 커진다.

① ㉠   ② ㉡   ③ ㉢
④ ㉣   ⑤ ㉤

[09~10] 다음 글을 읽고 물음에 답하시오.

> (가) 정의로운 국가는 인간의 존엄성을 존중하고 (나) 보편적 가치를 우선으로 한다.

09 (가)를 바라보는 입장에 대한 설명으로 옳은 것을 〈보기〉에서 고른 것은?

보기

ㄱ. 소극적 국가관에서는 국가의 개입을 줄여야 한다고 주장할 것이다.

ㄴ. 소극적 국가관에서는 세금을 더 거두어 복지 혜택을 제공해야 한다고 주장할 것이다.

ㄷ. 적극적 국가관에서는 경쟁하지 않고 국가의 복지 혜택만을 제공하는 것이 타당하다고 볼 것이다.

ㄹ. 적극적 국가관에서는 국가의 개입은 자유를 누릴 수 있는 기본적인 조건을 만들어 주는 것이라고 평가할 것이다.

① ㄱ, ㄴ   ② ㄱ, ㄷ   ③ ㄱ, ㄹ
④ ㄴ, ㄷ   ⑤ ㄷ, ㄹ

10 (나)에 해당하는 가치와 그 내용에 대한 설명으로 옳지 않은 것은?

① 평화: 갈등은 법을 통해 공정하게 해결해야 한다.

② 인권: 인간이라면 누구나 인간다운 삶을 보장받는 기본 권리를 인정해야 한다.

③ 공정: 타인에게 피해를 주지 않는 한 자기 뜻대로 삶을 설계하고 추구할 수 있다.

④ 평등: 누구나 정당한 이유 없이 다른 대우를 받지 않고 균등하게 기회가 주어져야 한다.

⑤ 복지: 경쟁에서 뒤처진 사회적 약자에게도 최소한의 인간다운 삶을 살 수 있도록 도와줘야 한다.

11 다음 일기의 내용 중 옳은 것을 고른 것은?

> 오늘 도덕 시간에 국가의 역할과 기능을 공부했다. 국가는 객관적 요소와 주관적 요소의 결합으로 성립한다. ㉠ 객관적 요소에는 국민, 영토, 소속감이 있다. ㉡ 주관적 요소에는 국민이 가지는 자부심과 주권이 있다. 국가의 기능으로는 ㉢ 개인이 만들 수 없는 국가의 규칙을 만들고 복지 혜택을 생산하는 것이 있다. 그리고, ㉣ 국가가 지향하는 가치와 정책은 개인의 도덕적 삶에 큰 영향을 미친다는 것을 알 수 있었다.

① ㉠, ㉡   ② ㉠, ㉢   ③ ㉡, ㉢
④ ㉡, ㉣   ⑤ ㉢, ㉣

12 조건에 맞게 다음 기사의 제목을 만든 것으로 가장 적절한 것은?

> 2014년 브라질 월드컵 조별 예선 첫 경기가 있던 날, 서울 광화문 광장을 비롯한 시내 곳곳에서 거리 응원단은 이전과 다른 비교적 성숙한 모습을 보였다. 과거 일부 월드컵 응원전에서처럼 도로를 점거한 채 행진하거나 자동차 행진을 벌이는 모습들이 사라졌고, 출근길 교통대란도 발생하지 않았다. 응원 후에는 직접 쓰레기 봉지를 들고 뒷정리를 하는 시민들도 늘었다.
>
> – ○○ 신문, 2014. 06. 18.

조건

애국심과 시민 의식을 관련지어 제목을 만들 것

① 시민 의식보다 앞선 애국심

② 시민 의식과 애국심의 경쟁 관계

③ 시민 의식과 만난 아름다운 애국심

④ 시민 의식에 의해 지켜질 수 있는 애국심

⑤ 보편적 가치를 지키려는 시민 의식에 밀려 사라지고 있는 애국심

13 다음 글에 대한 평가로 옳은 것을 〈보기〉에서 고른 것은?

> 달리기 시합에서 어린이, 장애인, 노인, 육상 선수가 같은 출발선에서 출발한다. 이들은 모두 같은 규칙을 적용받으며 시합을 한다.

보기
ㄱ. 아무런 제한이 없으므로 결과가 공정하지 않다.
ㄴ. 경쟁에 참여할 수 있는 사람이 제한적이므로 과정이 공정하지 않다.
ㄷ. 참가자들 간의 차이를 인정하고 조정하지 않았으므로 과정이 공정하지 않다.
ㄹ. 불리한 위치에 있는 약자를 배려하여 적절한 기회를 제공하지 않았으므로 공정하지 않다.

① ㄱ, ㄴ   ② ㄱ, ㄷ   ③ ㄴ, ㄷ
④ ㄴ, ㄹ   ⑤ ㄷ, ㄹ

14 (가), (나)에 해당하는 사례를 바르게 짝지은 것은?

> 부패 행위를 예방하기 위해서는 (가) 개인 윤리 차원의 노력과 (나) 사회 윤리 차원의 노력을 동시에 기울여야 한다.

	(가)	(나)
①	견리사의 기르기	공익 신고자 보호
②	견리사의 기르기	부패 인식 지수를 낮추려는 제도 마련
③	내부 고발자 보호	부패 인식 지수를 낮추려는 제도 마련
④	내부 고발자 보호	선공후사 기르기
⑤	부패 인식 지수를 낮추려는 제도 마련	선공후사 기르기

15 북한 주민의 생활 모습에 대한 설명으로 옳은 것에 모두 표시한 학생은?

설명＼학생	갑	을	병	정	무
경제난이 심화되면서 북한 당국이 강조하는 집단주의 가치관이 강화되었다.	✓		✓		
외형적으로는 평등하게 생활한다고 하지만, 출신 성분에 따라 차별이 존재한다.	✓	✓		✓	
조선 민주주의 인민 공화국 사회주의 헌법에 따른 법치를 통해 보편적 가치를 강조한다.		✓	✓		✓
종합 시장을 철폐하려고 했으나, 주민들의 반발로 북한 당국의 조치는 성공하지 못했다.				✓	✓

① 갑   ② 을   ③ 병
④ 정   ⑤ 무

16 통일 국가 형성을 위한 남북한의 교류와 협력으로 적절하지 <u>않은</u> 것은?

① 점진적이고 단계적인 평화적 교류를 시도한다.
② 상호 간의 이익과 민족의 화해와 공동 번영이라는 목표를 갖는다.
③ 남북한의 이해를 증진하고 이질성을 극복해 나갈 수 있는 공동 발전을 모색한다.
④ 남한은 북한을 지원할 때, 이익을 고려하지 않고 시혜적 관점에서 교류해야 한다.
⑤ 상대방의 실체를 인정하면서 군사적 위협과 침략을 하지 않을 것을 약속해야 한다.

17 다음 글에 대한 평가로 옳은 것을 〈보기〉에서 고른 것은?

> 도덕 시간에 종이가 만들어지는 과정을 배웠다. 나무는 종이 외에도 나의 삶에 필요한 여러 가지를 제공하는 존재이니까 보호해야겠다고 생각했다.

보기
> ㄱ. 인간 중심주의적 관점에서 나무를 인식한다.
> ㄴ. 생태 중심주의적 가치관을 지녔으므로 종이를 절약할 것이다.
> ㄷ. 자연에 속한 생명체를 그 자체로 가치 있는 것으로 보고 있지 않다.
> ㄹ. 자연을 바라보는 관점은 생명 중심주의 관점보다 도덕적 고려의 범위가 넓다.

① ㄱ, ㄴ   ② ㄱ, ㄷ   ③ ㄴ, ㄷ
④ ㄴ, ㄹ   ⑤ ㄷ, ㄹ

18 다음 상황을 '공포의 발견술' 1단계에 적용한 내용으로 가장 적절한 것은?

> 과학 기술의 발달로 인간보다 지능이 뛰어난 인공 지능 로봇이 등장했다.

① 인공 지능 로봇의 등장으로 생활의 편리함이 증가한다.
② 인공 지능 로봇을 개발할 때 과학자의 도덕적 책임이 필요하다.
③ 인공 지능 로봇으로 인한 인간 존엄성 훼손에 대한 예방책 마련이 필요하다.
④ 인공 지능 로봇이 사람들의 일자리를 대체해서 직업을 잃는 사람이 생겨난다.
⑤ 인공 지능 로봇의 등장에 따른 장단점의 조화를 모색할 수 있는 다양한 논의가 필요하다.

19 다음 글에 대한 설명으로 적절한 것을 〈보기〉에서 고른 것은?

> 나바호 인디언들은 자녀들에게 매일 아침 해가 떠오를 때 오늘 처음 떠오르는 것이라고 가르치며 "해는 하루만 살 뿐이다. 너희들은 이 하루를 유용하게 살아서 해가 귀중한 시간을 낭비하지 않도록 해야 한다."라고 말한다. 하루하루를 귀중한 날이라고 인정하는 것은 잘 사는 길이고 우리의 근원적인 기쁨을 다시 맛보는 유용한 길이기도 하다.

조건
> ㄱ. 죽음을 불가피한 것으로 인정하고 삶의 가치를 가볍게 여기고 있다.
> ㄴ. 하루를 산다는 것에 집중해서 죽음을 지나치게 가까운 것으로 받아들인다.
> ㄷ. 현재 자신에게 주어진 삶을 충실하게 살아가는 것이 중요하다고 인식하고 있다.
> ㄹ. 삶은 유한하다는 것을 알고 삶의 다양한 순간들을 겪으며 의미 있는 삶을 살아가고자 한다.

① ㄱ, ㄴ   ② ㄱ, ㄷ   ③ ㄴ, ㄷ
④ ㄴ, ㄹ   ⑤ ㄷ, ㄹ

20 다음 연설의 주제가 되는 개념으로 가장 적절한 것은?

> 우린 어둠을 접할 때 빛의 중요성을 깨닫습니다. 우리는 잠자코 있어야 할 때 목소리의 중요성을 깨닫습니다. 우리는 말의 힘과 파급력을 믿습니다. 오늘은 자신의 권리를 위해 목소리를 높인 모든 여성, 모든 소년, 모든 소녀를 위한 날입니다. 책과 펜을 듭시다. 그것이야말로 가장 강력한 무기입니다. 한 명의 아이, 한 명의 선생님, 한 권의 책, 한 개의 펜이 세상을 바꿀 수 있습니다.
> – 말랄라 유사프자이의 국제 연합(UN) 연설 중 발췌

① 기대   ② 상상   ③ 희망
④ 마음의 평화   ⑤ 도덕적 성찰

21 다음 상황에 나타난 폭력 두 가지와 그것이 폭력에 해당하는 이유를 서술하시오.

> 갑은 을이 다른 친구들과 이야기를 하려고 할 때마다 친구들을 불러 모아 을의 험담을 했다. 그래서 을은 반에서 친구를 사귀기 어려워졌고 이동 수업을 할 때나 급식을 먹을 때 항상 혼자였다.
>
> 어느 날 담임 선생님께서 나에게 을이 친구들과 잘 어울리지 못하고 있느냐고 물으셨을 때, 나는 "잘 모르겠어요."라고 대답했다.

22 시민 불복종과 관련해 (가)~(다)에 들어갈 내용을 서술하시오.

조건	의미
목적의 정당성	(가)
(나)	불복종으로 인해 받게 되는 처벌을 기꺼이 받아들여야 한다.
비폭력성	비폭력적 방법으로 시행해야 한다.
최후의 수단	(다)

23 다음 글에서 밑줄 친 내용을 서술하시오.

> 우리는 북한을 어떤 관점에서 바라봐야 할까요? 북한은 우리와의 관계에서 이중적 성격을 갖고 있습니다. 그러므로 우리는 <u>북한의 이중성</u>을 정확하게 인식하고 균형 있게 바라봐야 합니다.

24 통일 한국이 얻을 수 있는 대내적 효과와 대외적 효과를 한 가지씩 서술하시오.

25 생명 존중의 관점에서 밑줄 친 내용을 비판하는 근거를 한 가지 서술하시오.

> 최근에는 잘 사는 방법을 넘어 잘 죽는 방법에 대한 논의가 진행되고 있다. 이른바 '<u>웰다잉 (Well-dying)법</u>'이 2016년 1월 8일 국회를 통과했다. 법의 정식 명칭은 '호스피스·완화 의료 및 임종 과정에 있는 환자의 연명 의료 결정에 관한 법률'로, 회생 가능성이 없는 환자가 자기의 결정이나 가족의 동의로 연명 치료를 받지 않도록 하는 것이다. 현재까지는 환자가 살아날 가능성이 없어도 치료를 해 왔기 때문에, 이 법을 당장 시행하면 적지 않은 혼란이 예상된다.

[01~02] 다음 글을 읽고 물음에 답하시오.

> 사이버 공간의 특성 네 가지는 ㉠ 익명성, ㉡ 공유성, ㉢ 개방성, ㉣ 비대면성이다.

01 ㉠의 특징으로 적절한 것에 모두 표시한 학생은?

특징　　　　　　　　　학생	갑	을	병	정	무
자신의 정체를 드러내지 않고 활동할 수 있다.	✓		✓		
상대방과 얼굴을 맞대지 않고 의사소통을 할 수 있다.		✓		✓	
글이나 그림 등을 실시간으로 많은 사람이 전달받을 수 있게 해 준다.		✓	✓		✓
사이버 공간에서 자유로운 의견 제시와 의사소통을 할 수 있게 해 준다.	✓			✓	✓

① 갑　　　　② 을　　　　③ 병
④ 정　　　　⑤ 무

02 ㉡~㉣에 대한 설명으로 옳은 것을 〈보기〉에서 고른 것은?

> **보기**
> ㄱ. ㉡의 특성은 자신의 정체를 드러내지 않고 활동하는 것이다.
> ㄴ. ㉡, ㉢의 특성이 잘못된 정보에 적용되었을 경우 피해가 크다.
> ㄷ. ㉡, ㉢은 상대의 얼굴을 실제로 볼 수 없다는 특징에 해당한다.
> ㄹ. ㉣의 특성은 비도덕적 행동에 대한 상대의 반응을 직접 느낄 수 없어 문제가 생길 수 있다.

① ㄱ, ㄴ　　② ㄱ, ㄷ　　③ ㄴ, ㄷ
④ ㄴ, ㄹ　　⑤ ㄷ, ㄹ

[03~04] 다음 그림을 보고 물음에 답하시오.

03 두 염소가 갈등 상황에 대처하는 방법으로 가장 적절한 것은?

① 공격을 선택하여 일시적으로 갈등을 피하고자 한다.
② 자신의 주장만을 일방적으로 내세우는 태도를 보인다.
③ 회피를 선택해서 갈등의 근본 원인을 해결하지 못하고 있다.
④ 갈등 상황에서 의견을 조정하여 해결하려는 자세를 취하고 있다.
⑤ 공격을 통해 합리적인 방법으로 공정하게 문제를 해결하고자 한다.

04 두 염소에게 해 줄 수 있는 조언으로 적절한 것을 〈보기〉에서 고른 것은?

> **보기**
> ㄱ. 갈등의 원인이 무엇인지 파악해야 한다.
> ㄴ. 갈등 상황이라는 것을 인정하고 소통을 통해 해결해야 한다.
> ㄷ. 갈등이 있다는 것을 드러내지 않고 벗어나는 자세를 선택해야 한다.
> ㄹ. 제로섬(zero-sum) 게임을 통해 갈등을 제거할 수 있는 방법을 선택해야 한다.

① ㄱ, ㄴ　　② ㄱ, ㄷ　　③ ㄴ, ㄷ
④ ㄴ, ㄹ　　⑤ ㄷ, ㄹ

05 ㉠에 들어갈 내용으로 가장 적절한 것은?

> 정보·통신 매체의 무분별한 사용은 타인뿐만
> 아니라 자기 자신에게도 피해를 준다. 게임 중독
> 이나 인터넷 중독에 빠지면 자신이 정작 해야 할
> 공부나 협력 과제 등에 소홀해져 자신과 타인에게
> 피해를 줄 수 있다. 또한, 현실 공간에서 타인과
> 소통할 기회가 줄어들면서 타인과의 공감이나 배
> 려 등의 가치를 배우기 어렵고, 조화로운 인간관
> 계를 유지하기 어렵다. 그러므로 정보·통신 매체
> 를 사용할 때는 필요한 용도에 맞게 적절한 시간
> 동안 사용하는 ㉠ 의 자세가 필요하다.

① 관용   ② 절제
③ 존중   ④ 인간 존엄성
⑤ 공동체 정신

06 평화적 갈등 해결을 위한 비폭력 대화의 순서로 가장 적절한 것은?

① 느낌 → 욕구 → 관찰 → 부탁
② 느낌 → 관찰 → 부탁 → 욕구
③ 관찰 → 느낌 → 욕구 → 부탁
④ 관찰 → 욕구 → 부탁 → 느낌
⑤ 욕구 → 관찰 → 느낌 → 부탁

[07~08] 다음 그림을 보고 물음에 답하시오.

07 위의 지표를 폭력의 관점에서 분석한 것으로 가장 적절한 것은?

① 국가와 국가 간에 폭력이 발생했다.
② 개인에게 물리적 폭력이 가해지고 있다.
③ 폭력 상황을 알고도 외면하는 부작위에 의한 폭력이 일어났다.
④ 충동적이고 공격적인 개인의 성향이 원인이 되어 폭력이 발생했다.
⑤ 잘못된 사회 구조가 원인이 되어 발생하는 구조적 폭력이 일어났다.

08 위의 문제를 해결하는 방법으로 옳은 것에 모두 표시한 학생은?

방법 \ 학생	갑	을	병	정	무
학교와 가정에서 양성평등 교육을 실시한다.	✓		✓		
사회·제도적 차원에서 폭력을 막을 수 있는 풍토를 조성한다.	✓	✓		✓	
분노를 조절해서 갈등 상황을 객관적으로 파악할 수 있도록 한다.		✓	✓		✓
갈등이 발생했을 때, 상대의 잘못을 지적하거나 논리적으로 따지지 않는다.				✓	✓

① 갑   ② 을   ③ 병
④ 정   ⑤ 무

[09~10] 다음 글을 읽고 물음에 답하시오.

> (가) 갑: 나는 소극적 국가관을 지지해.
>   을: 나는 적극적 국가관을 지지해.
> (나) 소수계 우대 정책은 사회적 약자의 위치에 있는 소수 집단에 특혜를 주는 정책이다. 예를 들어, 미국의 일부 대학에서는 1970년대부터 학생을 선발하는 과정에서 소수 인종을 배려하는 정책을 시행해 오고 있다.

09 (가)의 입장에서 (나)를 평가한 내용으로 적절한 것을 〈보기〉에서 고른 것은?

> 보기
> ㄱ. 갑은 개인의 자유와 권리를 제한하는 정책이라고 평가할 것이다.
> ㄴ. 갑은 자유를 누릴 수 있는 기본적인 조건을 만들어 주는 정책이라고 평가할 것이다.
> ㄷ. 갑과 을은 공정한 경쟁을 할 수 없도록 자유를 침해한 것이라고 평가할 것이다.
> ㄹ. 을은 개인의 자유를 침해하는 것이라기보다는 광범위한 복지를 통해 국민 전체의 생활 수준을 윤택하게 하는 것이라고 볼 것이다.

① ㄱ, ㄴ   ② ㄱ, ㄹ   ③ ㄴ, ㄷ
④ ㄴ, ㄹ   ⑤ ㄷ, ㄹ

10 갑이 (나)의 정책을 비판하는 근거로 옳은 것은?

① 공정한 경쟁을 위해서 국가는 되도록 국민 생활에 개입해서는 안 된다.
② 치열한 경쟁으로 강자와 약자 사이의 격차가 심해지므로 조정이 필요하다.
③ 자유로운 개인이 창의성과 잠재력을 발휘할 수 없을 때 전체의 이익도 커질 것이다.
④ 세금을 더 거두어들여 광범위한 복지 혜택을 제공해서 국민 생활을 윤택하게 해야 한다.
⑤ 국가의 개입은 개인의 자유는 침해하는 것이 아니라 자유를 누릴 수 있는 기본적인 조건이다.

11 다음 글에 나타난 사회에서 일어날 수 있는 문제로 가장 적절한 것은?

> 1964년, 미국 뉴욕에서 새벽에 귀가하던 한 여성이 자신의 집 앞에서 괴한에게 살해당하는 사건이 벌어졌다. 이 사건이 충격을 준 이유는 사건이 일어나는 35분 동안 목격자가 38명이나 있었지만, 아무도 나서서 도와주거나 재빨리 경찰에 신고하는 사람이 없었다는 점이다. 38명의 목격자 중 누구도 법적인 책임을 지지는 않았지만, 스스로 좋은 시민이 되고 더욱 살기 좋은 공동체를 만들 기회는 잃게 된 것이다.

① 공익보다 사익만을 중시해서 공동선이 지나치게 강조된다.
② 사익보다 공익만을 중시해서 개인의 권리가 침해될 수 있다.
③ 사익보다 공익만을 중시해서 시민의 책임과 의무만 강조된다.
④ 공익보다 사익만을 중시해서 개인의 자유와 권리가 위축된다.
⑤ 공익보다 사익만을 중시해서 성숙한 시민 공동체 의식이 사라진다.

12 다음 글에 나타난 애국심에 대한 설명으로 적절한 것을 〈보기〉에서 고른 것은?

> 독일의 나치스는 전체를 위해 개인을 희생할 수 있다는 사상을 가진 독일의 정당이다. 또한, 아리아인이 우월하다는 의식을 바탕으로 하는 애국심으로 제2차 세계 대전을 일으켰다.

> 보기
> ㄱ. 왜곡되어 맹목적이고 배타적으로 흘렀다.
> ㄴ. 국가에 헌신하려는 마음이 드러나지 않았다.
> ㄷ. 다른 나라의 존엄성을 훼손하고 평화를 위협한다.
> ㄹ. 소수의 국민만 지닌 애국심으로, 다수의 국민은 지니지 못했다.

① ㄱ, ㄴ   ② ㄱ, ㄷ   ③ ㄴ, ㄷ
④ ㄴ, ㄹ   ⑤ ㄷ, ㄹ

13 다음 기사의 주제로 가장 적절한 것은?

> 영국의 빈민 구호 단체인 옥스팜(Oxfam)에 따르면, 21세기에 들어선 이후 전 세계가 늘린 부의 단 1%만이 전 세계 인구 하위 절반에 돌아갔고, 증가분의 절반 이상은 최상위 1%에 돌아갔다. 이와 같이 부가 한쪽으로 치우친 원인 중의 하나는 고소득층이 국가에 내야 할 세금을 해외로 빼돌리는 행위가 증가했기 때문이다. 세금이 덜 걷히면 어려운 사람들을 위한 사회 보장 지출이 줄어드는 악순환이 반복된다.
>
> – ○○신문, 2016. 04. 20.

① 자본주의 사회가 과거 신분제 사회보다 정의롭다.
② 개인의 노력과 능력에 근거한 공정한 경쟁이 중요하다.
③ 정의로운 사회를 만들기 위해서는 사회적 차원의 제도 수립이 필요하다.
④ 개인의 노력과 의식 개선을 통해 불공정한 사회 구조를 개선할 수 있다.
⑤ 사회 정의를 이루기 위해서는 개인 윤리 차원에서 정의로운 사람이 될 것을 강조해야 한다.

14 ㉠에 들어갈 내용으로 적절한 것을 〈보기〉에서 고른 것은?

> 공정한 경쟁을 위해서는 경쟁 과정이 공정해야 하며, 경쟁 결과가 정당해야 한다. 경쟁 결과가 정당하다는 것은 ⎡ ㉠ ⎤을 의미한다.

보기
ㄱ. 누구든지 경쟁에 참여할 기회를 주는 것
ㄴ. 경쟁에 뒤처져도 최소한의 인간다운 삶을 누릴 수 있는 것
ㄷ. 부정한 수단과 방법을 사용한 사람을 보상에서 배제하는 것
ㄹ. 경쟁에서 패배한 경우 경쟁 과정에 다시 참여할 기회를 주지 않는 것

① ㄱ, ㄴ   ② ㄱ, ㄷ   ③ ㄴ, ㄷ
④ ㄴ, ㄹ   ⑤ ㄷ, ㄹ

15 밑줄에 대한 정답으로 옳은 설명에 모두 표시한 학생은?

> 우리는 북한의 이중성을 정확하게 인식해 균형 있게 이해해야 한다. 그렇다면, 북한의 이중성을 정확하게 인식해 북한을 균형 있게 이해한다는 것은 구체적으로 무엇을 의미할까?

설명＼학생	갑	을	병	정	무
북한 정권을 인도주의적 차원에서 긍정적으로 본다.	✓		✓		
북한 정권은 우리에게 정치적·군사적 경계 대상이다.	✓	✓		✓	
북한 주민은 남한 주민이 장차 보살펴야 할 존재이다.		✓	✓		✓
북한 주민은 민족 공동체 형성을 위한 우리의 동반자이다.				✓	✓

① 갑   ② 을   ③ 병
④ 정   ⑤ 무

16 다음 일기의 내용 중 옳은 것을 고른 것은?

> 오늘 도덕 시간에 통일을 해야 하는 이유를 모둠별로 조사해서 발표했다. 통일을 해야 하는 이유로는, ㉠ 인도주의적 차원에서 통일을 통해 인적 자원을 효율적으로 활용할 수 있다. 또한, ㉡ 인도주의적 차원에서 남북 이산가족과 실향민의 고통을 해소할 수 있다는 내용을 근거로 제시할 수 있다. 다음으로, ㉢ 통일 한국의 경제적 발전과 번영의 차원에서 북한의 불안한 상황으로 국가 신용도가 현재보다 불안정해질 수 있다. 하지만 ㉣ 육지를 통한 직접 교류가 증가한다는 점을 경제적 발전의 차원에서 통일을 해야 하는 이유로 제시할 수 있다.

① ㉠, ㉡   ② ㉠, ㉢   ③ ㉡, ㉢
④ ㉡, ㉣   ⑤ ㉢, ㉣

17 다음 제도를 바르게 이해하지 <u>못한</u> 학생은?

> • 국민 개개인이 온실가스 감축 활동에 직접 참여하도록 유도하는 제도
> • 시민이 가정이나 일반 건물 등에서 에너지 사용량을 줄이면 다양한 혜택을 주는 프로그램

① 희연: 합리적 소비를 촉진하려는 사회적 노력에 해당해.

② 소현: 환경친화적 삶을 위한 사회적 실천 방안에 해당해.

③ 주연: 미래 세대가 이용할 환경을 지키려는 노력의 일환이야.

④ 예리: 자연의 정화 능력 안에서 오염 물질을 줄여 나가려는 노력에 해당해.

⑤ 별이: 경제 활동과 조화를 이루려는 환경친화적 제도를 마련한 사례라고 볼 수 있어.

18 (가), (나)가 공통적으로 시사하는 바로 가장 적절한 것은?

> (가) 최근 들어, 드론을 활용한 사생활 침해, 물건 절도 등 다양한 부작용이 위험 요소로 등장하고 있습니다.
> (나) 돌발 상황이 발생하면 자율 주행차의 인공 지능은 보행자를 보호해야 할까요? 아니면 벽 쪽으로 차를 꺾어 차 주인을 희생해야 할까요? 차는 어디로 가야 할까요?

① 과학 기술에 대한 도덕적 고려가 필요하다.

② 과학 기술은 우리 생활에 필요한 지식을 제공해야 한다.

③ 과학 기술은 모든 문제점을 예측하도록 개발되어야 한다.

④ 과학 기술의 목적은 수단적 의미를 제공하는 것에 머물러야 한다.

⑤ 과학 기술의 개발을 위해서 기술과 국력은 밀접한 관계를 맺어야 한다.

19 밑줄 친 소년의 행동을 평가한 것으로 적절한 것에 모두 표시한 학생은?

> 1970년 베트남 전쟁 때 미국 선교사들이 운영하던 보육원에 폭탄이 떨어졌다. 한 소녀가 피를 너무 많이 흘려 생명이 위독한 상태였다. 소녀와 혈액형이 같은 교사가 없자, 미국인 의사는 서툰 베트남 말로 "이 아이를 위해 피를 줄 사람 없니?"라고 말했다. 그러자 한 소년이 손을 들었고, 다행히도 혈액형이 일치했다. 수혈을 위해 소년의 팔뚝에 주삿바늘을 꽂자, 아이의 눈에서 눈물이 흐르기 시작했다. <u>알고 보니, 그 소년은 자신의 피 전부를 그 소녀에게 주는 줄로 알고 있었다. 자신이 죽는 줄 알면서도 그 소년은 손을 들었던 것이다.</u>

평가＼학생	갑	을	병	정	무
탁월함을 발휘하며 삶의 의미를 확장하고 있다.	✓		✓		
자신의 생명을 존중하지 않고 소홀히 여기고 있다.	✓	✓		✓	
도덕적 이상의 가치를 추구하는 모습을 엿볼 수 있다.		✓	✓		✓
자신과 타인에게 부끄럽지 않고 의미 있는 삶을 살고 있다.				✓	✓

① 갑   ② 을   ③ 병   ④ 정   ⑤ 무

20 고통을 다스리는 방법으로 옳지 <u>않은</u> 것을 〈보기〉에서 고른 것은?

> **보기**
> ㄱ. 즐거움은 늘 좋은 것처럼, 고통은 항상 부정적 영향을 준다.
> ㄴ. 불교에서는 교리 공부와 참선을 통해 마음을 다스릴 것을 제시했다.
> ㄷ. 유교에서는 세상을 편견 없이 열린 마음으로 대하는 심재를 수양 방법으로 제시했다.
> ㄹ. 고통은 일반적으로 발생할 수 있는 것임을 인식하고 평온하게 관리하는 것이 중요하다.

① ㄱ, ㄴ   ② ㄱ, ㄷ   ③ ㄱ, ㄹ
④ ㄴ, ㄷ   ⑤ ㄷ, ㄹ

21 갑의 주장을 사례와 근거를 들어 반박하시오.

> 갑: 내가 초등학교 때 인터넷에 쓴 부끄러운 글이 계속 남아 있다면 너무 싫을 것 같아. 내 과거에 대한 모든 권리는 나에게 있어. 잊힐 권리를 보장받지 못하면 당사자에게 깊은 상처와 고통을 남길 수 있어.

22 평화적 갈등 해결을 위한 비폭력 대화의 단계에서 (가), (나)에 들어갈 내용을 서술하시오.

단계	내용
관찰	(가)
느낌	그 행동을 보았을 때 해석하는 것이 아니라 느낌을 그대로 표현한다.
욕구	자신이 포착한 느낌이 내면의 어떤 욕구와 연결되는지 포착한다.
부탁	(나)

23 경쟁에서 이기는 것에만 집중할 때, 사회적으로 발생할 수 있는 문제점을 <u>두 가지</u> 서술하시오.

24 다음 상황을 갈등 해결의 단계에 따라 해결할 때, (가), (나)에 들어갈 내용을 서술하시오.

> 미나와 윤희는 주말 아침 일찍 도서관에 가기로 약속하였다. 그런데 윤희는 약속한 시간에 나타나지 않았고, 미나는 평소 잠이 많은 윤희가 분명히 늦잠을 자고 있을 것이라고 생각해 화가 나서 집으로 돌아갔다. 사실 윤희는 동생이 아파서 병원에 데리고 갔다 오느라 약속 장소에 늦게 도착한 것이었다. 윤희는 미나에게 전화를 걸었지만, 미나는 화가 나서 윤희의 전화를 받지 않았다.

단계	내용
갈등 상황 바라보기	갈등 상황을 객관적으로 바라보면 갈등 원인은 (가)이다.
멈추고 성찰하기	갈등 상황에서 미나가 한 행동은 (나)이다.
갈등 해결하기	갈등을 해결하기 위해서 미나는 윤희에게 대화하지도 않고 오해해서 미안하다는 내용을 담은 편지를 쓸 수 있다.

25 '공포의 발견술' 3단계를 순서대로 서술하시오.

정답과 해설

Ⅰ 타인과의 관계

01 정보·통신 윤리

01 사이버 공간이 등장하면서 언제 어디서든지 인터넷을 통해 다양한 인간관계를 맺는 것이 가능해졌다. 또한, 다양한 정보를 주고받는 등 삶의 방식이 변화되고 있다.

| 오답 피하기 |

① 공간의 제약이 없어 멀리 떨어진 사람과도 소통하고 정보를 주고받을 수 있다.

② 사이버 공간은 현실 공간과 분리할 수 없을 정도로 중요한 부분이 되었다.

④ 컴퓨터와 다중 매체, 통신 수단 등의 발달로 정보의 대량 생산이 이루어지고 있다.

⑤ 통신 수단이 발달하면서 정보의 생산, 유통, 소비 등이 빠른 속도로 이루어지고 있다.

02 사이버 공간에서는 악의적인 비방이나 욕설, 인신공격, 악성 댓글 등과 같은 인간의 존엄성을 훼손하는 일이 빈번하게 일어난다.

03 인터넷에서 불법으로 자료를 내려받는 것은 타인의 지식 재산권을 침해하는 행위로 정보화 시대의 대표적인 문제 중 하나이다.

04 사이버 공간의 등장은 현대 사회에서 더욱 다양한 인간관계를 맺는 것을 가능하게 하고 삶의 방식을 다양하게 변화시키고 있다.

05 익명성은 자신의 정체를 드러내지 않고 활동을 할 수 있는 사이버 공간의 특성이다. 이를 악용해 무책임하게 행동하기도 한다.

06 민주의 일기는 사이버 공간의 특성 중 비대면성과 가장 관련이 깊다. 사이버 공간에서는 상대방과 얼굴을 맞대지 않고 의사소통하므로 상대방의 반응을 직접 느끼지 못한다. 그렇기 때문에 자신의 비도덕적 행동에 대해 무감각해지고 현실 공간에서 하기 어려운 말이나 행동을 쉽게 하는 경우가 있다.

07 제시문은 정보화 시대에 요구되는 도덕적 원칙 중 정의의 원칙에 대한 설명이다. 이외에 정보화 시대에 요구되는 도덕적 원칙으로는 존중의 원칙, 책임의 원칙, 해악 금지의 원칙이 있다.

08 내가 존중받기를 원하는 것처럼 타인을 존중해야 한다는 것은 존중의 원칙이며, 나의 행동의 결과를 생각하고 결과에 대한 책임을 져야 한다는 것은 책임의 원칙이다.

09 정보·통신 매체를 사용할 때 필요한 용도에 따라 적절한 시간 동안 사용하는 자세는 절제의 자세이다.

10 정보·통신 매체를 바르게 사용하는 태도로는 필요한 경우에만 사용하기, 매체의 사용이 허용되는 시간과 장소를 인식하며 사용하기, 타인을 배려하며 사용하기, 매체보다 상대를 생각하는 마음으로 진정한 소통을 위해 노력하기 등이 있다.

| 오답 피하기 |

ㄴ. 사이버 공간에서 만나는 대상이 '사람'임을 명심해야 인간 소외를 방지할 수 있다.

11 | 예시 답안 | 첫째, 사이버 공간에서 욕설, 인신공격, 악성 댓글 등과 같은 인간 존엄성을 훼손하는 일이 종종 발생한다. 둘째, 타인이 개발한 프로그램이나 보고서를 불법으로 복제해 사용하는 일이 일어난다. 셋째, 인터넷이나 스마트폰에 중독되는 현상이 일어난다.

| 채점 기준 |

상	정보화 시대에 발생할 수 있는 인간 존엄성 훼손, 기술의 불법적 사용, 지식 재산권 침해, 중독 등의 도덕적 문제를 세 가지 이상 서술한 경우
중	정보화 시대에 발생할 수 있는 인간 존엄성 훼손, 기술의 불법적 사용, 지식 재산권 침해, 중독 등의 도덕적 문제 중 두 가지를 서술한 경우
하	정보화 시대에 발생할 수 있는 인간 존엄성 훼손, 기술의 불법적 사용, 지식 재산권 침해, 중독 등의 도덕적 문제 중 하나 이하로 서술한 경우

12 | 예시 답안 | 첫째, 정보·통신 매체를 꼭 필요한 경우에만 사용한다. 둘째, 식사 시간에는 스마트폰을 사용하지 않는다. 셋째, 전자 우편을 보내거나 문자 메시지를 주고받을 때 예의를 지킨다.

| 채점 기준 |

상	정보·통신 매체의 올바른 사용 태도를 구체적으로 두 가지 이상 서술한 경우
중	정보·통신 매체의 올바른 사용 태도를 구체적으로 한 가지 서술한 경우
하	정보·통신 매체의 올바른 사용 태도를 서술하지 못한 경우

01 사이버 공간은 우리의 일상에서 현실 공간과 분리할 수 없을 정도로 중요해졌다.

02 사이버 공간에서는 악의적인 비방이나 욕설, 인신공격, 악성 댓글 등과 같은 인간의 존엄성을 훼손하는 일이 빈번하게 일어난다.

03 지식 재산권이란 지적 활동으로 발생하는 모든 재산권으로 프로그램, 사진, 그림, 보고서, 연구 결과 등이 있다. 정보·통신 매체와 기술이 발달하면서 타인의 지식 재산권을 침해하는 일도 발생하고 있다.

04 제시문은 사이버 공간의 비대면성에 대한 설명이다. 이외에 사이버 공간의 특성으로는 자신의 정체를 드러내지 않고 활동할 수 있는 익명성과 누구에게나 개방되며 정보를 공유하는 개방성과 공유성이 있다.

05 사이버 공간은 누구에게나 개방되며 정보를 공유할 수 있는 개방성과 공유성의 특성이 있다.

| 오답 피하기 |
⑤ 익명성은 사이버 공간에서 자기 자신의 정체를 드러내지 않고 활동할 수 있는 특성이다. 비대면성은 사이버 공간에서는 상대방과 얼굴을 맞대지 않고 의사소통을 할 수 있다는 것이다.

06 사이버 공간에서는 나 자신이 존중받기를 원하는 것처럼 타인을 존중해야 한다.

07 제시문은 정보화 시대에 요구되는 도덕적 원칙 중 해악 금지의 원칙을 설명하고 있다. 이는 타인에게 피해를 주는 행위를 해서는 안 되며, 피해를 방지하기 위해 노력해야 한다는 것이다.

| 오답 피하기 |
① 정의의 원칙이란 모든 개인은 동등한 기본적 자유의 권리를 갖고 있으며 타인의 기본적 자유와 권리를 침해하지 않아야 한다는 것이다.
② 존중의 원칙이란 사이버 공간에서는 내가 존중받기 원하는 것처럼 타인을 존중해야 한다는 것이다.
③ 책임의 원칙이란 나의 행동으로 인한 결과를 생각하면서 신중하게 행동하고 결과에 책임질 수 있는 자세를 의미한다.

08 제시문의 주인공은 휴대폰을 무절제하게 사용하는 중독 증세를 보이고 있다. 이와 관련된 정보·통신 매체의 올바른 사용 자세는 필요한 용도에 맞게 적절한 시간 동안 사용하는 절제의 자세이다.

09 **| 예시 답안 |** 사이버 공간은 자기 자신이 정체를 드러내지 않고 활동을 할 수 있는 익명성의 특성이 있다. 이러한 특성으로 사이버 공간에서는 자유로운 의견 제시와 의사소통을 할 수 있지만, 이를 악용해 무책임한 행동을 하는 사례가 발생하기도 한다.

| 채점 기준 |

상	사이버 공간의 특성 한 가지와 그 의미를 구체적으로 서술한 경우
중	사이버 공간의 특성 한 가지를 제시했으나 그 의미를 구체적으로 서술하지 못한 경우
하	사이버 공간의 특성 한 가지와 구체적인 의미를 서술하지 못한 경우

10 **| 예시 답안 |** 그림과 관련된 원칙은 '책임의 원칙'이다. 정보화 시대에는 나의 행동으로 인한 결과를 생각하면서 더욱 신중하게 행동해야 하고, 결과에 대해 책임을 질 수 있는 자세가 요구된다.

| 채점 기준 |

상	책임의 원칙을 제시하고 의미를 바르게 서술한 경우
중	정보화 시대에 요구되는 다른 도덕적 원칙을 서술한 경우
하	정보화 시대에 요구되는 도덕적 원칙 외의 내용을 서술한 경우

11 **| 예시 답안 |** 정보·통신 매체 사용에 몰두하기보다는 나에게 소중한 사람들과의 관계를 먼저 생각하는 존중의 마음을 가져야 한다. 식사 시간이나 대화 도중에 스마트폰에 몰두하기보다는 진정한 소통을 위해 노력하는 자세를 지녀야 한다.

| 채점 기준 |

상	소중한 사람들과의 관계를 먼저 생각해야 한다고 구체적으로 서술한 경우
중	소중한 사람들과의 관계를 먼저 생각해야 한다고 추상적으로 서술한 경우
하	정보·통신 매체의 올바른 사용 방법을 제시된 상황과 관련없이 서술한 경우

12~15쪽

1. 내 삶의 정보·통신 매체와 기술

| 예시 답안 |

01.
• 왜 전화가 안 오지?
• 앗 이 뉴스 봐야 해.
• 이 동영상만 보고 자야겠다.

02.

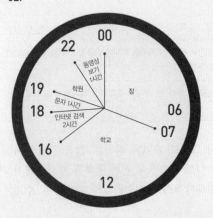

03. 하루 시간표에 정보·통신 기기 사용 시간을 적어 보니 나는 잠을 자거나 학교와 학원에 있는 시간을 제외한 모든 시간에 정보·통신 매체를 사용하고 있었다. 앞으로는 핸드폰 하는 시간을 줄이고 산책하거나 독서하는 시간을 늘려야겠다.

2. 정보화 시대, 따뜻한 세상

| 예시 답안 |

SNS를 통한 긴급 헌혈 기사

패혈증으로 생명이 위태로웠던 한 시민이 경기 용인시의 적극적인 SNS 홍보로 혈소판을 긴급 수혈해 생명을 구한 사실이 알려져 화제다.

이 모 씨는 지난 8일 오후에 시장실을 방문해 "용인시 직원들의 적극적인 SNS 홍보와 헌혈 덕분에 혈소판을 수혈해 위급한 상황에서 벗어날 수 있게 됐다."라며 감사 인사를 했다.

이 씨와 용인시의 인연은 1년 전으로 거슬러 올라간다. 이 씨의 언니는 지난해 1월 초 "동생이 암 합병증(패혈증)으로 혈소판이 급감해 생명이 위태롭다."라며 용인시에 긴급 헌혈 홍보를 요청했다. 용인시는 즉시 SNS와 행정 정보 시스템 게시판에 이 씨의 사연을 소개하며 A형 혈액의 긴급 헌혈을 당부했다. 사연이 뜨자마자 60회 이상 헌혈을 한 경력이 있는 직원이 첫 번째로 헌혈했다. 사연을 올린 직원 역시 헌혈에 참여했다. 필요한 혈소판이 충분히 확보된 덕에 이 씨는 무사히 수술을 마칠 수 있었다.

– △△신문, 2018. 01. 09.

3. 한마디의 기적

| 예시 답안 |

01.

모둠원 1	오해로 힘드셨을 텐데 힘내세요.
모둠원 2	시민의 발이 되어 주셔서 감사합니다.
모둠원 3	처음부터 기사님의 이야기도 들어 보고 기사를 썼다면 이런 피해가 없었을 텐데……
모둠원 4	기사만 보고 무조건 비난하기보다는 사실을 확인한 후에 댓글을 적어야겠어요.

4. 마법의 지우개

| 예시 답안 |

01. 친구와 재미로 찍은 사진을 잠깐 인터넷에 올렸을 뿐인데 순식간에 다른 사이트로 퍼져 당황했던 경험이 있다.

02. 순간의 재미와 장난으로 했던 행동이 나중에 감당하기 어려워질 수 있다. 지금은 즐겁게 하는 놀이지만 언젠가는 잊고 싶고 지우고 싶은 과거가 될 수 있으니 항상 조심해야 한다.

---

02 평화적 갈등 해결

기초튼튼 기본문제

18~19쪽

01 ①	02 ①	03 ④	04 ④	05 ⑤	06 ⑤
07 ②	08 경청	09 ⑤	10 ③	11~12 해설 참조	

01 서로 다른 요구나 성향으로 인해 해결하기 어려운 마음의 상태나 그 상황 자체를 갈등이라고 한다.

02 제시문의 유진이는 진로 선택에 갈등을 겪고 있다. 이처럼 개인이 자신의 욕구나 목표로 인해 선택의 어려움을 느끼는 것을 내적 갈등이라고 한다.

| 오답 피하기 |
② 외적 갈등에는 개인 간 갈등, 집단 내 갈등, 집단 간 갈등이 있다.
③ 개인 간 갈등은 상대방과 의견이 달라 어려움을 겪는 것으로 부모님과 친구와의 관계 등에서 발생한다.
④ 집단 간 갈등은 서로 다른 집단 사이에서 이해관계나 의견의 차이로 겪는 갈등이다.
⑤ 집단 내 갈등은 같은 관심과 목적으로 형성된 집단에서 생

기는 갈등이다.

03 갈등은 문제를 새로운 관점에서 볼 기회를 제공하기도 하며, 이를 올바르게 해결하면 사회가 발전하는 계기가 될 수 있다.

| 오답 피하기 |
① 갈등은 모든 사람과의 관계에서 발생할 수 있다.
② 갈등은 마음의 갈등도 포함되며 대표적으로는 자기가 가진 여러 욕구나 목표로 인해 선택의 어려움을 겪는 내적 갈등이 있다.
③ 같은 관심과 목적으로 형성된 집단에서도 집단 내 갈등이 발생할 수 있다.
⑤ 갈등은 사람들에게 불편함을 느끼게 하며 사회 혼란으로 이어질 수도 있다.

04 개인이나 집단 사이에 의견이 제대로 전달되지 않거나 왜곡되어 갈등이 발생하는 까닭은 소통이 원활하지 않기 때문이다.

05 회피형은 갈등 상황에 대처하는 유형 중 갈등이 있다는 것 자체를 드러내지 않고 피하는 것이다.

06 갈등 상황을 회피한다면 일시적으로만 갈등에서 벗어나는 것일 뿐, 갈등의 근본 원인을 해결하지는 못한다. 따라서 후에 같은 갈등 상황이 발생하면 올바로 대처하지 못하고 또다시 갈등을 겪게 될 수 있다.

07 갈등 상황에 대한 대처 방법에는 회피형, 공격형, 의견 조정형 등이 있다. 제시문의 (가)는 자신의 주장을 일방적으로 관철시키려는 공격형이고, (나)는 갈등을 인정하고 협력하여 소통하는 의견 조정형에 대한 설명이다.

08 갈등 해결을 위해 소통할 때에는 상대방의 의견을 귀 기울여 듣는 경청의 자세가 필요하다.

09 상대방의 의견을 듣는 자세, 목소리, 표정, 시선, 미소, 손짓, 고개를 끄덕이는 것 등은 모두 비언어적 의사소통 수단으로 상대방의 의견을 경청한다는 것을 나타내는 데 도움을 준다. 한편 말이나 글은 언어적 수단에 해당한다.

10 평화적인 갈등 해결을 위해서는 편견과 선입견 없이 갈등 상황을 바라보는 객관적 시각, 개인적 노력, 사회 제도의 개선, 자기중심적 사고에서 벗어나 갈등 상황에 있는 자신을 성찰하는 것 등이 필요하다.

11 **| 예시 답안 |** 갈등이 발생하는 원인은 다음과 같다. 첫

째, 제한된 자원이나 기회로 인해 더 가치 있고 좋은 선택을 하려고 할 때 갈등이 발생할 수 있다. 둘째, 개인이나 집단의 가치관과 관점이 달라 갈등이 발생할 수 있다. 셋째, 소통이 원활하지 않아 오해가 생기면 갈등이 발생할 수 있다.

| 채점 기준 |

상	갈등의 원인을 세 가지 모두 서술한 경우
중	갈등의 원인을 두 가지만 서술한 경우
하	갈등의 원인을 한 가지 이하로 서술한 경우

12 **| 예시 답안 |**
• 갈등 상황을 편견이나 선입견 없이 객관적으로 바라보아야 한다.
• 상황의 구체적 사실과 맥락을 고려하여 다양한 관점에서 갈등의 원인을 찾아본다.
• 자기중심적 사고에서 벗어나 갈등 상황에 있는 자신을 성찰한다.

| 채점 기준 |

상	평화적 갈등 해결을 위한 구체적인 해결 방법을 세 가지 이상 서술한 경우
중	평화적 갈등 해결을 위한 구체적인 해결 방법을 두 가지 서술한 경우
하	평화적 갈등 해결을 위한 구체적인 해결 방법을 한 가지만 서술한 경우

실력쑥쑥 실전문제   20~21쪽

01 ①	02 ⑤	03 ⑤	04 ①	05 ⑤	06 ①
07 ①	08 ②	09~11 해설 참조			

01 갈등은 문제를 새로운 관점에서 볼 기회를 제공하기도 하며, 이를 올바르게 해결하면 사회 발전의 계기가 되기도 한다.

02 갈등의 원인에는 제한된 자원, 유한한 기회, 개인 간 가치관의 차이, 집단 간 관점의 차이, 원활하지 않은 소통 등이 있다.

03 개인이나 집단 간의 가치관과 관점의 차이는 갈등의 원인이 될 수 있다. 따라서 말과 행동, 사회적 관습, 문화 등에 서로 다른 관점과 가치관을 가지면 갈등이 발생할 수 있다.

| 오답 피하기 |
① 사람이라면 누구나 갈등을 겪을 수 있다.

② 갈등은 사회 혼란으로 이어질 수도 있다.

③ 도덕성과 관련 없이 갈등은 서로 다른 요구나 성향으로 인해 해결하기 어려운 마음의 상태나 그 상황 자체를 의미한다.

④ 갈등을 근본적으로 해결하려면 그 원인을 알아야 한다.

04 제시문은 갈등 상황의 대처 방법 중 공격형에 대한 설명이다.

| 오답 피하기 |

④ 회피형은 갈등 상황에 부닥쳤을 때 갈등이 있다는 것 자체를 드러내지 않고 피하는 유형이다.

⑤ 의견 조정형은 갈등의 원인을 파악하고 서로의 의견을 조정해 갈등을 해결하려 한다.

05 갈등 대처 방법 중 공격형은 갈등 당사자 사이에서 배려와 협력의 자세를 기대하기 어려워 갈등을 공정하고 합리적으로 해결하기 어렵게 만든다.

06 갈등 자체를 부정적으로 바라보기보다는 갈등이 있다는 것을 인정하고 협력과 소통을 통해 해결하고자 노력해야한다. 이때 갈등은 더 나은 사회를 만드는 출발점이 될 수있다.

07 제시문은 평화적 갈등 해결을 위한 소통 방법을 설명하고 있다. 갈등 상황을 평화적으로 해결하는 과정은 서로를 신뢰할 수 있는 토대를 만들어 주며, 민주적인 사회로 발전하는 데 이바지한다.

08 갈등 상황에 부닥치다 보면 개인적으로 또는 자기 집단위주로 이해관계를 생각하고 감정에 몰두하기 쉽다. 이때 자기중심적 사고에서 벗어나 갈등 상황에 있는 자신을 성찰하고 평화적으로 해결할 수 있는 적절한 방법을 모색해야 한다.

09 | 예시 답안 | 평화적으로 갈등을 해결하기 위해서는 서로의 입장을 이해할 수 있는 소통과 배려가 필요하다. 또한 나와 다르더라도 상대방의 의견을 경청하는 자세도 요구된다.

| 채점 기준 |

상	갈등 해결을 위한 평화적 해결 방법을 세 가지 서술한 경우
중	갈등 해결을 위한 평화적 해결 방법을 두 가지 서술한 경우
하	갈등 해결을 위한 평화적 해결 방법을 한 가지 이하로 서술한 경우

10 | 예시 답안 | 진정한 소통을 위해서는 말이나 글 같은 언어적 의사소통 수단뿐만 아니라 상대방의 의견을 듣는 자세, 목소리, 표정, 시선, 미소, 손짓, 고개를 끄덕이는 것 등의 비언어적 의사소통 수단은 상대방의 의견을 경청한다는 것을 나타내기 때문에 매우 중요하다.

| 채점 기준 |

상	비언어적 의사소통 수단의 구체적인 예를 제시하고, 비언어적 의사소통 수단이 경청의 자세를 표현한다는 것을 서술한 경우
중	비언어적 의사소통 수단의 구체적인 예와 비언어적 의사소통 수단이 경청의 자세를 표현한다는 것 중 한 가지만 서술한 경우
하	비언어적 의사소통 수단과 중요성을 서술하지 못한 경우

11 | 예시 답안 | 사회적 자원의 배분, 권리의 침해 등과 같은 문제는 사회적 제도가 개선되어야 해결할 수 있다.

| 채점 기준 |

상	사회적 자원의 배분, 권리의 침해 문제 등 사회 제도의 개선이 요구되는 문제를 두 가지 서술한 경우
중	사회 제도의 개선이 요구되는 문제를 한 가지만 서술한 경우
하	사회 제도의 개선이 요구되는 문제를 서술하지 못한 경우

창의쑥쑥 수행평가 22~25쪽

1. 내가 알지 못했던 폭력

| 예시 답안 |

01. 친구가 다른 학교 학생에게 돈을 뺏는 상황을 목격한 적이 있다. 또 작년에는 반 친구가 학용품을 빌리고 돌려주지 않았던 경험이 있다.

02. 민정아, 안녕? 저번에 내가 너한테 이어폰을 빌리고 돌려주지 않았던 것 미안해. 너한테 빌린 이어폰이라는 것을 깜빡하고 내 마음대로 계속 썼어. 앞으로는 사용하고 바로 돌려줄게.

2. 눈감지 말아요

| 예시 답안 |

01. 갈등 상황을 바라보는 바람직한 자세를 가진 학생은 은태이다. 반 친구의 갈등 상황을 방관하지 않고 같이 고민해 해결하고자 하기 때문이다.

02. 성훈이와 준영이가 매일 싸우는 것은 서로의 의견이 잘 안맞는 것도 있지만, 두 친구 모두 장난기 많은 성격이기 때문이라고 생각한다. 두 친구가 싸우고도 금방 화해하고 즐겁게 지내는 것을 봤을 때, 두 사람은 정말 친한 것 같다. 하지만 싸우는 문제가 우리 반에서도 심각하게 받아들여지고 있다는 것을 두 친구에게 솔직하게 이야기하고, 장난을 조금 자제하도록 요청하는 것이 좋을 것 같다.

3. 평화적 갈등 해결의 중요성

| 예시 답안 |
01. 학교 행사에서 입을 반 티를 맞출 때 친구들의 의견이 하나로 모이지 않았다.
02. 반 티를 맞추는 목적은 행사에서 우리 반이 진정으로 화합하기 위한 것임을 강조한다.
03. 평화적으로 의견을 모으지 않았다면 친구들끼리 싸울 수 있으며 사이가 틀어지거나 서로에게 상처를 줄 수도 있었다. 갈등 상황에서는 갈등의 근본 원인을 파악하고 충분한 대화를 통해 평화적으로 해결해야 한다.

4. 비폭력 대화

| 예시 답안 |
01. 엄마는 조급하고 비판적인 말투로 시험 성적만을 언급하고 있으며 이에 학생은 마음과 생각의 문을 닫고 섭섭해하고 있다.
02.
엄마: 무슨 일 있었니? 네가 표정이 어두워서 걱정되는구나.
학생: 감기 기운으로 몸이 좀 안 좋아요. 아무래도 좀 쉬어야 할 것 같아요.

---

03 폭력의 문제

기초튼튼 기본문제　　　　　　28~29쪽

01 ⑤　　02 ④　　03 ②　　04 폭력의 악순환　　05 ④
06 ④　　07 ③　　08 ⑤　　09 공감　　10 ④
11~12 해설 참조

---

01 폭력은 개인 간에 발생할 수 있으며, 특정한 개인에게 집단적으로 행사되기도 한다.

02 구체적인 행위에 의한 직접적인 폭력만을 폭력으로 생각하기 쉽지만, 폭력 상황을 알고도 외면하거나 방관하는 것도 부작위에 의한 폭력에 해당한다.

| 오답 피하기 |
③ 잘못된 사회 구조나 관행 등으로 발생하는 정치적 억압, 사회적 차별, 문화적 소외 등과 같은 문제는 구조적 폭력에 해당한다.

03 폭력의 피해자는 신체적 손상 이외에도 두려움과 우울증 등의 정신적 피해를 보게 되고, 폭력의 가해자는 법적 처벌과 사회적 도덕적 비난을 받게 되어 고통을 겪는다.

| 오답 피하기 |
③ 폭력을 목격하거나 폭력에 노출된 사람도 폭력에 대한 정서적인 불안을 겪을 수 있다.

04 폭력의 악순환은 폭력이 다른 폭력을 낳는 것이다.

05 욕설, 강요, 성폭력, 금품 갈취, 비웃기 등의 언어폭력이나 따돌림, 사이버 폭력은 우리가 흔히 일상생활에서 볼 수 있는 폭력 중 하나이다. 그러나, 협상은 목적에 맞는 결정을 하고자 여럿이 의논하는 것으로 폭력이 아니다.

06 가정에서 폭력을 자주 목격한 청소년은 이것을 모방할 가능성이 크다. 또 부모가 자녀를 과잉보호하면 자녀는 자기중심적, 이기적, 의존적 성격을 지니게 되어 책임감이 약해지고 자신의 행동에 대해 결과를 예측하는 능력이 부족해져 폭력적으로 행동하기도 한다.

07 제시문은 폭력의 원인 중에서 사회·문화적 원인과 관련된 설명이다.

08 학교 폭력을 해결하기 위해서는 무엇보다 폭력을 용납하지 않는 분위기 조성이 필요하다. 갈등을 평화적으로 해결하려는 자세를 가지고 따돌림을 당하는 학생의 친구가 되어 주는 등의 다양한 노력이 필요하다.

09 상대방 입장에 공감하고 폭력 상황을 예측하는 능력을 기르는 것은 폭력을 예방하는 노력이다. 자신의 주장만을 내세우기보다는 상대방이 분노를 조절할 수 있도록 이야기를 경청하고 공감하는 자세가 필요하다.

10 갈등이 생겼을 때 상대방의 잘못을 지적하거나 논리적으로 따지면 갈등은 더욱 커질 수밖에 없다. 따라서 갈등 상황에 있는 상대방이 분노를 조절할 수 있도록 이야기를 경청하고 공감하는 것이 필요하다. 또한, 자신의 행동에 따르는 결과를 예측하는 것도 폭력을 예방하는 데 효과적이다.

11 | 예시 답안 | 폭력은 비도덕적 행위라는 점에서 가장 큰 문제가 있다. 폭력은 인간의 자유의사와 의지를 침해하고 희생을 강요하며 평화롭게 살아갈 권리를 빼앗는다. 좋은 목적을 위해 어쩔 수 없이 행사하는 폭력이라도 사람들에게 두려움을 주고 인간의 존엄성을 훼손하므로 어떠한 폭력도 도덕적으로 정당화될 수 없다.

| 채점 기준 |

상	폭력이 도덕적으로 정당화될 수 없다는 것을 구체적으로 서술한 경우
중	폭력이 도덕적으로 정당화될 수 없다는 것을 추상적으로 서술한 경우
하	폭력이 도덕적으로 정당화될 수 없다는 것을 서술하지 못한 경우

12 **| 예시 답안 |** A 학생은 폭력 상황을 보고도 못 본 척 지나가고 있다. 폭력 상황을 목격하였을 때 '나도 피해자가 될 수 있다.'라는 생각으로 방관하지 말아야 한다. 폭력 사실을 알리지 않고 묵인하거나 방관하는 것도 폭력이며 피해를 더 심각하게 할 수 있다. 주변 어른에게 말하고 관련 기관에 신고해 도움을 주어야 한다.

| 채점 기준 |

상	폭력 상황을 묵인하거나 방관하는 것이 잘못되었음을 지적하고 신고 등의 구체적 방법을 서술한 경우
중	폭력 상황을 묵인하거나 방관하는 것이 잘못되었음을 지적하고 추상적이지만 대처 방법을 서술한 경우
하	폭력 상황을 묵인하는 것의 문제점을 서술하지 못한 경우

실력쑥쑥 실전문제   30~31쪽

01 ③   02 ④   03 ⑤   04 금품 갈취   05 ①
06 ⑤   07 ④   08~10 해설 참조

---

01 폭력에는 신체에 직접적인 힘을 가하는 물리적인 폭력, 잘못된 사회 구조나 관행 등으로 발생하는 구조적 폭력, 폭력 상황을 알고도 외면하거나 방관하는 부작위에 의한 폭력이 있다.

02 개인의 희생으로 인한 사회 발전은 폭력의 해악과 관련이 없다.

03 제시문은 정보화 시대의 도덕 문제 중 사이버 상에서 일어나는 사이버 폭력에 대한 설명이다.

| 오답 피하기 |
① 강요는 강제로 심부름을 시키는 경우 등에 해당하는 폭력이다.
② 성폭력은 신체 접촉이나 성적 언어를 통해 성적인 굴욕감과 수치심을 느끼게 하는 행위이다.
③ 언어폭력은 욕설, 협박, 비웃기 등 언어로 상대방을 공격하는 것이다.
④ 금품 갈취는 돈을 요구하거나 물건을 빌리고 돌려주지 않는 행위 등에 해당하는 폭력이다.

04 제시문은 일상생활의 폭력 중에서 금품 갈취에 대한 설명이다.

05 자기중심적인 생각과 충동적이고 공격적인 사고방식은 폭력의 개인적인 원인에 해당한다. 부모의 가정 폭력은 폭력의 가정 환경적인 원인이며 대중 매체로 접하는 폭력성이

나 경쟁 문화는 폭력의 사회·문화적인 원인이다.

06 성만, 예진, 진호의 설명이 바르다. 폭력은 그대로 내버려 두면 시간이 지날수록 확대되어 피해자와 함께 가해자에게 치명적인 결과를 가져온다. 따라서 주변 사람에게 빠른 시간 내에 도움을 요청하는 것이 바람직하다. 또 폭력은 발생하기 전에 예방하는 것이 중요하지만 이미 발생했을 때에는 적절하게 대처하는 것도 필요하다.

07 학교에서는 학생들에게 다양한 예방 교육과 인성 교육을 적극적으로 시행해야 하며 학생들의 요구 및 필요에 따라 다양하고 실질적인 교육도 시행해야 한다.

08 **| 예시 답안 |** 폭력은 개인뿐 아니라 사회에도 악영향을 끼친다. 폭력의 피해자는 신체적 손상 이외에 두려움과 우울 등의 정신적 피해를 입게 되고 폭력의 가해자 역시 법적 처벌 이외에 사회적·도덕적 비난을 받게 되어 고통을 겪는다. 또한, 폭력을 목격하거나 폭력에 노출된 사람도 폭력에 대한 정서적 불안을 겪게 된다. 그리고 폭력의 악순환으로 사회에 무질서나 혼란이 발생할 수도 있다.

| 채점 기준 |

상	폭력의 개인적·사회적 해악을 구체적으로 구분하여 서술한 경우
중	폭력의 개인적·사회적 해악을 추상적으로 구분하여 서술한 경우
하	폭력의 개인적·사회적 해악을 추상적으로 서술한 경우

09 **| 예시 답안 |** 가정 내에서 폭력을 자주 목격한 청소년은 이것을 모방할 가능성이 매우 크다. 또한, 부모가 자녀를 과잉보호하면 자기중심적, 이기적, 의존적인 성격을 지니게 되어 책임감이 약해지고 자신의 행동에 대해 결과를 예측하는 능력이 부족해져 폭력적으로 행동하기도 한다.

| 채점 기준 |

상	폭력의 가정 환경적 원인을 구체적으로 서술한 경우
중	폭력의 가정 환경적 원인을 추상적으로 서술한 경우
하	폭력의 가정 환경적 원인이 아닌 다른 원인을 서술한 경우

10 **| 예시 답안 |** 학교 폭력을 해결하기 위해서는 무엇보다 폭력을 용납하지 않는 분위기 조성이 필요하다. 따돌림을 당하는 학생에게 먼저 다가가 말을 거는 등 적극적이고 다양한 노력이 필요하다.

| 채점 기준 |

상	따돌림에 대처하는 올바른 자세를 구체적으로 서술한 경우
중	따돌림에 대처하는 자세를 추상적으로 서술한 경우
하	제시된 그림의 상황과 관계없는 내용을 서술한 경우

1. 신고의 필요성

| 예시 답안 |

01. 처음에는 어느 정도 시간이 지나면 해결될 것이라 생각했어. 하지만 시간이 지나도 상황은 변하지 않았어. 누군가 나를 도와주길 기다려 보기도 했지만 아무도 내 상황을 모르는 것 같았어. 아침마다 학교에 가는 것이 두려웠고, 학교에 있는 동안은 빨리 집에 가기 만을 기다리면서 초등학교 6학년을 보냈었어. 지금 생각해 보니 나를 괴롭히는 친구의 말을 단호하게 거절하지는 못하더라도 선생님이나 부모님께 말씀드렸다면 그렇게 긴 시간 동안 고생하지 않았을 것 같아. 그때는 누군가에게 이야기하는 것이 비겁하거나 나쁜 행동이라고 생각했는데……. 내가 조금 빨리 용기를 낼 걸 그랬어. 신고는 나쁜 것이 아니야.

2. 폭력의 원인 찾기

| 예시 답안 |

01. 내 동생 철수는 자기 마음에 들지 않는 일이 생기면 물건을 던지곤 한다. 시험을 망치거나 부모님께 혼나고 나면 방문을 쿵 닫고 들어와 내 물건을 침대에 집어 던진다. 처음에는 휴지나 펜과 같은 것을 던졌는데, 요즘은 가방이나 책도 던진다.

02. 철수는 감정을 조절하지 못해 충동적으로 행동하고 있다. 평소에 즐겨 보는 영화에서 물건을 던지거나 폭력적인 장면들을 자꾸 보다 보니 폭력성에 무감각해지고, 잦은 시험 등 지나친 경쟁으로 스트레스를 받아 폭력성이 높아진 것 같다.

3. 폭력 예방하기

| 예시 답안 |

개인적 차원		• 분노를 조절하려는 노력이 필요하다. • 공감과 예측 능력을 길러야 한다. • 폭력 예방과 관련된 다양한 프로그램에 참여한다.
사회적 차원	학교	• 학생들에게 다양한 학교 폭력 예방 교육과 인성 교육을 시행한다. • 학생들의 요구와 필요를 반영한 다양하고 실질적인 교육을 한다.
	가정	• 부모는 대화를 통해 문제를 해결하는 모범을 보인다. • 학교와 유기적으로 연계해 학교 폭력을 예방한다.
	사회·제도	• 대화와 타협의 풍토가 자리 잡을 수 있는 분위기를 조성한다. • 폭력 예방과 관련된 광고를 한다.

4. 판결문 적어 보기

| 예시 답안 |

01. 내 앞자리에 앉은 현우는 선생님께서 칠판에 필기 내용을 적어 주실 때마다 뒤로 돌아 나에게 손가락으로 욕을 한다. 때리거나 돈을 뺏는 것은 아니지만 정말 기분이 나빠진다. 하교 후에도 욕이 가득한 문자와 그림을 계속 보낸다.

02. 물리적인 폭력 행위는 없다고 하더라도, 친구 기분을 상하게 하며 적지 않은 기간 동안 욕설을 한 행동은 매우 나쁜 행위이다. 가해 학생 최현우는 피해 학생 이재석에게 사과하는 사과문을 작성하여 전달하고 공개적인 사과를 하도록 한다. 더불어 봉사 활동 10일과 인성 교실 5일을 실시하도록 한다.

자신만만 적중문제　　　　　38~43쪽

01 ③	02 ①	03 ③	04 ④	05 ③	06 ②
07 ⑤	08 ④	09 ①	10 ④	11 ④	12 ⑤
13 ③	14 ①	15 ②	16 ③	17 ④	18 ⑤
19 ③	20 ⑤	21 ⑤	22~27 해설 참조		

01 정보화 시대에는 컴퓨터나 다중 매체, 통신 수단 등의 발달로 정보의 대량 생산, 유통, 소비 등이 더욱 빠른 속도로 이루어졌으며 사이버 공간이 등장하면서 공간의 제약도 없어졌다.

02 정보·통신 매체와 기술의 발달로 우리 생활은 편리해졌지만 새로운 도덕 문제를 겪게 되었다. 정보화 시대의 도덕 문제는 자신, 타인, 사회에 피해를 준다.

03 사이버 공간에서 자기 자신의 정체를 드러내지 않고 활동할 수 있는 특성은 익명성이다.

| 오답 피하기 |

⑤ 비대면성은 사이버 공간에서 상대방과 얼굴을 맞대지 않고 의사소통할 수 있는 특성이다.

04 정보화 시대에 요구되는 도덕적 원칙 중 정의의 원칙은 타인의 기본적 자유와 권리를 침해하지 않아야 하며 자신이 제공하는 정보의 객관성을 추구하는 것이다.

05 조화로운 인간관계를 유지하며 정보·통신 매체를 건강하게 사용하기 위해서는 필요한 용도에 맞게 적절한 시간 동안만 사용하는 절제의 자세가 필요하다.

06 정보·통신 매체는 시간과 장소를 분명하게 정해두고 필요한 경우에만 사용해야 한다. 또 정보·통신 매체에 몰두

하기보다는 소중한 사람들과의 관계를 먼저 생각하는 존중의 마음을 가지고 소통해야 한다.

07 정보·통신 매체를 올바르게 사용하면 사람들과의 소통을 원활하게 하고 인간관계를 더욱 풍요롭고 아름답게 할 수 있다. 하지만 무분별하게 사용하면 사람들에게 피해와 고통을 줄 수도 있다. 따라서 정보·통신 매체를 사용할 때에는 필요한 만큼만 적절한 시간 동안 사용하는 절제의 자세가 필요하다.

08 갈등에 대해 바르게 설명한 사람은 수진, 동희, 연주이다.

| 오답 피하기 |
석환의 설명에서 개인이 자기가 가진 여러 욕구나 목표로 인해 선택의 어려움을 겪는 상태를 내적 갈등이라고 한다. 갈등의 유형은 한 가지일 수도 있지만, 복합적으로 나타날 수도 있다.

09 갈등의 유형에는 내적 갈등과 외적 갈등이 있으며, 외적 갈등에는 개인 간 갈등, 집단 내 갈등, 집단 간 갈등이 있다.

10 소통이 원활하지 않아 개인이나 집단 사이에서 의견이 제대로 전달되지 않거나 왜곡되면 오해가 생겨 갈등이 발생할 수 있다.

11 갈등 상황을 회피하기보다는 갈등의 근본 원인을 찾고 대화와 타협을 통해 의견을 조정해야 한다.

| 오답 피하기 |
① 갈등 자체를 부정적으로 바라보기보다는 갈등이 있다는 것을 인정하고 협력과 소통을 통해 해결하고자 할 때 갈등은 더 나은 사회를 만들기 위한 출발점이 될 수 있다.

12 상대방을 무시하거나 이겨야 한다는 마음가짐은 갈등을 심화시킬 수 있다.

13 갈등 해결의 세 단계 중 두 번째 단계는 갈등 상황에서 잠시 멈추고 자신을 성찰하는 것이다. 이때 자기중심적인 사고에서 벗어나 자신을 성찰하고 평화적으로 갈등을 해결할 수 있는 적절한 방법을 모색한다.

14 갈등을 해결하기 위해서는 상대방 의견에 경청하는 자세를 가지고 언어적 수단과 비언어적 수단을 활용해 의사소통해야 한다.

15 폭력은 신체·정신·재산상의 피해를 수반하는 모든 행위로 다른 사람에게 피해를 주는 직간접적인 모든 공격적 행위를 말한다.

16 폭력에는 신체에 직접적인 힘을 가하는 물리적 폭력과 잘못된 사회 구조나 관행 등으로 발생하는 정치적 억압, 사회적 차별, 문화적 소외 등과 같은 구조적 폭력이 있다.

| 오답 피하기 |
부작위에 의한 폭력이란, 폭력 상황을 알고도 이것을 외면하거나 방관하는 것이다.

17 폭력은 무엇보다 그것이 비도덕적 행위라는 점에서 가장 큰 문제가 있다. 따라서 어떠한 폭력도 정당화될 수 없다.

18 강요, 금품 갈취, 언어폭력, 사이버 폭력, 신체 폭력, 성폭력 등은 일상생활의 폭력에 해당한다.

19 폭력은 발생하기 전에 예방하는 것이 무엇보다 중요하지만, 이미 폭력이 발생했을 때에는 상황에 적절하게 대처해야 한다.

20 가정 내에서 발생하는 폭력을 자주 목격한 청소년은 이것을 모방할 가능성이 크다.

21 폭력을 예방하기 위해서는 자신의 분노를 조절하고자 노력하기, 상대방의 상황에 공감하기, 행동 결과를 예측하는 능력 키우기, 상대방 이야기에 경청하기, 폭력 예방 프로그램에 참여하기, 학교와 가정에서 폭력 예방에 노력하기, 사회·제도적 차원의 노력 등이 필요하다.

| 오답 피하기 |
ㄹ. 위협적인 태도나 상대방의 잘못을 지적하고 논리적으로 따지는 것은 갈등을 더욱 커지게 한다.

22 **| 예시 답안 |** 사이버 공간이 등장하면서 더욱 다양한 인간관계를 맺는 것이 가능해졌으며, 삶의 방식이 다양하게 변화했다. 공간의 제약이 없어지면서 멀리 떨어진 사람과도 소통하고 정보를 주고받으며 상품도 사고팔 수 있게 되었다.

| 채점 기준 |

상	사이버 공간으로 인해 변화된 사회의 모습을 구체적으로 서술한 경우
중	사이버 공간으로 인해 변화된 사회의 모습을 추상적으로 서술한 경우
하	사이버 공간으로 인해 변화된 사회의 모습을 서술하지 못한 경우

23 **| 예시 답안 |** 사이버 공간은 익명성, 개방성, 공유성, 비대면성의 특성이 있다. 자기 자신의 정체를 드러내지 않고 활동할 수 있는 것은 익명성, 누구에게나 개방되는 것은 개방성, 정보를 공유하는 것은 공유성, 얼굴을 맞대지 않고 의사소통을 할 수 있는 것은 비대면성이다.

| 채점 기준 |

상	사이버 공간의 특성과 의미를 모두 서술한 경우
중	사이버 공간의 특성과 의미 중 하나만 서술한 경우
하	사이버 공간의 특성과 의미를 모두 서술하지 못한 경우

24 | 예시 답안 | 정보화 시대에 지켜야 하는 원칙은 자신이 존중받기를 원하는 만큼 타인을 존중하는 존중의 원칙, 결과에 대한 책임을 지는 책임의 원칙, 정의를 지키려는 정의의 원칙, 타인에게 피해를 주지 않는 해악 금지의 원칙이 있다.

| 채점 기준 |

상	정보화 시대의 도덕적 원칙을 세 가지 이상 서술한 경우
중	정보화 시대의 도덕적 원칙을 두 가지 서술한 경우
하	정보화 시대의 도덕적 원칙을 한 가지만 서술한 경우

25 | 예시 답안 | 평화적 갈등 해결을 위한 첫 단계는 갈등 상황을 편견이나 선입견 없이 객관적으로 바라보는 것으로 상황의 구체적 사실과 맥락을 고려해 갈등의 원인을 찾는 것이다. 두 번째 단계는 성찰로, 자기중심적 사고를 벗어나 갈등 상황에 있는 자신을 성찰하고 해결 방법을 모색하는 것이다. 세 번째 단계는 이전 단계에서 찾았던 방법 중 가장 적절한 방법을 선택해 갈등을 해결하는 것이다.

| 채점 기준 |

상	평화적 갈등 해결을 위한 세 단계를 구체적으로 서술한 경우
중	평화적 갈등 해결을 위한 세 단계를 추상적으로 서술한 경우
하	평화적 갈등 해결을 위한 세 단계를 서술하지 못한 경우

26 | 예시 답안 | 구조적 폭력은 잘못된 사회 구조나 관행 등으로 발생하는 폭력으로 정치적 억압, 사회적 차별, 문화적 소외 등이 있다.

| 채점 기준 |

상	구조적 폭력의 의미와 예를 모두 서술한 경우
중	구조적 폭력의 의미와 예 중 한 가지만을 서술한 경우
하	구조적 폭력의 의미와 예를 모두 서술하지 못한 경우

27 | 예시 답안 | 가정 내에서 발생하는 폭력을 자주 목격한 청소년은 이것을 모방할 가능성이 크다. 또한, 부모가 자녀를 과잉보호하면 자기중심적, 이기적, 의존적 성격을 지니게 되어 책임감이 약해지고 자신의 행동에 대해 결과를 예측하는 능력이 부족해져 폭력적으로 행동하기도 한다.

| 채점 기준 |

상	폭력의 가정 환경적인 원인을 구체적으로 서술한 경우
중	폭력의 가정 환경적인 원인을 추상적으로 서술한 경우
하	폭력의 가정 환경적인 원인을 전혀 서술하지 못한 경우

Ⅱ 사회 · 공동체와의 관계

01 도덕적 시민

기초튼튼 기본문제 48~49쪽

01 ①	02 ③	03 ⑤	04 복지	05 ③	06 ①
07 ②	08 ②	09 ③	10 ⑤	11~12 해설 참조	

01 국가를 이루는 주관적 요소는 국민의 소속감과 자부심이다. 국민, 영토는 국가를 이루는 객관적 요소이다.

02 개인의 권리를 우선시하면 국가 구성원의 책임감과 의무를 소홀히 하거나 다른 사람의 권리를 침해할 수 있다. 한편 공동체의 의무를 소홀히 하면 개인의 자유와 권리를 위축시킬 수 있다.

03 청소년에게 유해한 물건을 팔지 않는 것은 법을 지키는 준법 행위에 해당한다.

| 오답 피하기 |
④ 시민 불복종 운동은 불의한 법에 대한 불복종이므로 정의롭지만, 준법 사례는 아니다.

04 보편적 가치란 언제 어디서나 모든 사람에게 중요하다고 인정되는 것으로 자유, 인권, 평화, 평등, 공정, 복지가 있다. 그중에서 복지는 모든 사람이 최소한의 인간다운 삶을 살 수 있도록 보장하는 것이다

05 플라톤은 국가가 정의를 방향키로 삼아 움직여야 한다고 생각했다. 북극성은 고대 그리스에서 항해할 때 나침판 역할을 했으므로 제시문에서는 국가가 나아가야 할 방향을 의미한다.

06 사회적 합의에 따른 준법과 우리 영토를 수호하기 위해 노력하는 것은 바람직한 애국심에 해당한다.

| 오답 피하기 |
ㄷ. 다수가 찬성하는 것이 항상 도덕적으로 옳은 것은 아니다.
ㄹ. 국가의 명령이 정의로운 것인지 따져 보아야 한다.

07 제시문에 나타난 법은 평등이라는 보편적 가치에 어긋나므로 시민 불복종을 통해 거부할 수 있다.

08 공동체를 우선시하면 시민의 책임과 의무가 강조되는 한편 개인을 우선시하면 개인의 자유와 권리가 강조되고 개인의 선이나 사익을 더 중요시하게 된다.

09 국가는 정의에 기반을 둔 법치를 해야 하며 시민은 그 법을 준수해야 한다.

ㄱ. 올바른 법을 지키는 것은 준법이다.

ㄹ. 현명하고 정의로운 통치자이더라도 법을 원칙으로 삼아야 한다.

10 제도를 개선하고 지속적으로 사회에 참여하는 것이 사회의 타락을 막는 방법이다.

11 | 예시 답안 | 법을 지키지 않으면 다른 사람이 피해를 입을 수 있기 때문에 타인에게 피해를 주지 않고 공익을 증진시키기 위해서는 법을 지켜야 한다.

| 채점 기준 |

상	준법이 필요한 이유를 두 가지 이유를 모두 서술한 경우
중	준법이 필요한 이유를 하나만 서술한 경우
하	준법이 필요한 이유를 설명하지 못한 경우

12 | 예시 답안 | 맹목적이거나 배타적인 애국심은 개인의 도덕적 판단을 마비시키고 다른 나라와 민족의 존엄성을 훼손할 수 있다는 문제점이 있다.

| 채점 기준 |

상	맹목적, 배타적 애국심의 문제점을 구체적으로 서술한 경우
중	맹목적, 배타적 애국심의 문제점을 추상적으로 서술한 경우
하	맹목적, 배타적 애국심의 문제점을 서술하지 못한 경우

실력쑥쑥 실전문제

50~51쪽

01 ③ 02 ② 03 ③ 04 공동선 05 ②
06 ⑤ 07 ④ 08 ④ 09~11 해설 참조

01 정의로운 국가가 추구하는 보편적 가치에는 자유, 평등, 인권, 공정, 평화, 복지가 있다.

| 오답 피하기 |

ㄴ. 자유는 타인에게 피해를 주지 않는 한 자기 뜻대로 삶을 설계하고 추구할 수 있는 것을 뜻한다.

ㄷ. 평등은 정당한 이유 없이 다른 대우를 받지 않고 누구에게나 균등한 기회가 주어지는 것이다.

02 국가를 구성하는 객관적 요소로는 국민, 주권, 영토가 있으며 주관적 요소로는 국민의 소속감과 자부심이 있다.

03 제시문은 모든 사람에게 공평하게 적용되는 법치의 중요성을 이야기하고 있다.

04 공동선은 국가, 사회, 인류를 위한 선이다.

05 제시문에서 정치는 백성의 신뢰를 바탕으로 할 것을 강조하고 있지만, 애국심은 언급하지 않았다. 배타적인 애국심은 다른 나라의 존엄성을 훼손하고 세계 평화를 위협할 수 있으므로 바람직하지 않다.

| 오답 피하기 |

③ 국민의 신뢰는 국가 구성의 주관적 요소에 해당한다.

06 시민 불복종의 조건은 목적의 정당성, 처벌의 감수, 비폭력성, 최후의 수단이다. 이때 목적은 개인의 사적 이익이 아닌 공익에 부합하는 정당성을 가져야 한다.

07 바람직한 애국심이란 자신의 국가를 사랑하고 국가에 헌신하려는 마음이다. 애국심의 실천은 국토에 관심 가지기, 역사를 기억하기, 보편적 가치를 존중하며 바람직한 시민의 역할을 다하기 등에서부터 출발한다.

| 오답 피하기 |

ㄷ. 다른 민족에 대한 우월감이나 배타적인 자세는 바람직한 애국심으로 볼 수 없다.

08 제시문에서는 국가의 법에 복종하는 이유를 '이익'이라고 생각했으므로 자신의 이익이 되지 않을 때에는 법을 지키지 않을 가능성이 있다.

09 | 예시 답안 | 건물 주인들은 개인의 이익을 위해 시민 불복종 운동을 전개하고 있으므로 불복종 이유가 공동선에 부합해야 한다는 목적의 정당성 조건에 해당하지 않는다.

| 채점 기준 |

상	시민 불복종이 될 수 없는 이유를 조건과 함께 서술한 경우
중	시민 불복종이 될 수 없는 이유와 조건 중 하나만을 서술한 경우
하	시민 불복종이 될 수 없는 이유와 조건을 서술하지 못한 경우

10 | 예시 답안 | 오른쪽 사람이 올바른 준법정신을 가졌다고 생각한다. 왼쪽 그림의 사람은 처벌이 무서워서 법규를 지키고 있다면 오른쪽 그림의 사람은 공익을 생각하고 타인을 배려하는 마음으로 법을 지키고 있기 때문이다.

| 채점 기준 |

상	올바른 준법정신을 가진 사람과 그 이유를 모두 서술한 경우
중	올바른 준법정신을 가진 사람과 그 이유 중 하나만 서술한 경우
하	올바른 준법정신을 가진 사람과 그 이유를 모두 서술하지 못한 경우

11 | 예시 답안 | 도덕과 법은 올바른 사회를 유지하는 규범적 성격이 있다는 공통점이 있으나, 법은 도덕에 비해 강제성이 크다.

상	법과 도덕의 공통점과 차이점을 모두 서술한 경우
중	법과 도덕의 공통점과 차이점 중 하나만 서술한 경우
하	법과 도덕의 공통점과 차이점을 하나도 서술하지 못한 경우

창의쑥쑥 수행평가   52~55쪽

1. 정의로운 국가와 보편적 가치

| 예시 답안 |

01.
- 사례: 엘리베이터가 없어 다리가 불편한 장애인 친구들은 건물 5층에 있는 구립 독서실을 이용할 수 없다.
- 추구해야 할 가치: 복지, 평등
- 해결 방법: 독서실을 1층으로 옮기거나, 엘리베이터를 설치해 장애인 친구들도 편하게 이용할 수 있도록 해야 한다.

02.
- 사례: 기업이 학연, 지연, 혈연을 중심으로 사람을 선발해 능력 있는 인재들이 소외되고 있다.
- 추구해야 할 가치: 공정, 정의
- 해결 방법: 필기시험과 면접 과정 및 결과를 투명하게 공개하며 기준에 따르지 않고 자의적인 선발을 한 경우에는 법적으로 책임지도록 한다.

2. 양심적 병역 거부

| 예시 답안 |

01.
- 판결: 양심적 병역 거부는 합법입니다.
- 근거: 첫째, 타인을 무력으로 굴복시키는 행위는 인간의 존엄성을 침해하는 행위이므로 개인의 양심에 따라 무력 사용을 거부하는 행위는 정당합니다. 둘째, 양심적 병역 거부를 주장하는 사람들은 군 복무 의무에 무임승차를 하는 것이 아니라 대체 복무를 통해 국가에 봉사할 의향이 있습니다. 복무 기간을 3년 이상으로 길게 책정한다면 이 제도를 이용해 병역을 피하려는 사람을 줄일 수 있습니다.

3. 시민 불복종 운동

| 예시 답안 |

01.
- 목적의 정당성이 없다면?
  개인의 사익과 정당하지 않은 요구를 위해 국가의 법을 어긴다면 그 자체로 정의롭지 않은 행동이므로 단순한 위법 행위에 해당한다.

- 처벌의 감수를 고려하지 않는다면?
  불복종 운동은 정의롭지 않은 법 조항을 어기더라도 인간의 기본적 권리를 지켜야 한다는 정신으로 법의 테두리 밖에서 이루어지는 불법적인 방법을 사용한다. 그렇기 때문에 상황에 따라 처벌을 받을 수도 있다.
- 비폭력적인 방법이 아니라면?
  시민 불복종은 정의를 위해 부정의한 법을 거부하는 것이다. 만약 정의를 위해서 타인에게 불필요한 폭력을 가해 피해를 주거나 나아가 생명을 위태롭게 만든다면 인간의 기본적인 권리를 침해하는 행위가 될 것이다.
- 최후의 수단이 아니라면?
  법의 테두리 내에서 개혁의 방법이 충분히 있음에도 불복종을 일차적인 수단으로 사용한다면 법의 위상이 떨어질 수 있으며 사회적인 혼란을 일으킬 수 있다. 따라서 시민 불복종은 최후의 수단으로 고려해야 한다.

4. 공익과 사익의 조화

| 예시 답안 |

01.
- 사례
  그린벨트는 도시의 지나친 확장을 억제하고 지역 환경을 보호하기 위해 도시 주변의 일정 지역에 대한 개발을 제한하는 정책이다. 일반적으로 개인이 사유지로 가지고 있는 땅은 스스로 개발할 수 있는 권리가 개인에게 있지만, 그린벨트의 지역은 공익을 위해 개발이 제한되므로 개인의 사익이 제한되고 있다.
- 공익과 사익을 조화시키는 방법
  그린벨트는 공익을 위해서 필요하므로 완전히 폐지할 수는 없을 것이다. 그린벨트 지역에 개발이 필요하다면 국가는 환경을 훼손하지 않는 친환경적인 개발을 할 수 있도록 유도해야 한다. 친환경적인 개발이 일반 개발 방식보다 더 비용이 많이 드는 경우 국가가 일부를 지원해 주는 정책도 고려할 수 있다.

02   사회 정의

기초튼튼   기본문제   58~59쪽

01 ⑤	02 자본주의	03 ①	04 ②	05 ③
06 ①	07 ③	08 ⑤	09 ③	10 ④
11~12 해설 참조				

01 개인의 노력만으로는 불공정한 사회 규칙을 바로잡기 어렵다.

02 자본주의 사회는 노력과 경쟁이 분배에 영향을 크게 미치며 태어날 때부터 신분이 정해졌던 과거의 신분 사회보다 정의롭다. 그러나 개인의 노력과 능력으로만 설명할 수 없는 불평등한 부분이 사회에 있으므로 완벽한 제도는 아니다.

03 이익을 보면 옳음을 생각하라는 뜻의 사자성어는 견리사의(見利思義)이다.

| 오답 피하기 |
② 괄목상대란 다른 사람의 학식이나 재주가 놀랄 만큼 나아졌을 때 쓰는 사자성어이다.
③ 사필귀정이란 처음에는 잘못되어 보였던 일도 결국에는 반드시 옳은 이치대로 돌아간다는 뜻이다.
④ 지록위마란 거짓말로 윗사람을 농락해 권세를 마음대로 휘두른다는 뜻이다.
⑤ 타산지석이란 다른 사람의 사소한 언행이나 실수가 나에게 큰 교훈이 될 수 있다는 뜻이다.

04 개인이 청렴 의식을 가지는 것은 개인적인 차원의 부패 방지 노력이다. 나머지 선택지는 모두 사회적 차원의 노력이다.

05 제시문에는 경쟁의 긍정적·부정적 측면이 모두 나타나 있으며, 공정한 경쟁을 통해 서로를 신뢰하면서 발전하는 것이 중요함을 알 수 있다.

| 오답 피하기 |
⑤ 자극을 받아 열심히 노력하는 것은 경쟁의 긍정적 효과 중 하나이다.

06 정의의 여신 디케의 가린 눈은 누구에게나 공평하다는 것을 뜻하며 저울은 공정한 기준, 칼은 정의를 위반한 사람에 대한 엄중한 처벌을 뜻한다.

07 경쟁에 뒤처져도 최소한 인간다운 삶을 누릴 수 있도록 해야 하므로 제한을 제한할 필요가 있다.

08 부패의 원인 중 사회적 측면에는 비합리적 관행, 불합리한 사회 구조, 혈연, 지연, 학연 등이 있다.

| 오답 피하기 |
자제력이 부족한 태도와 이기적인 마음은 개인적 측면의 원인에 해당한다.

09 모든 사람에게 똑같이 분배하는 것은 평등, 가장 필요로 하는 사람에게 분배하는 것은 필요, 업적의 비율을 객관적으로 수량화하는 것은 공적에 따른 분배이다.

10 제시문은 사회 정의를 실현했으나 오히려 불이익을 받은 사례이다. 정의로운 사회를 위해서는 신고자를 배신자로 낙인찍는 사회 분위기를 개선하고 법적으로 보호하는 제도

가 실질적으로 정착되어야 한다.

11 **| 예시 답안 |** 계급 제도나 인종 차별은 출생이라는 우연적 요소에 의해 소득이나 지위가 결정되기 때문이다.

| 채점 기준 |

상	두 제도가 정의롭지 않은 이유를 정확하게 서술한 경우
중	두 제도가 정의롭지 않은 이유를 추상적으로 서술한 경우
하	두 제도가 정의롭지 않은 이유를 서술하지 못한 경우

12 **| 예시 답안 |** 부패는 타인의 권리와 이익을 침해하며 사회 구성원 사이의 신뢰를 깨트려 사회 통합을 가로막는다.

| 채점 기준 |

상	부패의 문제점을 두 가지 모두 서술한 경우
중	부패의 문제점 중 한 가지만 서술한 경우
하	부패의 문제점을 한 가지도 서술하지 못한 경우

실력쑥쑥 실전문제   60~61쪽

01 ③	02 ③	03 지연	04 ④	05 ④	06 ②
07 ⑤	08~10 해설 참조				

01 제시문은 '각자에게 정당한 몫'을 주는 분배 정의의 측면을 언급하고 있다.

02 부패란 뇌물이나 친분, 권력 등 공정하지 못한 방법을 통해 자신의 이익을 추구하는 행위이다. 부패는 타인의 권리와 이익을 침해하고 사회 구성원 사이의 믿음을 깨뜨려 사회 통합과 발전을 가로막는다. 부패로 인해 생겨나는 무질서와 혼란의 피해는 개인과 사회에 돌아갈 수 있다.

03 지연은 출신 지역에 따른 인연을 뜻한다. 이와 유사한 단어로는 같은 핏줄로 연결된 인연인 혈연과 출신 학교에 따른 인연인 학연이 있다. 이는 모두 부정부패의 예이다.

04 구성원이 공동체에 이바지한 가치에 따라 분배하는 공적에 따른 분배는 평등한 권리의 보장을 침해할 수 있다.

05 개인별 차이를 고려하여 조정해 주는 것은 실질적 평등을 고려한 공정한 경쟁이다.

| 오답 피하기 |
⑤ 경쟁 결과가 정당하려면 부정행위를 저지른 사람은 보상에서 제외되어야 한다.

06 경쟁 과정의 공정성은 모든 사람에게 공정한 기회를 주

고 경쟁에 참여한 사람들 간의 차이를 인정하고 조정하는 것이다. 한편 경쟁 결과의 공정성은 부정한 수단을 사용한 경우 보상하지 않고 경쟁 결과에 관계없이 모두가 최소한의 인간다운 삶을 살 수 있도록 보장하는 것이다.

07 모든 사람에게 똑같이 기회를 준다고 해서 공정한 경쟁은 아니다. 경쟁에 참여하는 사람들 간의 차이를 인정하고 조정해야 한다. 스포츠에서는 연령, 체급, 장애 유무 등에 따라 출전 자격을 구별하여 공정한 경기를 진행하고 있다.

| 오답 피하기 |
① 다른 사람보다 불리한 위치에 있는 사회적 약자를 배려해야 한다.
④ 공정한 경쟁을 하기 위해서는 경쟁의 규칙을 사회적 합의를 통해 공정하게 만들어야 하며, 모든 사람이 차별받지 않고 누구든지 경쟁에 참여할 기회를 주어야 한다. 따라서, 나이에 제한을 두고 출전을 금지하는 것은 공정한 경쟁을 위한 방법으로 적절하지 않다.

08 | 예시 답안 | 혈연 관계를 바탕으로 발생한 부패이고, 사촌 동생은 친척인 미소의 능력으로 입상했기 때문에 공정한 경쟁 과정을 거쳤다고 볼 수 없다.

| 채점 기준 |

상	부패와 공정한 경쟁 두 측면의 문제점을 모두 서술한 경우
중	부패와 공정한 경쟁 두 측면의 문제점 중 하나만 서술한 경우
하	부패와 공정한 경쟁 두 측면의 문제점을 모두 서술하지 못한 경우

09 | 예시 답안 | 자신도 친구와 같은 양의 물건을 받아야 한다고 생각하므로 아이들의 정의관은 평등에 따른 정의관이다. 이러한 정의관은 개인 능력의 차이를 고려하지 못한다는 단점이 있다.

| 채점 기준 |

상	정의관과 그 단점을 모두 서술한 경우
중	정의관과 그 단점 중 하나만을 서술한 경우
하	정의관과 그 단점을 모두 서술하지 못한 경우

10 | 예시 답안 | 사회 정의의 목표는 불공평한 사회 규칙이나 제도를 개선해 사회 구성원 전체의 도덕적 삶을 실현하는 것이며, 그것을 실현하기 위해서는 사회적 약자를 배려하고 역차별을 방지해야 한다.

| 채점 기준 |

상	사회 정의의 목표와 달성 방안을 모두 서술한 경우
중	사회 정의의 목표와 달성 방안 중 하나만을 서술한 경우
하	사회 정의의 목표와 달성 방안을 모두 서술하지 못한 경우

1. 부패의 원인과 해결 방법

| 예시 답안 |

01.
- 부패 문제: 방위 산업체 비리
- 부패 원인: 군대의 상명하복 문화로 상관의 잘못된 지시를 거절하기 어려워 부패가 발생할 수 있다.
- 해결 방법: 장교들이 청렴하게 행동할 수 있도록 지속적인 교육으로 청렴 의식을 높이고 공익 신고자 보호법을 철저히 지키도록 한다.

02.
- 부패 문제: 정치인의 선거법 위반
- 부패 원인: 부패를 용인하고 처벌하지 않는 사회 분위기, 정치에 대한 국민의 체념 등으로 정치인의 부패가 발생할 수 있다.
- 해결 방법: 선거법을 엄격한 기준으로 적용하고 위법한 행위를 한 사람을 용인하지 않는 사회 분위기를 형성해 청렴하지 못한 사람은 시민의 지지를 잃을 수밖에 없는 사회 구조를 만든다.

2. 정의로운 분배 방법

| 예시 답안 |

01.
- 민서: 10만 원. 성실한 성격으로 열심히 노력하였으나 후반에 참여하지 못했기 때문에 적은 금액을 분배했다.
- 서윤 : 10만 원. 서윤이 덕분에 조별 과제를 시작할 수 있었다는 점은 인정해야 하나 열심히 노력하지 않았으므로 적은 금액을 분배했다.
- 수지: 25만 원. 남들보다 많은 일을 했으므로 상대적으로 높은 금액을 받을 자격이 있다.
- 태훈 : 30만 원. 공적 부문에서 특출함을 보여 주었고 중요한 발표를 했다. 열심히 준비하여 많은 사람 앞에서 성공적으로 발표했으므로 가장 많은 금액을 받을 자격이 있다.
- 현수: 25만 원. 공적 부문에서 남들보다 탁월함을 보여 주었다. 현수의 아이디어는 다른 사람의 노력으로 대체될 수 있는 것이 아니라는 점에서 더욱 가치가 있다.

3. 경쟁의 장단점

| 예시 답안 |

01.

사례 1	스포츠 경기에서 선수들은 더 좋은 기록을 내어 경쟁에서 이기고자 한다.
사례 2	학교 시험에서 친구보다 더 좋은 성적을 받기 위해 열심히 공부한다.

02.

사례 1	긍정적인 측면	선의의 경쟁으로 더 높은 기록을 내고자 한다.
	부정적인 측면	좋은 기록을 내야 한다는 부담감으로 약물을 사용하는 선수가 생길 수 있다.
사례 2	긍정적인 측면	더 좋은 성적을 받기 위해 열심히 공부한다.
	부정적인 측면	더 좋은 성적을 받고 싶은 마음이 앞서 부정행위를 할 수 있다.

4. 분배 정의

| 예시 답안 |

01.

· (가)
  – 분배 원리: 평등한 분배
  – 이유: 투표권은 사람의 능력, 성별 등 특징과 관계없이 일정 나이 이상이 된 국민이라면 누구나 한 표를 행사할 수 있기 때문이다.

· (나)
  – 분배 원리: 공적에 따른 분배
  – 이유: 스포츠 종목에 따라 점수, 기록 등 평가 요소를 종합하여 더 뛰어난 선수에게 메달과 상금을 주기 때문이다.

· (다)
  – 분배 원리: 필요에 따른 분배
  – 이유: 노인에 대한 복지 정책은 국민 중 복지를 필요로 하는 사람들을 위한 것이기 때문이다.

02.

· (가): 투표권이 업적에 따라서 다르게 부여된다면 시민의 권리를 행사할 때 많은 표를 가진 집단의 뜻대로 정책이 결정될 수 있다. 더 많은 투표권을 얻기 위한 경쟁이 심화될 것이다.

· (나): 스포츠 대회의 상금을 필요에 따라 준다면 경쟁하고자 하는 동기가 없어져 스포츠의 박진감 넘치는 명장면이 사라질 것이다.

· (다): 노약자에게 필요한 복지 정책이 모든 사람에게 확대된다면 복지 예산이 과다하게 지출되어 다른 분야의 예산이 모자랄 수 있다.

기초튼튼 기본문제   68~69쪽

01 ⑤	02 집단주의	03 ②	04 ①	05 ②
06 ②	07 ⑤		08 ①	09 조선 노동당
10 ②	11~12 해설 참조			

01 남한과 북한은 다른 이념을 가지고 있지만 장차 통일을 이루어야 할 한 겨레이다.

02 집단 전체의 이익을 우선하는 사상은 집단주의이다.

03 예준이는 북한을 군사적 긴장 관계에 있는 경계 대상으로 보고 있고, 나머지 학생들은 북한을 장차 통일해야 할 한 겨레로 보고 있다.

04 북한 이탈 주민은 언어, 문화, 사회 체제 등이 달라 남한 사회에 적응하는 데 어려움을 겪는다.

05 북한은 만성적 식량난으로 주민들의 생존권이 위협받고 있다.

| 오답 피하기 |

① 북한 체제를 비판하거나 반대하는 북한 주민은 사회로부터 격리되어 탄압을 받는다.

③ 북한 사회는 대부분 정부 기관에 의해 통제되고 있다.

④ 북한은 사회주의 국가로 대부분의 생산 수단을 국가가 가지고 있다.

⑤ 북한에는 조선 노동당만 있어서 비판과 견제가 이루어지기 어렵다.

06 북한의 선군 정치는 군대를 우선하는 정치로 북한 주민들을 통제하고 집권층에 대한 충성을 강요하기 위한 정치 제제이다.

07 북한 이탈 주민은 자유를 찾아 북한에서 온 사람들로 민족 공동체의 일원으로서 평등하게 대우해야 한다. 선입견을 가지고 동정하거나 적대시하는 태도는 옳지 않다.

| 오답 피하기 |

② 북한 이탈 주민은 다문화 구성원이지만 외국인으로 볼 수는 없다.

08 돈주는 북한의 신흥 자본가를, 장마당과 농민 시장은 시장을 일컫는 말로 북한에 자본주의와 시장 질서가 확산되고 있음을 알 수 있다.

| 오답 피하기 |

⑤ 용어를 통해 북한 주민이 자본주의 질서를 수용할 가능성이 있음을 알 수 있다.

09 북한의 집권당 이름은 조선 노동당이다.

10 북한은 개인을 신격화함으로써 그에 반대되는 행위나 생각을 금지하고 있다는 점에서 사상의 자유가 없다고 볼 수 있다. 또한, 통일은 중국과 같은 제3자가 아니라 남한과 북한이 주체적으로 이루어야 한다.

11 ┃예시 답안┃ 남북한의 언어가 다르고, 북한의 집단주의에 익숙한 북한 이탈 주민은 개인주의적인 성향이 있는 남한 문화에 적응하기 어렵다.

┃채점 기준┃

상	북한 이탈 주민의 어려움을 사회·문화적 측면에서 서술한 경우
중	북한 이탈 주민의 어려움을 사회·문화적 측면에서 일부만 적절하게 서술한 경우
하	북한 이탈 주민의 어려움을 서술하지 못한 경우

12 ┃예시 답안┃ 북한은 우리에게 민족 공동체인 동시에 군사적으로 적대적인 이중적 관계이므로 튼튼한 국가 안보를 바탕으로 북한의 군사적 도발을 차단하고 평화적으로 교류해야 한다.

┃채점 기준┃

상	국가 안보가 통일의 바탕인 이유를 구체적으로 서술한 경우
중	국가 안보가 통일의 바탕인 이유를 추상적으로 서술한 경우
하	국가 안보가 통일의 바탕인 이유를 서술하지 못한 경우

실력쑥쑥 실전문제
70~71쪽

01 ②	02 ④	03 ⑤	04 ④	05 자본주의
06 ④	07 ④	08~11 해설 참조		

01 무조건적으로 북한의 경제 협력 요구를 수용하는 것은 북한이 통일해야 할 민족인 동시에 경계 대상이라는 북한의 이중성을 고려하지 못한 것이다.

02 옳지 못한 방법으로 정권을 유지하는 것은 북한 정권의 독재적 성격을 보여 준다.

03 제시문에서 북한의 수령은 어버이로서 절대적인 권한을 가지므로 권력을 견제할 수 있는 수단이 부족해 사회가 부패할 가능성이 높다.

┃오답 피하기┃
② 북한의 사회주의 대가정은 유교적 문화가 반영된 것으로 다른 사회주의 국가에서 찾아보기 어렵다.

04 대한민국은 평화 통일을 원칙으로 삼고 있으므로 북한

과 무력으로 통일하는 방법은 옳지 않다.

05 사유 재산을 인정하고 생산 수단을 개인이 가지는 사회 경제 체제는 자본주의이다.

06 (가)는 태어날 때부터 계급이 정해진다는 점에서 평등의 원칙을, (나)는 거주 이동의 자유를 제한받고 있다.

07 북한에서는 정치, 언론·출판 및 집회·결사, 사상, 종교의 자유가 보장되고 있지 않다.

08 ┃예시 답안┃ 표현의 자유가 제한되면 개인의 권리가 보호받지 못하고 궁극적으로 인간 존엄성을 실현하기 어려워져 사회 문제가 발생할 수 있다.

┃채점 기준┃

상	표현의 자유가 침해되는 것의 문제점을 정확히 서술한 경우
중	표현의 자유가 침해되는 것의 문제점을 일부만 서술한 경우
하	표현의 자유가 침해되는 것의 문제점을 서술하지 못한 경우

09 ┃예시 답안┃ 북한 이탈 주민의 정착을 지원하는 방법은 언어의 적응을 도와주는 한글 번역 앱을 개발하거나, 남한 문화를 지속적으로 체험하는 프로그램을 개발하는 방법이 있다.

┃채점 기준┃

상	북한 이탈 주민의 정착 지원 방법 두 가지를 모두 서술한 경우
중	북한 이탈 주민의 정착 지원 방법 한 가지만 서술한 경우
하	북한 이탈 주민의 정착 지원 방법을 하나도 서술하지 못한 경우

10 ┃예시 답안┃ 북한은 우리와 군사적으로 대치하고 있지만 미래에 통일해야 할 하나의 민족 공동체이다. 북한을 적대적으로만 이해하면 북한이 하나의 겨레라는 사실을 잊고 평화 통일 정책을 실행하는 데 어려움을 겪을 수 있다.

┃채점 기준┃

상	북한의 이중적 성격과 적대적인 관점으로만 이해하는 태도의 문제점을 모두 서술한 경우
중	북한의 이중적 성격과 적대적인 관점으로만 이해하는 태도의 문제점 중 일부를 서술한 경우
하	북한의 이중적 성격과 적대적인 관점으로만 이해하는 태도의 문제점을 서술하지 못한 경우

창의쑥쑥 수행평가
72~75쪽

1. 남북한의 언어 차이

┃예시 답안┃

01. 남한 언어는 한자와 영어를 섞어서 사용하는 반면, 북한 언어는 순우리말을 조합해 쓴다.
02. 북한 언어는 순우리말로 언어의 순수성을 지키고자 노력하고 있다는 장점이 있다.
03. 북한 이탈 주민을 위한 교과서를 만들어 북한 학생들이 모르는 단어의 용법을 쉽게 익히도록 한다. 또, 다가올 통일에 대비해 북한에서 사용하는 기본적 단어의 뜻을 공부한다.

2. 북한을 대하는 자세
| 예시 답안 |
01. 「대한민국 헌법 1장 3조」에 따르면 북한은 우리의 합법적인 영토를 불법으로 점유하고 있는 불법 단체이며 이는 북한을 적대적 세력으로 볼 수 있는 근거이다.
02. 「대한민국 헌법 1장 4조」에 따르면 북한은 우리와 평화적인 방법으로 통일 국가를 함께 이루고 살아가야 할 한 민족이므로 공존·협력·통합의 대상이다.
03. 두 조항을 종합해 볼 때, 북한은 우리와 통일을 해야 할 동포이자 겨레인 동시에 서로 영토의 권리를 주장하고 있는 적대적 관계라는 것을 알 수 있다. 우리는 이런 북한의 이중성을 이해하고 보편적인 가치에 입각해 객관적인 자세로 북한을 대해야 한다.

3. 남북한 관계 그래프
| 예시 답안 |
01.
• 정부 수립(1948): 남한과 북한은 각자 정부를 수립하고 서로가 한반도의 정통적인 정부라고 주장하며 대립했다.
• 연평도 포격(2010): 6·25 전쟁 이후 최초로 해군이 교전을 벌인 사건으로 북한이 우리나라 영토에 직접적인 공격을 가해 인명, 재산 등의 피해를 주었다.
• 개성 공단 폐쇄(2016): 북한의 계속되는 핵 실험으로 우리나라는 개성 공단을 폐쇄하고 사드를 배치했다.
02.
• 최초 이산가족 상봉(1985): 분단 이후 최초로 이산가족 상봉이 이루어지면서 많은 사람이 한겨레라는 것을 느꼈다.
• 6·15 남북공동선언(2000): 남북한이 화해와 협력, 평화와 공존에 바탕을 둔 원칙이 들어 있는 선언문에 합의했다.
• 평창 동계 올림픽 공동 입장(2018): 올림픽에 남북한이 공동으로 입장하고 공동팀을 구성하여 하나의 민족임을 떠올리게 했다.
03.
조건에 맞추어 그래프를 그린다.

4. 북한 이탈 주민의 어려움
| 예시 답안 |
01.
• 친구가 겪을 수 있는 어려움
  북한 친구들은 스마트폰 사용에 익숙하지 않을 수 있고 사용하더라도 우리와 다른 기종이거나 우리가 사용하는 애플리케이션과 다르기 때문에 어려움을 겪을 수 있다.
• 친구를 도와주는 방법
  친구에게 우리 또래가 자주 쓰는 애플리케이션을 소개해 주고 핸드폰 사용법을 친절하게 알려 준다.

04 통일 윤리 의식

기초튼튼 기본문제   78~79쪽

01 ⑤   02 자유 민주주의   03 ②   04 ②   05 ⑤
06 ⑤   07 ②   08 ①   09 ⑤   10 ③
11~12 해설 참조

01 통일 한국은 국제 평화에 이바지하는 책임 있는 문화 선진국이 되어야 한다.
| 오답 피하기 |
④ 남북한 주민들은 분단으로 자유, 평화 등 많은 기본권을 제한당하며 살고 있다.

02 통일 한국이 지향해야 할 국가 체제는 자유 민주주의이다.

03 통일로 소멸되는 비용은 통일 비용이 아니라 분단 비용이다.

04 제시문은 독일의 통일 정책이 실패한 사례를 보여 준다. 이 사례를 통일에 꼭 필요한 정책을 가려내고 통일 비용을 줄이는 참고 자료로 사용할 수 있다.
| 오답 피하기 |
ㄱ. 주택 개발에 든 비용은 통일 비용이다.
ㄹ. 장기적이고 실질적인 정책이 있어야 통일 비용을 절약하고 진정한 의미의 통일을 실현할 수 있다.

05 공동으로 문화재를 복원하는 사업은 민족의 정통성을 계승하고 동질성을 회복하는 데 도움을 주므로 새로운 민족 공동체 건설에 해당한다.

06 통일 한국은 민족 통합과 수준 높은 문화를 바탕으로 배타적이지 않고 열린 자세로 다문화 사회를 추구해야 한다.

07 통일 국가 형성을 위한 교류는 남측의 일방적 시혜가 아닌 상호 이익에 근거한 협력으로 이루어져야 한다.

08 정우는 북한에 있는 유적지를 방문할 수 없어 이동의 자유를 제한받고 있는데 통일이 되면 남북한을 자유롭게 오갈 수 있어 자유가 증진된다.

09 남북한과 한반도 주변국이 함께 핵 문제를 논의하는 이유는 한반도 문제가 여러 국가의 이해관계가 충돌하는 국제적 문제이기 때문이다.

10 진정한 하나의 공동체로 거듭나기 위해서는 정치적 통일뿐만 아니라 언어, 사고방식 등 문화적 차이를 좁혀 나가는 교류도 필요하다.

11 **| 예시 답안 |** 남한과 북한은 같은 민족이지만 오랜 세월 동안 다른 사회 속에 살면서 사회적·문화적인 차이가 생겼다. 그렇기 때문에 통일 한국은 서로의 문화가 섞여 있는 다문화 사회라고 볼 수 있다.

| 채점 기준 |

상	통일 한국을 다문화 사회로 볼 수 있는 이유를 적절하게 서술한 경우
중	통일 한국을 다문화 사회로 볼 수 있는 이유를 일부만 서술한 경우
하	통일 한국을 다문화 사회로 볼 수 있는 이유를 서술하지 못한 경우

12 **| 예시 답안 |** 북한의 노동력과 남한의 기술력이 결합하면 경제 발전의 새로운 원동력이 될 수 있으며, 전쟁의 위협이 사라져 외국 기업이 쉽게 투자할 수 있다.

| 채점 기준 |

상	통일이 우리의 경제적 발전과 번영 기반이 되는 이유를 두 가지 모두 서술한 경우
중	통일이 우리의 경제적 발전과 번영 기반이 되는 이유를 한 가지만 서술한 경우
하	통일이 우리의 경제적 발전과 번영 기반이 되는 이유를 한 가지도 서술하지 못한 경우

실력쑥쑥 실전문제

01 ③ 02 ⑤ 03 ⑤ 04 ⑤ 05 ③ 06 다문화 사회 07 ② 08 ③ 09~11 해설 참조

01 매장된 지하자원을 공동 개발하는 것은 경제적 측면의 협력이고, 나머지 사례는 문화적 측면의 협력으로 볼 수 있다.

02 이산가족 문제는 인도주의적, 민족 통합의 측면에서 반드시 해결해야 하는 우리의 과제이다. 통일이 되면 이 문제를 해결할 수 있다.

03 통일 이후 남북한의 인구를 합치면 상대적으로 많은 북한의 젊은 인구로 인해 생산 가능 인구가 늘어나 고령화가 완화되며 경제가 활성화될 수 있다.

04 제시문은 역사 문제에서 남한과 북한이 외교적 역량을 모아 중국의 동북공정에 대응한 사례이다. 이를 바탕으로 할 수 있는 적절한 말은 ㄷ, ㄹ이다.

05 통일 편익은 영구적으로 발생하므로 장기적 관점으로 봤을 때 통일 비용보다 통일 편익이 더 크다.

| 오답 피하기 |

②, ④ 통일 비용은 사회 간접 자본 건설과 사회 통합을 위한 비용을 포함한다.

06 통일 한국은 문화에 열려 있는 다문화 사회를 지향해야 한다.

07 제시문에는 동독과 서독이 서로에게 가졌던 편견이 나타나 있다. 이를 통해 남한과 북한도 통일 이후 서로에 대한 편견과 적대감을 가질 수 있음을 알 수 있다.

08 제시문은 북한 아이들의 인권 문제를 보여 준다. 우리는 북한과의 긍정적 관계를 유지하면서 북한 주민의 인권 개선에 힘써야 한다.

09 **| 예시 답안 |** 분단 비용은 분단으로 인하여 부담하는 경제적·비경제적 비용을 의미하며 구체적으로 국방비를 들 수 있다.

| 채점 기준 |

상	분단 비용의 개념과 사례를 모두 적절하게 서술한 경우
중	분단 비용의 개념과 사례 중 하나만 적절하게 서술한 경우
하	분단 비용의 개념과 사례를 하나도 서술하지 못한 경우

10 **| 예시 답안 |** 남북 교류 사업에는 스포츠 단일팀 운영 및 친선 경기, 북한 지역의 역사 유적지 발굴 등이 있다.

| 채점 기준 |

상	남북 교류 사업 두 가지를 모두 서술한 경우
중	남북 교류 사업 두 가지 중 한 가지만 서술한 경우
하	남북 교류 사업을 하나도 서술하지 못한 경우

11 **| 예시 답안 |** 한반도 통일은 이념, 군사, 정치, 경제적으로 여러 나라의 이해관계가 걸려 있으므로 국제적 문제로도 볼 수 있다.

채점 기준	
상	통일이 국제적 문제인 이유를 적절하게 서술한 경우
중	통일이 국제적 문제인 이유를 일부 서술한 경우
하	통일이 국제적 문제인 이유를 서술하지 못한 경우

창의쑥쑥 수행평가
82~85쪽

1. 다른 나라의 통일 과정

| 예시 답안 |

01. 독일은 동독이 자체적으로 서독 체제로 편입되는 것을 희망하고, 서독은 이것을 받아들이는 형태로 통일을 이룩했다. 이는 서독의 꾸준한 동독 포용, 지원 정책, 동독의 정책 변화, 냉전의 붕괴 등 여러 복합적인 요인이 작용한 결과이다.

02. 독일의 통일은 서독이 지속적으로 평화 정책을 시행한 결과였다. 하지만 통일에 대한 재정적, 심리적 준비가 되어 있지 않은 상태에서 이루어진 갑작스러운 통일로 초기에 많은 통일 비용을 치렀다는 점을 생각한다면 우리는 통일을 미리 준비해 놓는 자세가 필요할 것이다.

2. 남북한의 힘을 합쳐서

| 예시 답안 |

01. 인삼 산업을 활성화해 세계적으로 고려 인삼의 브랜드 가치를 높일 수 있다.

02. 남한은 세계 최대의 홍삼 제조 공장과 홍삼 제조 기술을 가지고 있다.

03. 북한은 인삼을 재배하고 공급하는 데 유리한 환경 조건을 가지고 있다.

3. 국제적 문제로서의 한반도 통일

| 예시 답안 |

01. 미국, 중국, 러시아, 일본 등

02.

국가	통일 후 얻을 수 있는 이익
미국	북한이 지속적으로 미국 본토를 겨냥한 미사일 개발을 해 왔기 때문에 미국은 한반도 통일을 통해서 영토 안전을 다시 확인할 수 있을 것이다. 또한, 군사적인 긴장 관계가 해소되면서 동북아시아에 들어가는 미국의 군사 비용이 감소할 것이다.
중국	북한 지원으로 인한 경제적, 정치적 부담을 해소할 수 있으며 남한과 육상으로 경제적 교류가 가능해져 교역 비용을 줄일 수 있다. 또한, 관광객 교류가 많은 두 나라가 육상으로 연결되면 여행 비용이 줄어들고, 다양한 여행 산업을 개발할 수 있다.

4. 통일 한국의 구체적인 정책

| 예시 답안 |

01. 이산가족 문제, 북한 지역 개발 문제, 남북한의 문화적 차이, 서로에 대한 인식 문제 등

02.

순위	정책	이유
1	이산가족 지원 정책	분단으로 인해 가장 깊은 상처를 받았을 이산가족의 상봉을 바로 시행한다. 또한, 남한과 북한 중 그들이 원하는 지역에서 살 수 있도록 거주에 전적인 지원을 해서 이산가족의 아픔을 달랠 수 있도록 한다.
2	북한 지역 개발 정책	남한과 북한의 경제적 격차를 해소하기 위해 북한 지역을 개발한다. 특히 광산 등 자원을 개발하여 재원을 마련한 후 사회 간접 자본 건설 등에 투자하여 북한 발전의 토대를 마련한다.

자신만만 적중문제
88~93쪽

01 ③	02 ⑤	03 ⑤	04 ④	05 ①	06 ⑤
07 ①	08 ③	09 ④	10 ③	11 ④	12 ②
13 ②	14 ②	15 ⑤	16 ⑤	17 ②	18 ④
19 ⑤	20 ①	21~27 해설 참조			

01 제시문은 김구의 『나의 소원』 중 일부로, 국가에 대해 언급하고 있다. 사회적 합의에 따른 공정한 사회 제도를 확립하는 것도 국가에 대한 옳은 설명이지만, 제시문에 직접적으로 등장하지 않는다.

02 법을 지키는 이유는 다양하지만 법에 대한 존경심을 가지고 지키는 태도가 가장 높은 수준의 준법 의식을 가졌다고 볼 수 있다.

03 시민 불복종은 모든 합법적 수단을 동원했음에도 부정의한 법을 바꾸지 못했을 때, 최후의 수단으로 사용되어야 한다.

04 제시문은 개인이 공동체의 목적 달성을 위한 역할을 가지고 있다고 한 점에서 공동체, 공공선을 강조하고 있다.

05 제시문은 소크라테스의 글이다. 자신에게 주어진 불리한 판결을 받아들여야 하는 이유를 설명하고 있으며, 아테네의 법에 따르기로 동의했기 때문에 법을 지켜야 한다는 뜻으로 해석할 수 있다.

06 현대 자본주의 사회는 과거 신분제 사회보다는 정의롭지만, 우연적 요소가 여전히 남아 있으므로 완전히 정의로운 사회는 아니다.

① 신분제 사회에 비해 경쟁은 더 심화되었다.

② 신분제 사회에 비해 인종·성별·출신의 영향은 적다.

③ 우연적 요소가 분배에 영향을 미치는 정도가 덜하다는 점에서 신분제 사회보다 자본주의 사회가 더 정의롭다.

④ 자본주의 사회에도 재화의 생산과 소유에 따른 불평등과 부정의가 존재한다.

07 소수계 우대 정책이 시행된다면 대학 입학에서 유색 인종에 대한 불리함이 조정되는 등 사회적 불평등이 완화될 것이다.

08 각자에게 정당한 몫을 주는 것은 '분배 정의'이다.

09 제시문은 과도한 경쟁과 불평등한 사회 환경을 언급하고 있으며, 이러한 부작용을 완화하기 위한 제도적 장치가 필요함을 알 수 있다. 상생은 서로가 함께 공존하며 잘 살아간다는 뜻이다.

② 경쟁 과정이 공정하다고 해도 그 자체로 무한 경쟁을 막을 수 있는 것은 아니다.

⑤ 일부 옳은 말일 수 있으나 제시문은 불평등한 사회 환경 자체를 언급하고 있다.

10 제시문은 부정부패의 사례를 제시하고 있다. 장기적으로 봤을 때도 부정부패는 우리나라에 대한 신뢰를 떨어뜨려 국익에 부정적인 영향을 미칠 수 있다.

11 북한은 집단주의를 추구하고 있으며 이러한 체제를 유지하기 위하여 표현의 자유를 억압하고 당에 순종하는 인간을 육성하고자 한다.

12 표현의 자유는 개인의 정당한 권리를 보호한다. 또한, 개인의 의견을 공적 장소에서 발언하여 여론을 형성하고 정책과 제도에 영향을 주어 인간 존엄성 실현에 이바지한다.

ㄱ. 표현의 자유는 국민의 참정권을 제한하는 것이 아니라 오히려 확대한다.

13 한민족이라는 생각으로 북한을 무조건 긍정적으로 이해하거나 지나치게 부정적으로만 생각하는 것은 위험하다. 객관적이고 보편적인 시각으로 북한을 바라보아야 한다.

14 제시문은 북한 이탈 주민이 남한 사회에 적응하지 못하는 현실을 보여 준다. 하지만 북한 이탈 주민의 적응을 돕기 위해서 남한 사회를 북한 사회와 유사하게 만드는 것은 적절하지 않다.

15 북한의 예술은 집단주의, 사회주의 체제를 선전하고 북한 체제에 순종할 수 있는 인간을 양성하기 위한 도구로 이용되고 있다.

16 전쟁과 죽음의 공포 때문에 평화로운 삶을 보장받지 못하고 있다는 것은 A 씨와 한반도에 거주하고 있는 모든 사람이 제한당하고 있는 보편적인 가치라고 볼 수 있다.

17 통일을 준비할 때는 인도주의적 문제와 경제적 문제 모두 신경 써야 한다.

18 남한과 북한은 서로의 실체를 인정하는 것을 바탕으로 남북 모두의 발전을 도모하고, 보편적 가치 아래에서 점진적이고 평화적인 교류를 추진해야 한다.

19 독일 통일에 주변국의 합의가 있었던 것처럼 한반도 통일도 주변국의 이해관계가 개입된 국제 문제로 볼 수 있다. 이에 민족적 역량을 하나로 모으는 것뿐 아니라 주변국의 이해와 지원을 유도하여 통일에 유리한 환경을 조성해 나가야 한다.

20 (가)는 분단 비용이고, (나)는 통일 편익이다.

통일 비용은 남한과 북한의 통일 과정에서 필요한 경제적, 비경제적 비용을 의미한다.

21 | 예시 답안 | 조선인과 일본인이 대학에 진학하고자 경쟁했을 때 일본인은 실력이 있다면 대학에 입학할 수 있지만, 조선인은 실력을 갖추어도 입학할 수 없는 구조이므로 공정한 경쟁이라고 보기 어렵다.

| 채점 기준 |

상	조선인이 입학 자체가 불가능하여 공정하지 않다는 점을 모두 서술한 경우
중	조선인이 입학 자체가 불가능하거나 경쟁이 공정하지 못하다는 점 중 하나만 서술한 경우
하	문제점을 찾아 서술하지 못한 경우

22 | 예시 답안 | 국가에 정의롭지 않은 제도가 있다면 불공정으로 특혜를 받는 사람과 피해를 입는 사람이 생긴다. 또한, 국가의 법과 제도를 신뢰할 수 없게 된다.

| 채점 기준 |

상	두 가지 문제점을 모두 서술한 경우
중	한 가지 이유만 서술한 경우
하	한 가지 이유도 적절하게 서술하지 못한 경우

23 | 예시 답안 | 북한은 집단주의를 추구해 조선 노동당 등 지배 계층에 대한 무조건적인 충성을 강요하고 개인의 자유로운 예술 활동 등 다양성을 허용하지 않기 때문이다.

24 | 예시 답안 | 시민 불복종이 최후의 수단으로 사용되어야 하는 이유는 합법적으로 옳지 않은 법을 개선할 방법이 있음에도 무조건 불복종을 이용한다면 국가가 혼란에 **빠질** 수 있기 때문이다. 또한, 시민 불복종이 비폭력적이어야 하는 이유는 불복종 과정에서 폭력을 사용해 타인의 생명을 **빼앗거나** 피해를 주는 것은 정당화될 수 없기 때문이다.

채점 기준	
상	두 조건의 이유를 모두 적절하게 서술한 경우
중	두 조건의 이유 중 하나만 적절하게 서술한 경우
하	두 조건의 이유를 하나도 적절하게 서술하지 못한 경우

25 | 예시 답안 | 애국심이란 국가를 진정으로 사랑하는 마음을 의미하며, 진정한 애국심은 맹목적, 무조건적 애국심이 아니라 보편적 가치에 따른 분별력 있는 애국심이다.

채점 기준	
상	애국심의 의미와 진정한 애국심을 적절하게 서술한 경우
중	애국심의 의미와 진정한 애국심 중 하나만 적절하게 서술한 경우
하	애국심의 의미와 진정한 애국심을 적절하게 서술하지 못한 경우

26 | 예시 답안 | 제시문에 나타난 국가관은 소극적 국가관이다. 소극적 국가관은 개인의 자유와 권리를 옹호한다는 장점이 있으나, 지나치게 권리를 강조하여 개인의 의무를 무시할 수 있다는 단점이 있다.

채점 기준	
상	소극적 국가관의 장점과 단점을 모두 적절하게 서술한 경우
중	소극적 국가관의 장점과 단점 중 하나만 적절하게 서술한 경우
하	소극적 국가관의 장점과 단점을 모두 서술하지 못한 경우

27 | 예시 답안 | 법을 지키는 이유는 국가가 주는 혜택을 받기 위해서이다. 또한, 우리는 국가 구성원으로서 정의로운 법을 준수하기로 계약했기 때문이다.

채점 기준	
상	준법의 근거 두 가지 모두 적절하게 서술한 경우
중	준법의 근거 두 가지 중 하나만 적절하게 서술한 경우
하	준법의 근거 두 가지 모두 적절하게 서술하지 못한 경우

III 자연·초월과의 관계

01 자연관

기초튼튼 기본문제
98~99쪽

01 ②	02 미래 세대	03 ②	04 도덕적 고려
05 ③	06 ②	07 ⑤	08 ③
09 ⑤	10 ④	11~12 해설 참조	

01 인간과 자연은 조화를 추구하는 관계이며 시냇물, 흙, 돌 등도 자연의 모든 존재로서 그 나름의 가치를 가진다.

02 환경친화적 자연관은 환경 파괴를 최소화하고, 미래 세대와 생태계의 지속 가능성을 고려해야 한다고 본다.

03 환경친화적 자연관은 인간의 삶과 환경을 동시에 고려하여 조화를 추구하는 관점이다.

| 오답 피하기 |
ㄱ. 생명 중심주의의 입장이다.

04 인간 중심적 가치관은 도덕적 고려의 범위를 인간으로 한정 짓기 때문에, 그 범위를 확장하면서 새로운 관점들이 나타났다.

05 (가)는 인간 중심주의, (나)는 생명 중심주의이다.

06 인간 중심주의는 인간의 필요에 따라 자연을 도구로 삼을 수 있다고 보는 입장이고 생명 중심주의는 인간을 다른 생명체보다 우월한 존재로 보지 않고 동식물 등 생명의 가치를 존중하는 입장이다.

| 오답 피하기 |
ㄹ. 생명 중심주의보다 도덕적 고려의 범위가 더욱 넓은 생태 중심주의에 해당한다.

07 제시문은 자연을 바라보는 관점이 소비 방식에 영향을 끼친다는 내용의 글이다. 우리는 올바른 자연관을 지닐 때 자연과 조화로운 관계를 만들어 갈 수 있다.

08 환경친화적 소비 생활은 환경 보전의 가치와 미래 세대를 동시에 고려한 지속 가능한 소비 생활로, 소비하는 제품의 생산, 유통, 소비, 폐기, 재생의 전체 과정을 고려한다.

09 제시문은 환경친화적 삶을 위한 사회적 방안의 사례 중, 환경적으로 건전하고 지속 가능한 발전에 대한 설명이다.

10 환경친화적 삶을 위한 사회적 실천 방안으로 환경친화적 제도가 마련되었다. 우리나라의 환경친화적 제도에는 탄소 포인트 제도, 서울시의 에코 마일리지 등이 있다.

11 | 예시 답안 | 그 범위가 넓고 오랫동안 지속한 것이고, 장기간에 걸쳐 전문적인 노력과 비용이 요구되기 때문이다.

| 채점 기준 |

상	환경 문제 해결의 어려움을 두 가지 서술한 경우
중	환경 문제 해결의 어려움을 한 가지만 서술한 경우
하	환경 문제 해결의 어려움을 서술하지 못한 경우

12 | 예시 답안 | 급식은 먹을 만큼만 받아서 남기지 않고, 분리수거를 철저하게 한다.

| 채점 기준 |

상	학교에서 실천할 수 있는 환경친화적 습관을 두 가지 서술한 경우
중	학교에서 실천할 수 있는 환경친화적 습관을 한 가지만 서술한 경우
하	학교에서 실천할 수 있는 환경친화적 습관을 한 가지도 서술하지 못한 경우

실력쑥쑥 실전문제

100~101쪽

01 ④	02 환경친화적 자연관	03 ⑤	04 ④
05 ④	06 ②	07 ①	08~10 해설 참조

01 제시문은 무분별한 개발로 인한 환경 오염의 심각성을 드러내고 있다. 물음에 대한 가장 적절한 답안은 소비하는 제품의 생산, 유통, 소비, 폐기, 재생의 순환까지 전체 과정을 고려하는 환경친화적 소비의 실천이다.

02 제시문의 인디언들은 인류와 지구 생태계를 구성하는 모든 생명을 삶의 일부로 받아들이는 환경친화적 자연관을 가지고 있다.

03 환경친화적 자연관은 인간의 삶과 환경을 동시에 고려해 조화를 추구하는 것으로 현재의 경제 발전을 중단하는 것이 아니다.

04 제시문은 자원 순환을 추구하는 업사이클링의 예시들이다. 업사이클링은 사용한 물건을 재사용하기 때문에 윤리적이고 환경친화적이라고 볼 수 있다.

| 오답 피하기 |

ㄱ. 합리적 소비에 대한 설명이다.
ㄹ. 환경친화적 관점은 지속 가능한 소비 생활을 주장하기에 옳지 않은 내용이다.

05 환경친화적 관점은 환경 파괴를 최소화하고, 미래 세대

와 생태계의 지속 가능성을 고려해야 한다는 입장이다.

| 오답 피하기 |

② 자연과 인간 모두 동등한 가치를 지니며 조화를 추구해야 한다고 본다.

06 A는 생태 중심주의, B는 생명 중심주의, C는 인간 중심주의에 해당한다.

07 A는 생태 중심주의로 자연의 모든 존재를 동등한 가치를 지닌 존재로 인식한다.

| 오답 피하기 |

도덕적 고려의 범위가 가장 좁은 것은 C(인간 중심주의)이고, 그보다 확장된 것은 B(생명 중심주의)이며, 가장 넓은 범위는 A(생태 중심주의)이다.

08 | 예시 답안 | 최신 휴대 전화를 구매할 경우 현재 잘 작동하는 휴대 전화는 쓰레기가 된다. 이는 자신의 소비가 환경에 미치는 영향을 고려하지 않는 행동이다.

| 채점 기준 |

상	자신의 소비가 환경에 미치는 영향을 고려해야 한다는 관점을 제시하여 구체적으로 서술한 경우
중	자신의 소비가 환경에 미치는 영향을 고려해야 한다는 관점을 제시하여 서술하였으나 다소 미흡한 경우
하	자신의 소비가 환경에 미치는 영향을 고려해야 한다는 관점에서 서술하지 않은 경우

09 | 예시 답안 | 윤리적 소비의 사례 중 하나인 공정 무역은 개발 도상국의 경제적 자립과 지속 가능한 발전을 위해 유리한 무역 조건을 제공하는 무역 형태이다.

| 채점 기준 |

상	윤리적 소비의 사례 한 가지를 골라 적절하게 서술한 경우
중	윤리적 소비의 사례 한 가지를 골랐으나 제대로 서술하지 못한 경우
하	윤리적 소비의 사례를 서술하지 못한 경우

10 | 예시 답안 | 개인의 노력만으로는 모든 환경 문제를 해결하기 어렵고, 환경 문제를 이유로 경제 발전을 포기할 수 없으므로 조화를 이룰 수 있는 사회적 방안을 마련해야 한다.

| 채점 기준 |

상	환경친화적 삶을 위해 사회적 방안을 마련해야 하는 이유 두 가지를 서술한 경우
중	환경친화적 삶을 위해 사회적 방안을 마련해야 하는 이유 한 가지만 제시한 경우
하	환경친화적 삶을 위해 사회적 방안을 마련해야 하는 이유를 서술하지 못한 경우

1. 환경에 대한 가치관

| 예시 답안 |

01. 예시 자료를 참고하여, 〈조건〉 ①~④에서 요구하는 것을 모두 반영한 타이포셔너리여야 한다.

2. 인간과 자연의 조화로운 삶

| 예시 답안 |

01. 아침 조회 시간에 선생님께서 미세 먼지 수치를 알려 주시며 창문을 열지 말라고 하시는 경우가 많다. 그래서 교실 공기가 답답해도 환기를 할 수 없어 맑은 공기를 마실 수 없다. 황사나 미세 먼지 수치가 높아서 운동장에서 체육 수업을 할 수 없을 때도 환경 문제가 심각하다는 것을 느낀다.

02. 첫째, 자연을 개발하고 이용할 때 자연과 인간의 삶을 조화롭게 유지하는 것을 우선으로 삼아야 합니다.
둘째, 환경 파괴를 최소화하고 자연의 자정 능력을 회복시킬 수 있는 대안을 생각해야 합니다. 자연환경이 순환 과정을 통해 오염 정도를 낮추어 스스로 정화하는 작용을 원활하게 할 수 있도록 생태계의 가치를 소중히 여겨야 합니다.

3. 환경친화적 삶을 위한 구체적인 실천 방안

| 예시 답안 |

01. 교실 청소를 할 때 보면 새것과 다름없는 필기도구, 수정 테이프 등이 바닥에 많이 버려져 있다. 하지만 주인도 자기 것인지 헷갈려 하는 등 주인을 찾기 어렵다.

02. 교실의 쓰레기 배출량이 늘어나고, 잃어버린 사람은 필요할 때 새로운 학용품을 또 살 것이다. 소비 과정과 이용, 폐기 등을 고려하지 않았기에 환경친화적이지 않다.

03. 학용품에 이름을 반드시 쓰도록 한다. 자신의 물건을 소중히 하고 환경을 고려하는 습관을 기르도록 한다.

04. 학용품에 이름 쓰기! 물건 오래 쓰기!

4. 환경친화적 소비 생활

| 예시 답안 |

01. 나는 공정 무역 제품 소비를 실천하고자 공정 무역 제품 인증 마크를 받은 초콜릿을 구매했다.

02. 인터넷 검색을 통해 윤리적 소비를 실천할 수 있는 공정 무역 인증 마크를 받은 제품을 판매하는 매장을 우리 지역에서 찾을 수 있었다. 친구들과 함께 가서 여러 가지 제품

중 나는 초콜릿을 샀다.

03. 공정 무역 인증 마크가 없는 초콜릿을 사 먹을 때보다 비용은 많이 들었지만 공정 무역과 윤리적 소비의 의미를 알고 실천한 것이라 나의 소비에 자랑스러운 마음이 들었다.

04. 나의 작은 소비가 사회와 환경에 영향을 미친다는 사실을 알아야 한다. 물건을 사면서 여러 가지 고민을 해 보고, 내가 쓰는 돈이 윤리적인 사회와 건강한 환경을 만드는 시작이 된다는 마음으로 실천해 보기를 추천한다.

02 과학과 윤리

| 기초튼튼 기본문제 | 108~109쪽 |

| 01 ① | 02 ② | 03 ④ | 04 공포의 발견술 | 05 ③ |
| 06 ⑤ | 07 ⑤ | 08 ③ | 09 ③ | 10~12 해설 참조 |

01 과학 기술은 다양한 과학 분야의 객관적 지식을 실제 현실에 적용해 인간이 생활하는 데 유용하게 가공하는 수단을 말한다. 과학 기술의 궁극적 목적은 삶의 질 향상을 통한 인간의 존엄성 구현이다. 과학 기술은 편리함과 혜택을 제공해 주지만 예상하지 못했던 부작용이 생기기도 한다.

02 〈보기〉의 ㄱ, ㄹ은 과학 기술의 한계와 위험성에 대한 대표적인 설명이다.

03 과학 기술의 한계와 위험성을 인식하고, 그에 따른 윤리적 과제를 인식하는 자세를 가져야 한다.

04 요나스가 주장한 공포의 발견술은 공포를 활용해 단계적으로 도덕적 책임을 발견하는 방법이다.

05 공포의 발견술은 우리가 실제로 무엇을 보호해야 하는가를 알아내기 위한 방법으로, 희망보다는 공포를 논의의 대상으로 삼아 다가올 문제에 대한 예방책을 세워야 한다는 주장이다.

06 제시문은 모든 인간을 위한 과학 기술로 도덕적으로 올바른 과학 기술의 이용 사례로 볼 수 있다.

| 오답 피하기 |

③ 인간의 복지와 어려움 등 소외된 부분에서의 해결이 드러난 제시문이므로 가장 적절한 선택지는 아니다.

07 현대의 과학 기술 개발 과정은 매우 복잡하므로 활용에

대한 사회적 합의와 제도의 마련 등 다각적 차원에서 그 활용에 대한 논의가 이루어져야 한다는 내용의 제시문이다.

08 합의 회의는 자율 주행차나 인공 지능 로봇과 같이 새로운 과학 기술을 활용할 때 필요하다. 합의 회의는 현대 과학 기술이 발전함에 따라 그 중요성이 더욱 커지고 있다.

| 오답 피하기 |
ㄴ. 합의 회의를 진행하더라도 과학 기술 연구와 직접 관련한 과학 기술자는 더욱 높은 수준의 도덕적 책임감이 필요하다.
ㄷ. 합의 회의는 일반 시민과 사회학자, 윤리학자 등 다양한 사람들이 자유롭게 참여할 수 있다.

09 과학 기술에 대한 맹목적 믿음이 일으킬 수 있는 부작용은 비인간화와 인간 주체성 상실이다.

10 | 예시 답안 |
• 의식주 문제를 개선해 풍요롭고 편리한 생활이 가능해졌다.
• 다양한 사람들과 언제 어디서나 쉽게 교류가 가능해져 인간관계가 확장되었다.

| 채점 기준 |

상	과학 기술로 인한 긍정적 변화의 모습을 두 가지 제시한 경우
중	과학 기술로 인한 긍정적 변화의 모습을 한 가지만 제시한 경우
하	과학 기술로 인한 긍정적 변화의 모습을 제시하지 못한 경우

11 | 예시 답안 |
• 과학 기술에 대한 지나친 의존으로 인간의 주체성 상실과 비인간화를 불러왔다.
• 배아 복제, 유전자 가위 등 생명 과학 기술의 발달로 인해 생명의 존엄성이 훼손되었다.

| 채점 기준 |

상	과학 기술 발달에 따른 부작용을 두 가지 제시한 경우
중	과학 기술 발달에 따른 부작용을 한 가지만 제시한 경우
하	과학 기술 발달에 따른 부작용을 제시하지 못한 경우

12 | 예시 답안 | 과학 기술자는 과학 기술의 장단점을 일반인보다 더 잘 알고 있고, 예상되는 문제를 예방하기 위해서는 그들의 전문적 능력이 필요하기 때문이다.

| 채점 기준 |

상	과학 기술자는 일반인보다 전문적 지식이 풍부하다는 것을 근거로, 도덕적 책임감이 필요함을 제시한 서술인 경우
중	과학 기술자는 일반인보다 전문적 지식이 풍부하다는 것과 도덕적 책임감을 다소 미흡하게 연결한 서술인 경우
하	과학 기술자는 일반인보다 전문적 지식이 풍부하다는 것을 근거로 제시하지 못한 경우

실력쑥쑥 실전문제   110~111쪽

01 ①   02 ③   03 ②   04 ③   05 ②
06 (가): 부정적 결과 상상하기, (나): 예방책 마련하기
07 ⑤   08~09 해설 참조

01 과학 기술은 실제 적용하기 전까지 모든 문제점을 예측할 수 없고 모든 문제를 해결할 수 없다는 한계를 갖는다.

02 오늘날 과학 기술은 국력과 밀접한 관계가 있으므로 과학 기술의 개발 과정에서 제도 정비와 같은 정책적인 지원을 받을 수 있지만, 오히려 도덕성에 어긋나는 압력을 받을 가능성도 있다는 점을 추론할 수 있다.

03 갑은 과학 기술의 긍정적 영향을, 을은 부정적 영향을 언급하고 있다.

| 오답 피하기 |
ㄴ. 을의 주장이 지나칠 경우에 해당한다.

04 제시문은 과학 기술에 관한 상업주의적 사고와 여러 사람을 고려하지 못하는 등 과학 기술의 부정적 영향을 최소화하려는 노력이 필요함을 말하고 있다.

| 오답 피하기 |
① 과학 기술은 도덕적 고려의 대상이다.
② 현대의 과학 기술은 복잡해서 특정 과학 기술자에게 발생한 문제에 대한 직접적인 책임을 묻기 어렵다.
④ 과학 기술자는 도덕적 관점에서 자신의 연구 성과가 인류에게 미칠 영향을 누구보다 깊이 고민해야 한다.
⑤ 인간의 존엄성을 훼손하거나 생활 전반에 걸쳐 나타날 수 있는 윤리적 문제를 남긴 채 인간의 삶을 개선할 수는 없다.

05 공포의 발견술이란, 우리가 실제로 무엇을 보호해야 하는가를 알아내기 위해서 희망보다는 공포를 논의의 대상으로 삼아야 한다는 관점이다.

06 공포의 발견술의 활용 단계는 '부정적 결과 상상하기 → 문제점 명료화하기 → 예방책 마련하기'이다.

07 (가)는 부정적 결과 상상하기의 단계로, 자율 주행 자동차가 도입되었을 경우 발생할 수 있는 문제점을 구체적으로 논의하는 ⑤가 가장 적절하다.

08 | 예시 답안 | 모든 인간은 그 자체로 가치 있다는 인간 존엄성을 훼손할 수 있다.

| 채점 기준 |

상	인간 존엄성 훼손의 논지를 문제점으로 서술한 경우
중	인간 존엄성 훼손의 의미는 통하나 서술이 미흡한 경우
하	생명 과학의 윤리적 문제점을 서술하지 못한 경우

09 | 예시 답안 | 시시 티브이(CCTV)는 범죄를 예방하는 긍정적인 면이 있지만 사생활 침해 같은 문제에서는 부정적이다.

| 채점 기준 |

상	긍정적인 면과 부정적인 면을 모두 올바르게 서술한 경우
중	긍정적인 면과 부정적인 면 중 한 가지 측면만 서술한 경우
하	긍정적인 면과 부정적인 면을 모두 서술하지 못한 경우

창의쑥쑥 수행평가   112~115쪽

1. 과학 기술은 인간의 삶을 어떻게 바꾸어 놓았을까?

| 예시 답안 |

01.
- 스마트폰
- SNS를 통해 친구들과 연락하기 위해서이다.
- 멀리 있는 친구와 대화를 할 수 있다. 잊고 있던 수행평가나 준비물을 친구들과 공유하여 바로 확인할 수 있다.
- 가족과 대화하는 시간이 줄어들었다. 친구들과 SNS에서 오해가 생겨 학교에서도 불편한 사이가 되어 버렸다.

02. 스마트폰을 올바르게 이용하기 위해서 필요한 가치는 절제이다. 절제란, 하고 싶은 마음이 들어도 당위에 어긋난다면 중단하고 당위에 맞는 행동을 하고자 하는 다짐이다. 절제가 필요하다고 생각한 이유는 스마트폰을 줄여야겠다는 걸 알면서도 계속하고 있는 내 모습을 발견했기 때문이다.

2. 모든 인간을 위한 기술

| 예시 답안 |

01. 부상을 당하거나 나이가 많아 신체 활동이 불편한 사람
02. 일상생활에서 이동이 필요할 때 바로 도움을 주는 존재가 있다면 삶의 질이 높아질 것이다.
03. 잘 훈련된 도우미 로봇, 생활에 기초적인 활동을 지원해 주는 로봇이 있으면 신체 거동이 불편할 때 훈련된 대로 일을 수행하여 도움을 줄 수 있을 것이다.

3. 과학 기술의 의미와 목적

| 예시 답안 |

01.
- 가족들과 다퉜을 경우, 말로 하기 힘든 사과를 먼저 문자로 전달해 본다.
- 가족들과 추억이 담긴 사진을 가족 앨범으로 만들어 가족들과 사랑을 공유한다.

02.
- 잊어버린 수행평가나 숙제를 학급 SNS를 통해 실시간으로 전달해 준다.

- 멀리 전학 간 친구와 연락을 하면서 우정을 이어갈 수 있다.
03. 잃어버린 강아지를 찾는 전단지를 보고 SNS에 올려 직접 알지 못하는 지역 주민에게 도움을 줄 수 있다.
04. 인권이 침해당하는 내용의 뉴스를 읽으며 꾸준히 인권에 관심을 가진다.

4. 과학 기술로 모든 문제를 해결할 수 있을까?

| 예시 답안 |

01.
- 유전자 가위라는 과학 기술은 인간의 건강을 증진하는 데 효과적인 해결 방안이 될 수 있다.
- 생명을 유지하고 보호하는 것은 인간 존엄성을 증진하는 것과 같다. 유산을 막을 수 있는 기술이 있다면 활용하는 것이 도덕적으로 타당하다.

02.
- 능력, 병의 유무와 관련 없이 인간은 그 자체로 존중받아야 하는 존엄성을 갖는다. 그런데 유전자를 편집하는 것이 실제 상황이 된다면, 인간은 조건적인 대상이 되어버린다.
- 질병을 치료하고, 유산을 막는 의학적 용도로 사용되다가 점차 인간의 욕심을 채우는 도구로 이용될 것이다.

03. 첫째, 생명 보호와 관련된 경우에만 사용한다. 둘째, 인간 존엄성을 훼손하지 않는 경우에만 사용한다.

03   삶의 소중함

기초튼튼   기본문제   118~119쪽

01 ⑤	02 불가피성	03 ②	04 존중	05 ⑤
06 ②	07 ②	08 ④	09 ②	10~11 해설 참조

01 삶이 소중한 이유는 자신 및 나와 관계된 모든 가치 즉, 인생의 모든 가능성을 실현하기 위한 조건이자 두 번 주어지지 않는 유일하고 한정된 소중한 순간이기 때문이다.

02 ⓒ은 불가피성으로, 누구도 피할 수 없는 죽음의 속성이다.

03 ㉠은 보편성으로 모든 사람이 맞이한다는 속성이고, ㉡은 일회성으로 누구나 단 한 번 겪는다는 속성을 말한다.

| 오답 피하기 |

ㄴ. 보편성은 모든 사람이 맞이하는 속성이라는 뜻이지만, 이것이 죽음이 슬픔의 대상이 아님을 의미하지는 않는다.

ㄹ. 죽음의 일회성과 불가피성은 죽음이 막연히 두려운 것이 아님을 뜻한다.

04 생명은 소중한 삶의 출발점이자 기초이다. 우리는 서로를 존중할 때, 각자의 삶을 더욱 소중하게 가꿀 수 있다.

05 전화 통화로 타인의 생명을 살리려는 노력이 담긴 제시문으로, 모든 인간의 생명은 소중하며 존중해야 한다는 메시지를 담고 있다.

06 막연한 두려움을 갖지 않고 죽음을 지혜롭게 대하기 위해 ㄱ, ㄷ과 같은 인식이 필요하다.

| 오답 피하기 |
ㄴ. 죽음을 자연스러운 생명의 한 과정으로 인식해 회피하지 않고 삶의 가치를 다시 생각해 보는 계기로 삼는다.
ㄹ. 인위적으로 생명 중단 등을 선택하는 것은 삶에 대한 올바른 이해로 볼 수 없다.

07 제시된 시는 하나의 생명이 주변의 도움과 관심의 상호작용 속에서 가치를 맺는다는 내용을 담고 있다.

08 의미 있는 삶을 위해서는 삶에 관한 주체적인 자세가 필요하다. 세상 사람들의 평가나 주위 사람들이 원하는 삶을 사는 것은 주체적이지 못한 태도이다.

09 자신이 즐기는 취미 활동을 주변으로 확장하며, 주변 사람들에게 미칠 수 있는 가치와 의미가 드러난 글이다.

| 오답 피하기 |
⑤ 제시문에서 직접적인 단서를 찾을 수 없다.

10 | 예시 답안 | 주어진 삶이 한정되어 있다는 사실을 통해 삶을 더욱 소중하게 여길 수 있다.

| 채점 기준 |

상	주어진 삶의 유한성을 통해 현재 삶의 소중함을 깨달을 수 있다는 내용을 서술한 경우
중	주어진 삶의 유한성을 통해 현재 삶의 소중함을 깨달을 수 있다는 내용으로 의미는 통하나 서술이 미흡한 경우
하	주어진 삶의 유한성을 통해 현재 삶의 소중함을 깨달을 수 있다는 내용에 대한 서술이 아닌 경우

11 | 예시 답안 | 현재 주어진 삶을 충실하게 살아가고, 또한 삶에서 마주치는 시련과 한계를 극복하고자 노력해야 한다.

| 채점 기준 |

상	의미 있는 삶을 위한 노력 두 가지를 올바르게 서술한 경우
중	의미 있는 삶을 위한 노력을 한 가지만 올바르게 서술한 경우
하	의미 있는 삶을 위한 노력을 서술하지 못한 경우

실력쑥쑥 실전문제 120~121쪽

01 ⑤	02 ②	03 ③	04 ⑤	05 ④	06 ①

07~08 해설 참조

01 제시문은 생명 존중을 실천하고 있는 초등학생의 이야기로 생명의 가치를 지키고 생명 존중을 위해 노력해야 함을 시사한다.

02 제시문의 초등학생들은 새끼 제비의 생명을 포기하지 않고 이를 위해 자신들이 할 수 있는 노력을 실천하고 있다.

| 오답 피하기 |
ㄴ. 웰다잉법은 제시문과 관련이 없다.
ㄹ. 생명 존중의 의미를 알고 생활에서 실천했다.

03 그림 ①의 주인공은 자신에게 당당하고 다른 사람들에게 모범이 되지 못했으므로 의미 있는 삶과 거리가 멀다.

| 오답 피하기 |
ㄴ, ㄷ은 우리가 삶에서 생각해야 하는 부분에 해당하나, 제시된 그림과는 관련이 없는 내용이다.

04 죽음에 대한 간접 경험을 통해 잊고 있었던 인생의 가치를 깨닫게 되면서 삶의 모습이 변화했다.

05 ㉠은 죽음에 대한 공자의 관점이 나타난 핵심 문장으로, 현재 삶에 관한 것들도 알지 못하는데, 하물며 죽음 이후에 대한 것을 어떻게 알 수 있겠냐는 의미를 담아야 한다.

06 (가), (나)는 공통적으로 죽음 이후에 대한 두려움이나 불안함보다 현재 살고 있는 삶에 대한 논의를 중시한다.

07 | 예시 답안 | 인간다운 죽음을 위한 법이기에 찬성하는 의견도 있지만, 인간의 생명을 경시하는 법이라는 의견도 있다. 웰다잉법은 인위적인 방법으로 인간의 생명 활동을 중단하기 때문이다.

| 채점 기준 |

상	웰다잉법이 지니는 위험성으로 인위적으로 생명 활동을 중단한다는 내용을 서술한 경우
중	웰다잉법이 지니는 위험성으로 인위적으로 생명 활동을 중단한다는 내용의 의미는 통하나 서술이 미흡한 경우
하	웰다잉법이 지니는 위험성으로 인위적으로 생명 활동을 중단한다는 내용을 서술하지 못한 경우

08 | 예시 답안 | 타인의 생명을 가볍게 여기는 태도는 인간의 존엄성을 부정하고 진정한 생명의 가치를 이해하지 못한 것이기 때문이다.

채점 기준

상	타인의 생명을 존중하지 않는 것은 진정한 생명의 가치를 이해한 것이 아니라는 내용을 서술한 경우
중	타인의 생명을 존중하지 않는 것은 진정한 생명의 가치를 이해한 것이 아니라는 내용으로 의미는 통하나 서술이 미흡한 경우
하	타인의 생명을 존중하지 않는 것은 진정한 생명의 가치를 이해한 것이 아니라는 내용의 서술이 아닌 경우

창의쑥쑥 수행평가
122~125쪽

1. 죽음을 어떻게 생각해야 할까?

예시 답안

01.

평가자	삶에 대한 평가
나	평소에 인내심을 가지고 생활하고 친구를 소중히 했지만, 부모님께 효도하지 못했다.
부모님	편식하지 않고 가족과 사이좋게 지내려고 노력했던 자녀이다.
선생님	성실하게 학교생활을 하고 체육 활동을 열심히 했던 학생이다.
친구들	이해심이 넓고 친구의 단점을 감싸 주었던 마음 넓은 친구였다.

02.

칭찬할 부분	발전시키고 싶은 부분
친구들을 배려하고, 목표를 정하면 결과와 상관없이 열심히 노력했다.	부모님과 대화를 더 많이 하고 가족과 시간을 많이 보내고 싶다.

2. 의미 있는 삶을 위해 해야 할 일은 무엇일까?

예시 답안

01.

모둠원	취미	확장할 수 있는 활동과 가치
○○○	피아노 연주	피아노 공연 봉사를 통해 나눔과 배려를 배울 수 있다.
□□□	요리하기	가족을 위해 요리를 하면서 가족에 대한 사랑을 느낄 수 있다.
◇◇◇	독서	취미가 비슷한 친구와 대화하며 의사소통의 중요성과 친구와의 관계를 다시 생각해 볼 수 있다.
△△△	축구	축구 동아리 활동을 통해 친구와의 협동심을 기를 수 있다.

3. 생명 존중의 중요성

예시 답안

01.

나에게	친구에게
• 좋아하는 것이 무엇인지 고민하고 진로를 찾는 내가 자랑스러워. • 모든 것을 다 잘할 수는 없지만 학교 생활을 열심히 하려고 노력하는 나는 소중한 존재야.	• 목표가 있으면 열심히 노력하고 계획을 세워서 꾸준히 실천하는 모습이 정말 멋있어. • 네가 나의 친구라서, 학교에서 볼 수 있어서 행복해.
집 앞의 나무에게	강아지에게
• 봄에는 벚꽃을 피워서 기분 좋게 해 주고, 창문을 열면 눈을 시원하게 해 줘서 고마워. • 여름에 시원한 그늘을 만들어 주고 등하교할 때 시원한 바람을 만들어 줘서 행복해.	• 우리 가족이 되어줘서 고마워. 따뜻한 온기로 우리 가족을 따뜻하게 해 줘서 고마워. • 집에 들어오면 네가 있어서 행복해.

4. 소중한 나의 삶

예시 답안

01.
- 하루 종일 자전거 타기
- 도서관 3번 이상 가기
- 동생이랑 하루 종일 놀아주기

02.
- 중국어로 기초적인 의사소통하기
- 영어책 독후감 10권 이상 쓰기
- 친구와 함께 가고 싶었던 맛집에 가기

03.
- 머리카락을 계속 기른 뒤 기부하기
- 부모님의 결혼 기념일과 생신 제대로 챙겨드리기
- 중국어 회화와 문법 마스터하기

04.
- 세계 여행하기
- 소중한 사람들에게 편지 써 주기
- 나의 지인들이 나를 소개하고 싶은 사람으로 기억하도록 멋진 사람이 되기
- 내 일생을 강연할 만큼 훌륭한 사람 되기

기초튼튼 / 기본문제 128~129쪽

01 ④	02 ⑤	03 ②	04 ①	05 자기 격려
06 ③	07 ③	08 ⑤	09 ⑤	10~11 해설 참조

01 (가), (다)는 정신적 고통에, (나)는 신체적 고통에 해당한다. 고통은 자신의 선택에 의해 생겨날 수도 있고, 자신의 선택과 무관하게 생겨나기도 한다.

02 고통이란 육체적으로나 정신적으로 아프고 괴로운 것을 말한다. 신체적 고통은 몸으로 느껴지는 아픔이며, 정신적 고통은 부정적인 감정 때문에 마음이 괴로운 것이다.

| 오답 피하기 |
ㄱ. 신체적 고통에 대한 옳은 서술이지만 (나)는 정신적 고통에 해당한다.
ㄹ. 고통은 삶을 살아가며 피할 수만은 없기 때문에 자연스럽게 받아들이고 삶의 긍정적인 요소로 변화시키려는 자세가 필요하다.

03 희망이란 인생에서 뜻하는 일이 잘 이루어질 것이라는 긍정적인 생각과 낙관적인 태도이다. 목표 도달의 방법과 실천에 대한 확신으로 막연한 기대나 상상과는 차이가 있다.

04 우리는 고통을 행복의 장애물로 여기고 고통이 없는 삶을 바랄 수도 있다. 하지만 고통을 피해 갈 수는 없다. 따라서 고통을 삶의 일부로 받아들이며 삶을 긍정적으로 바꾸는 요소로 이해할 필요가 있다.

05 어려운 환경에서 자기 격려는 마음의 평화를 찾는 방법이 될 수 있다. 자신을 친절하게 다독이는 관대한 태도로 자신을 위로하는 것이다. 이는 자신뿐 아니라 타인을 격려하는 것으로도 확장할 수 있다.

06 제시된 표는 마음의 평화를 얻기 위한 방법 중 동서양의 종교와 사상의 구체적인 방법이다.

07 ㉠은 참선 ㉡은 경, ㉢은 심재이다.

08 신체적 고통은 건강에 대한 경고이자 자신을 보호해야 한다는 신호의 역할을 하고, 정신적 고통은 삶에 대한 성찰과 성숙의 계기를 제공한다.

| 오답 피하기 |
ㄱ. 부정적 요소인 고통을 삶을 변화시키는 긍정적 요인으로 삼는 것이 중요하다.

09 자신의 고통을 인간의 공통점으로 이해하는 방법의 사

례에는 누구나 겪는 일이고, 많은 사람이 나와 비슷한 고민을 한다는 내용이 포함되어야 한다.

10 | 예시 답안 | 신독이란 남이 알지 못하는 일이라도 도리에 어긋나는 욕심이 자라나지 않도록 조심하는 것이다.

| 채점 기준 |

상	신독의 의미를 정확하게 밝혀 서술한 경우
중	신독의 의미를 추상적으로 서술한 경우
하	신독의 의미를 서술하지 못한 경우

11 | 예시 답안 | 희망은 막연한 상상과는 달리 목표를 이루려는 방법을 알아내고, 그것을 실천할 수 있다는 확신으로 이루어져 있다.

| 채점 기준 |

상	희망은 목표 달성의 방법과 실천에 대해 확신한다는 내용을 포함하여 서술한 경우
중	희망은 목표 달성의 방법과 실천에 대해 확신한다는 내용을 포함하지 않고 서술한 경우
하	희망과 막연한 기대, 상상과의 차이점을 서술하지 못한 경우

실력쑥쑥 / 실전문제 130~131쪽

01 ②	02 ④	03 ⑤	04 ④	05 ①	06 ⑤
07 ㉠ 참선 ㉡ 장자 ㉢ 심재		08~10 해설 참조			

01 ㉠은 배가 아픈 것으로 몸으로 느끼는 아픔인 신체적 고통이다. ㉡은 일상생활에서 발생할 수 있는 갈등 감정에 따른 정신적 고통에 해당한다.

02 ㉢은 고통의 상태를 평온하게 관리하려는 태도로, 자신의 삶을 긍정적인 방향으로 바꾸려는 자세이다.

| 오답 피하기 |
① 혼자 참고 견디는 것은 올바른 해결 방법이 될 수 없다.
② 고통을 인정하지 않고 회피하는 자세는 고통의 의미와 역할을 올바르게 인식하지 못한 것이다.
③ 고통을 삶의 긍정적 요소로 바꾸는 자세가 필요하다.

03 제시문은 고통을 대하는 바람직한 사례로, 고통을 이기고 행복하고 도덕적인 삶을 위해 마음의 평화를 이루고자 노력해야 함을 시사한다.

04 주인공은 자발적으로 고통을 선택해 스스로를 단련하고 삶을 긍정적으로 바꾸어 나가는 모습을 보여 주며 고통을 삶을 더욱 빛나게 하는 요소로 변환시켰다.

05 자신의 감정과 욕구를 잘 다스리고 다른 사람에게 상처 주지 않기, 주어진 조건과 상황에 대한 긍정적인 이해로 평정심을 유지하기 등을 통해 마음의 평화를 얻을 수 있다.

| 오답 피하기 |

ㄷ. 마음의 평화를 위해서는 친구들을 무조건 다그치기보다 대화를 통해 친구를 이해하려는 마음가짐이 필요하다.

ㄹ. 나의 어려움을 다른 사람의 탓으로 돌리는 것은 마음의 평정심을 유지하기 어렵게 만든다.

06 희망이 우리 삶에 주는 의미는 크다. 그렇기 때문에 우리는 도덕적으로 올바른 것을 희망해야 한다. 학생이 작성한 답안은 이에 대한 사례를 보여 준다.

07 불교에서는 교리 공부나 참선, 유교에서는 경과 신독, 도가의 장자는 심재를 마음의 평화를 얻는 방법으로 제시했다.

08 | 예시 답안 | 경이란, 유교에서 제시한 수양 방법으로 한 가지 일에 정신을 집중하는 것이다.

| 채점 기준 |

상	경의 의미를 정확하게 밝혀 서술한 경우
중	경의 의미를 추상적으로 서술한 경우
하	경의 의미를 서술하지 않은 경우

09 | 예시 답안 | 도덕적으로 그른 것을 희망하는 것은 나의 욕망을 위해 타인을 괴롭게 하는 것이며, 자신에게 후회스러운 일이 될 것이다. 따라서 도덕적 이상을 추구하는 가운데 필요한 것을 희망해야 한다.

| 채점 기준 |

상	조건 1과 조건 2를 모두 제시하여 서술한 경우
중	조건 1과 조건 2 중 한 가지만 제시하여 서술한 경우
하	조건 1과 조건 2를 제시하지 못한 서술인 경우

10 | 예시 답안 | 고통의 순간을 지혜롭게 이해해서 내 삶의 의미를 더욱 빛나게 만드는 계기로 삼아야 한다.

| 채점 기준 |

상	고통을 삶을 긍정적으로 바꾸는 계기로 삼는다는 내용을 서술한 경우
중	고통을 삶을 긍정적으로 바꾸는 계기로 삼는다는 내용으로 의미는 통하나 서술이 미흡한 경우
하	고통을 삶을 긍정적으로 바꾸는 계기로 삼는다는 내용의 서술이 아닌 경우

1. 고통을 어떻게 대해야 할까?

| 예시 답안 |

01. 내가 요즘 고민하는 것은 수행평가가 너무 많아서 열심히 하고 있는데도 해야 할 일이 많다는 것이다. 머리가 안 좋은 것 같기도 하고, 시험 기간을 생각하면 머리가 복잡하다.

02.

	자기 격려 메시지 보내기
1단계	나는 지금 수행평가 때문에 고민하고 있다.
2단계	이건 나뿐만 아니라 학생이라면 누구나 느끼는 고민이다.
3단계	결과와 상관없이 최선을 다한 나 자신을 있는 그대로 인정하기를 바란다. 내가 편안하기를 바란다.

2. 나는 무엇을 희망할 수 있을까?

| 예시 답안 |

01. 외모를 기준으로 사람을 평가하고, 많은 사람들이 외적인 기준에 부합하고자 시간을 낭비한다.

02. 눈에 보이는 외적인 기준만 신경쓰고, 그로 인해 상처받는 사람들이 사라져야 한다. 내면의 아름다움과 그 사람 자체를 바라보아야 한다.

03. 우리는 왜 화장을 하는 것일까요? 서로 외모를 평가하며 한 명이 화장을 하기 시작하면 다른 친구도 자극을 받아서 같이 하게 됩니다. 하지만, 모두가 가장 편하고 자연스러운 것은 있는 스스로의 모습을 인정하고 우리 몸에 해로운 화장을 하지 않는 것입니다.

3. 고통의 역할

| 예시 답안 |

01. ○○○의 자서전

나는 성격이 소심하고 내성적인 편이다. 그래서 친구를 사귈 때 많은 어려움을 겪었다. 특히 초등학교 5학년 때는 친구들과 잘 어울리지 못해서 학교에 가기 싫은 날도 있었다.

짝꿍을 바꾸던 날, 별로 친하지 않았던 친구와 짝꿍이 되자 나는 친구 관계가 더 안 좋아질 것 같아 학교생활을 하는 것이 두려워졌다. 그런데 우연히 짝꿍과 같이 얘기하다 보니 통하는 공통점이 많다는 것을 발견했다. 우리는 그림 그리는 것을 좋아하는 취미를 갖고 있었다. 취미를 통해 짝꿍과 친해지고 더 많은 친구를 사귈 수 있었다.

나의 성격이 맘에 들지 않았고, 성격 때문에 친구를 사귈 수 없을 것이라고 생각했지만 이를 계기로 성격의 어려움을 극복하려고 노력할 수 있었다. 어색했던 친구와 단짝이 되었고 소극적이고 내성적인 내 성격도 마음이 맞는 친구를 사귈 수 있다는 것을 배웠다. 이후로 나는 나의 성격도 긍정적으로 생각하게 되었다.

4. 아름다운 세상을 위하여

| 예시 답안 |

01. 경쟁보다 협동이 모두의 발전을 불러온다.

02. 자신이 새롭게 알게 된 내용을 친구에게도 알려 줄 수 있다.

03. 아침 자습 시간에 친구가 내가 모르는 부분을 알려 주고 도와주었을 때, 나도 친구가 모르는 부분을 알려 주고 도움을 주려는 마음을 갖고 실천해 본다.

04. 함께 노력하고 해결하면서 만족감을 얻을 수 있고, 즐거운 분위기에서 모두가 학급 생활을 할 수 있을 것이다. 또한, 반 친구들의 사이가 돈독해질 것이며 다같이 사이좋게 지낼 수 있을 것이다.

자신만만 적중문제

01 ④	02 ⑤	03 ③	04 ①	05 ③	06 ④
07 ③	08 ⑤	09 ③	10 ②	11 ②	12 ①
13 ②	14 ④	15 ①	16 ④	17 ①	18 ①
19 ①	20 ④	21 ④	22 ①	23~27 해설 참조	

01 (가)는 생명 중심주의, (나)는 생태 중심주의, (다)는 인간 중심주의이다.

| 오답 피하기 |

ㄱ. 도덕적 고려의 범위가 가장 넓은 것은 생태중심주의이다.
ㄹ. (다)는 환경 오염을 일으킬 수 있는 관점으로 이에 대한 반성에서 (가), (나)와 같은 관점이 등장했다.

02 (나)는 생태 중심주의로 자연의 흙, 바위 등도 도덕적 고려의 대상으로 삼고 동등한 가치를 갖는다고 본다.

03 다영이는 공정 무역 인증 마크를 받은 제품을 구매했다. 공정 무역은 개발 도상국의 여건과 상황 개선을 고려한 환경친화적 소비이다.

| 오답 피하기 |

① 합리적 소비는 지불하는 비용을 최소로 하여 제품을 구매하는 것을 기준으로 한다.

04 환경친화적 소비 생활은 제품의 생산과 유통, 폐기와 재생의 과정 모두를 고려한 소비를 말한다.

| 오답 피하기 |

ㄷ, ㄹ은 합리적 소비에 대한 설명으로 답으로 적절하지 않다.

05 제시문은 일상생활에서 누리는 과학 기술 발달에 따른 혜택의 사례를 조사하였다.

06 과학 기술은 이용할 사람이 있어야 하고, 그 사람들의 삶의 질이 향상될 때 의미가 있다는 내용이 들어가야 한다.

07 과학 기술 발달에 따른 여러 부작용을 구체적인 실제 사례와 연결할 수 있는지 묻는 문항이다. 제시된 상황에 가장 적절한 것은 ③이다.

08 그림의 민수는 과학 기술의 발전이 우리가 겪는 불편함을 해결해 줄 것이라며 낙관적으로만 생각하고 있다. 이에 대한 가장 적절한 비판적 사고는 ⑤이다.

| 오답 피하기 |

③ 과학 기술은 도덕적 고려의 대상으로 과학 기술의 개발과 활용에 대해 도덕적 책임을 지녀야 한다.

09 공포의 발견술은 과학 기술의 발달이 초래할 종말을 예상해 보고 대비할 것을 주장한다. 공포를 활용한 도덕적 책임의 발견은 '부정적 결과 상상하기 → 문제점 명료화하기 → 예방책 마련하기'의 단계로 진행된다. 이에 따라 드론의 문제점을 명료화하고 긍정적 기사보다는 부정적 기사를 활용한다는 설명이 적절하다.

10 제시된 물음은 오늘날 과학 기술의 개발 과정이 과거보다 복잡하고 거대하다는 특징을 보여 준다. 그러므로, 기술 개발과 활용에 대한 사회적 논의와 다양한 측면의 의견이 제안되어야 한다.

11 죽음은 누구나 겪는 것이지만, 이해하는 방식과 태도가 다름을 보여 주고 있다.

12 주인공은 죽음을 삶의 유한성을 인식하고 긍정적으로 바꾸기 위한 계기로 삼고 있다.

| 오답 피하기 |

죽음에 대한 이해를 통해 더 능동적으로 자신의 인생을 만들어 가는 모습을 보여 준다.

13 ㄴ과 ㄹ은 죽음을 두렵고 슬픈 것으로만 인식하는 것으로, 죽음의 의미를 올바르게 이해한 내용은 ㄱ, ㄷ이다.

14 죽음은 현재 삶을 허무하고 가치 없는 것으로 만드는 것이 아니라 모든 인간이 겪는 삶의 한 과정으로, 현재 삶에 더욱 충실하고 의미 있게 살게 하는 가치를 발견하게 해 준다.

15 예술·종교와 같은 정신적 가치를 추구하는 것은 의미 있는 삶을 사는 방법 중 하나이다.

16 '호스피스·완화 의료 및 임종 과정에 있는 환자의 연명 의료 결정에 관한 법률'에 대한 이해가 있을 때 해결할 수 있는 문항이다. 반드시 '회생 가능성이 없는' 환자여야 하며, '자기 결정 혹은 가족의 동의'가 있을 때, '연명 치료'를 받지 않도록 한다는 내용이 들어가야 한다.

17 생명 존중의 태도는 인간 존엄성을 지키려고 노력하는 것에 기초를 둔다.

| 오답 피하기 |
자신의 생명에만 집중하고 타인의 생명에 무관심한 것은 생명 존중의 태도를 지닌 것으로 볼 수 없다. 또한, 생명의 존엄성은 조건에 따라 달라지는 것이 아니다.

18 경이란, 한 가지 일에 정신을 집중하는 수양 방법이다. 삶에 대해 성찰하는 모든 것이 적용될 수 있다.

| 오답 피하기 |
두 번째 실천 내용은 한 번에 여러 가지를 하며 한 가지에 집중하지 못하는 상황으로 정신을 혼란스럽게 하는 것이다.

19 참선은 불교에서 제시한 수양법으로 마음을 다스려 깨달음에 이르는 방법이다.

| 오답 피하기 |
ㄷ. 장자는 도가의 사상가로 심재를 제시했다.
ㄹ. 심재에 대한 설명이다.

20 심재란 도가 사상가인 장자가 제시한 것으로 세상을 편견 없이 열린 마음으로 대하기 위한 수양법이다.

21 신독은 남이 알지 못하는 일이라도 도리에 어긋나는 욕심이 자라지 않도록 조심하는 것으로, 경과 더불어 일상생활 속에서 실천할 것을 강조한다.

| 오답 피하기 |
ㄱ. 신독은 유교에서 주장하는 수양법이다.
ㄹ. 타인이 알지 못하는 욕심이라도 조심하고, 누군가의 감시와 무관하게 도덕적으로 옳은 것을 기준으로 삼는 것이다.

22 희망은 목표 도달의 방법과 실천에 대한 확신으로, 막연한 기대나 상상과는 차이가 있다.

| 오답 피하기 |
ㄷ. 고통을 무조건 피해서는 안 된다. 고통 또한 우리 삶의 일부로 받아들여 삶을 긍정적으로 바꾸는 요소로 이해해야 한다.

23 | 예시 답안 | 환경친화적 삶을 사회적으로 실천하는 방법 중 하나는 환경적으로 건전하고 지속 가능한 발전이다. 이는 미래 세대의 필요를 충족할 가능성을 손상하지 않는 범위에서 현세대의 필요를 충족하는 개발 방식으로 모든 경제 발전을 포기하는 것이 아니다.

| 채점 기준 |

상	환경친화적 삶이 경제 발전을 포기하는 것이 아님을 환경적으로 건전하고 지속 가능한 발전의 개념을 통해 서술한 경우
중	환경친화적 삶이 경제 발전을 포기하는 것이 아님을 환경적으로 건전하고 지속 가능한 발전의 개념을 다소 미흡하게 제시해 서술한 경우
하	환경친화적 삶이 경제 발전을 포기하는 것이 아님을 환경적으로 건전하고 지속 가능한 발전의 개념을 통해 서술하지 않은 경우

24 | 예시 답안 | 공포의 발견술의 첫 번째 단계는 부정적 결과 상상하기이다. 만약 VR 기술이 상용화된다면 가상 현실에 너무 익숙해져 현실 생활을 어려워하는 사람들이 많아져 사회가 혼란스러워 질 수 있다.

| 채점 기준 |

상	공포의 발견술 첫 번째 단계인 부정적 결과 상상하기에 맞게 상황을 적용한 서술인 경우
중	공포의 발견술 첫 번째 단계인 부정적 결과 상상하기에 맞게 상황을 적용하였으나 서술이 미흡한 경우
하	공포의 발견술 첫 번째 단계인 부정적 결과 상상하기에 맞게 상황을 적용한 서술이 아닌 경우

25 | 예시 답안 | 과학 기술자들은 발사 장치의 성능 문제 등을 먼저 알 수 있었다. 이처럼 과학 기술자는 과학 기술의 장단점을 일반인보다 잘 알기 때문에 예상되는 문제를 예방하기 위해서는 그들의 전문적 능력이 필요하다.

| 채점 기준 |

상	과학 기술 연구자에 대한 도덕적 책임의 근거를 전문적 능력에서 도출해 서술한 경우
중	과학 기술 연구자에 대한 도덕적 책임의 근거를 전문적 능력에서 도출해 그 의미는 통하나 서술이 미흡한 경우
하	과학 기술 연구자에 대한 도덕적 책임의 근거를 전문적 능력에서 도출해 서술하지 못한 경우

26 | 예시 답안 | 자신과 타인에게 어긋남이 없이 도덕적으로 모범이 되어 떳떳한 삶이다.

| 채점 기준 |

상	도덕적으로 모범이 되어 떳떳한 삶이었다는 내용의 근거를 서술한 경우
중	도덕적으로 모범이 되어 떳떳한 삶이었다는 내용으로 의미는 통하나 서술이 미흡한 경우
하	도덕적으로 모범이 되어 떳떳한 삶이었다는 내용의 근거를 서술하지 않은 경우

27 | 예시 답안 |
• 신체의 고통은 건강에 대한 경고이자 자신을 보호해야 한

다는 신호이다.
• 소중한 사람을 잃는 정신적 고통을 경험하며 삶의 가치, 함께하는 사람들에 대한 소중함을 깨닫는다.

| 채점 기준 |

상	고통의 긍정적 역할 한 가지를 구체적으로 서술한 경우
중	고통의 긍정적 역할을 서술했으나 구체적이지 않은 경우
하	고통의 긍정적 역할 한 가지를 구체적으로 서술하지 않은 경우

시험 대비 최종 문제 1회   144~149쪽

01 ③	02 ④	03 ①	04 ②	05 ⑤	06 ④
07 ②	08 ④	09 ③	10 ③	11 ⑤	12 ③
13 ⑤	14 ①	15 ④	16 ④	17 ②	18 ④
19 ⑤	20 ③	21~25 해설 참조			

01 정보·통신 매체 중 스마트폰을 지나치게 사용하는 절제력이 부족한 오늘날 문제를 반영한 공익 광고이다.

02 동아리 방이라는 제한된 자원을 두고 선배들 집단과 나와 친구들 집단 간의 갈등 상황이 드러나 있다.

03 사이버 공간은 현실 공간과 달리 익명성, 개방성, 공유성의 특성이 있다. 이를 고려하여 우리가 지켜야 할 정보화 시대의 도덕적 원칙 네 가지는 책임, 존중, 정의, 해악 금지의 원칙이다.

| 오답 피하기 |
① 개방의 원칙은 정보화 시대에 요구되는 도덕적 원칙에 해당하지 않는다.

04 정보화 시대의 네 가지 도덕적 원칙 중 두 번째 설명은 존중의 원칙, 세 번째 설명은 정의의 원칙이다. 이 둘에 표시한 학생은 을이다.

05 제시된 그림은 티셔츠를 결정하는 회의에서 의견 대립이 발생한 상황이다. 갈등이 발생했을 때는 갈등을 부정적으로 보기보다 합리적이고 평화적으로 해결하려는 자세를 가지고 발전의 계기로 삼아야 한다.

06 메라비언의 법칙은 평화적 갈등을 해결을 위한 소통 방법으로 비언어적 의사소통 수단의 중요성을 알려 준다. 이 법칙과 갈등 상황을 연결해 유추했을 때, 가장 적절한 것은 비언어적 표현을 통한 경청 자세를 보여 주는 ㄴ, ㄹ이다.

07 뚱뚱한 친구에게 뚱보라고 부르는 것은 부르는 학생은 장난이지만 듣는 학생에게는 불편한 언어폭력이 될 수 있다.

| 오답 피하기 |
ㄹ. 부작위에 의한 폭력은 피해 상황을 방관하며 발생하는 폭

력으로, 위 그림의 상황에서는 찾을 수 없다.

08 폭력의 악순환의 관점에서 볼 때, 폭력을 당한 사람이 대항하기 위해 폭력을 행사하거나 복수심으로 다른 폭력을 행사하기도 한다. 이 경우 폭력은 더욱 커지고 확산할 수 있다.

09 정의로운 국가에 대해 소극적 국가관은 국가의 개입을 최소화할 것을 주장한다. 반면 적극적 국가관에서는 복지 정책 확대 등 국가의 개입으로 개인이 자유를 누릴 수 있는 기본적인 조건을 제공해야 한다고 본다.

| 오답 피하기 |
소극적 국가관과 적극적 국가관 모두 공정한 경쟁을 하는 것에 동의하지만, 경쟁의 구체적인 방법과 국가의 개입에 대한 입장이 다르다.

10 타인에게 피해를 주지 않는 한 자기 뜻대로 삶을 설계하고 추구하는 가치는 '자유'에 해당한다.

11 국가의 역할과 기능으로 옳은 설명은 ㄷ과 ㄹ이다. 국가의 객관적 요소에는 국민, 영토, 주권이 있으며, 주관적 요소는 자부심과 소속감이 있다. 객관적 요소와 주관적 요소의 결합으로 국가가 성립한다.

12 시민 의식이란 국가 공동체의 구성원으로서 권리와 의무를 정당하게 행사하겠다는 의식이다. 기사에는 올바른 시민 의식과 작은 실천에서 출발하는 올바른 애국심이 조화를 이룬 모습을 보여 준다.

13 달리기 시합에서 어린이, 장애인, 노인, 육상 선수가 같은 규칙으로 경기를 하는 것은 공정하지 않은 경쟁이다. 공정한 경쟁을 하기 위해서는 경쟁에 참여하는 사람들 간의 차이를 인정하고 사회적 약자를 배려해 적절한 기회를 제공할 필요가 있다.

14 부패 행위를 예방하기 위해 개인 윤리 차원에서는 견리사의 기르기, 선공후사의 자세 등을 가져야 한다. 내부 고발자 보호, 공익 신고자 보호는 개인이 실천하기에는 한계가 있기 때문에, 사회 윤리 차원에서 노력해야 한다.

| 오답 피하기 |
부패 인식 지수는 매년 국제 투명성 기구가 발표하는 것으로, 지수가 낮을수록 그 나라 국민이 부패로 인해 치르는 희생이 높다는 의미로 해석한다. 따라서 부패 인식 지수를 높이려는 노력이 필요하다.

15 북한 주민에 대한 올바른 설명은 학생 정이 표시한 설명이다.

| 오답 피하기 |
첫 번째 설명에서 경제난의 심화로 북한 주민들 사이에서는 집단주의가 아닌 돈과 이익을 중시하는 시장 경제적 사고와

개인주의가 확산하고 있다.

세 번째 설명에 나오는 조선 민주주의 인민 공화국 사회주의 헌법은 보편적 가치보다 집단주의 원칙을 더 중시한다.

16 상호 간의 이익과 민족의 화해와 공동 번영이라는 목표를 가지고 남북한의 교류와 협력이 진행되어야 하며, 어느 한쪽에 대한 일방적인 지원이나 시혜 차원의 교류에 머무는 것은 바람직하지 않다.

17 제시문은 나무가 자신의 삶에 필요한 것들을 제공하기 때문에 가치 있는 것이라고 말하고 있다. 이는 자연을 인간만을 위한 도구로 여기는 관점으로 인간 중심적 가치관에 해당한다. 옳은 평가는 ㄱ, ㄷ이다.

18 '공포의 발견술'은 요나스(Johas, H)가 과학 기술의 발달로 초래할 인류의 종말을 예상해 보고 대비할 것을 주장하며 제시한 방법이다. 공포의 발견술 1단계는 주어진 상황에서 일어날 수 있는 부정적 결과를 제시하는 '부정적 결과 상상하기'이다. 제시된 상황의 부정적 결과로 가장 적절한 것은 ④번이다.

19 나바호 인디언들이 삶을 바라보는 태도와 의미 있는 삶을 위한 노력을 보여 주는 제시문이다. 우리는 삶의 유한성을 깨닫되, 좌절하거나 슬픔에 빠질 것이 아니라 현재에 삶에 충실함으로써 의미 있고 보람된 삶을 살아갈 수 있다.

20 제시문은 '희망'을 담은 연설문이다. 희망은 앞으로 다가올 인생에서 뜻하는 일이 잘 이루어질 것이라는 긍정적인 생각과 낙관적인 태도를 의미한다. 목표를 이루려는 방법을 알아내고, 그것을 실천할 수 있다는 확신으로 이루어진 것으로, 막연한 기대나 상상과는 구분되는 개념이다.

21 | 예시 답안 | 첫째는 따돌림이다. 왜냐하면, 을이 다른 친구들과 어울리지 못하게 갑이 의도적으로 험담을 하고 있기 때문이다. 둘째는 부작위에 의한 폭력이다. 나는 을을 의도적으로 괴롭히지는 않았지만, 을의 상황을 알고도 외면하고 방관하고 있기 때문이다.

| 채점 기준 |

상	폭력 두 가지의 명칭과 그것이 폭력에 해당하는 이유를 올바르게 서술한 경우
중	폭력 한 가지의 명칭과 그것이 폭력에 해당하는 이유를 올바르게 서술한 경우
하	폭력의 명칭과 그것이 폭력에 해당하는 이유를 모두 서술하지 못한 경우

22 | 예시 답안 |

(가): 불복종 이유가 공동선에 부합하는 등 목적이 정당해야 한다.

(나): 처벌의 감수

(다): 합법적인 절차를 거친 후 최후의 수단으로 이루어져야 한다.

| 채점 기준 |

상	(가), (나), (다)의 내용을 모두 올바르게 서술한 경우
중	(가), (나), (다) 중 두 가지의 내용을 올바르게 서술한 경우
하	(가), (나), (다) 중 한 가지의 내용만 올바르게 서술한 경우

23 | 예시 답안 | 북한의 이중성은 군사적 대결 구도에서 볼 때 북한 당국은 안보상 위협적인 존재이지만, 북한 주민은 인도주의의 측면에서 장차 우리와 함께 통일 국가를 이루고 살아갈 겨레라는 것이다.

| 채점 기준 |

상	군사적 경계 대상으로서의 북한과, 통일을 해야 하는 겨레로서의 북한의 모습 두 가지를 모두 올바르게 서술한 경우
중	군사적 경계 대상으로서의 북한과, 통일을 해야 하는 겨레로서의 북한의 모습 중 한 가지만 올바르게 서술한 경우
하	군사적 경계 대상으로서의 북한과, 통일을 해야 하는 겨레로서의 북한의 모습 두 가지 모두 올바르게 서술하지 못한 경우

24 | 예시 답안 |

대내적 효과	• 분단 극복의 성취감과 역사적 자존감을 심어 준다. • 상대적으로 젊은 인구가 많은 북한과 통일을 하면 고령화 문제가 완화된다.
대외적 효과	• 유라시아 대륙과 태평양을 잇는 교량 역할을 할 수 있다. • 남북 갈등에 따른 소모적 외교전 대신 자유로운 외교 역량을 발휘해 입지가 강화된다.

| 채점 기준 |

상	대내적 효과와 대외적 효과를 모두 올바르게 서술한 경우
중	대내적 효과와 대외적 효과 중 한 가지만 올바르게 서술한 경우
하	대내적 효과와 대외적 효과를 모두 올바르게 서술하지 못한 경우

25 | 예시 답안 | 자신 또는 타인의 생명을 가볍게 여기는 태도는 인간의 존엄성을 부정하는 행동일 수 있다.

| 채점 기준 |

상	생명 존중의 관점에서 웰다잉법을 비판하는 근거를 서술한 경우
중	생명 존중의 관점에서 웰다잉법을 비판하는 근거를 제시해 그 의미는 통하나 서술이 미흡한 경우
하	생명 존중의 관점에서 웰다잉법을 비판하는 근거를 서술하지 못한 경우

01 익명성은 자신의 정체를 드러내지 않고 활동할 수 있는 특성이다. 자유롭게 의견을 제시하고 의사소통을 할 수 있지만, 이를 악용해 무책임한 행동을 하는 사례가 발생하기도 한다.

| 오답 피하기 |
두 번째 특징으로 상대방과 얼굴을 맞대지 않고 의사소통을 하는 것은 비대면성이다.
세 번째 특징으로 글이나 그림 등을 실시간으로 많은 사람이 전달받을 수 있다는 것은 공유성과 개방성에 해당한다.

02 비대면성의 특성은 사이버 공간에서 두드러진다. 사이버 공간에서는 상대방의 반응을 직접 느끼지 못할 때가 많기 때문에 자신의 비도덕적 행동에 대해 무감각해지고 현실 공간에서 하기 어려운 말이나 행동을 쉽게 하기도 한다.

03 갈등 상황의 대처 방법으로는 회피형, 공격형, 의견 조정형이 있다. 두 염소는 자신의 주장만을 일방적으로 내세우는 공격형에 해당한다.

04 갈등 상황에 있는 두 염소에게는 객관적으로 원인을 파악하고 현재 상황을 인정하며 조정해야 한다는 조언이 적절하다.

| 오답 피하기 |
ㄷ. 회피형으로 일시적으로 갈등 상황을 벗어날 수는 있지만, 근본 원인을 해결하지 못해 같은 갈등 상황이 반복될 수 있다.
ㄹ. 갈등 해결 방법 중 제로섬 게임은, 한쪽이 지고 다른 쪽이 이기는 방식으로 양쪽의 이득을 합했을 때 '0'이 되는 상태이다. 또 다른 방법인 윈윈 게임은 갈등 당사자 모두가 만족스러운 결과로 갈등을 해결한 상태를 지향한다.

05 정보·통신 매체의 올바른 사용 자세로 절제가 필요함을 보여 주는 제시문이다.

06 비폭력 대화의 순서는 관찰 → 느낌 → 욕구 → 부탁이다.

07 폭력의 유형은 물리적 폭력, 구조적 폭력, 부작위에 의한 폭력 등으로 나뉜다. 제시된 그림에는 잘못된 사회 구조와 관행이 원인이 되어 발생하는 구조적 폭력이 나타나 있으며, 양성 불평등의 문제를 보여 준다.

08 구조적 폭력은 사회 윤리적 차원에서 올바른 교육 및 제도 시행으로 개선할 수 있다.

09 소수계 우대 정책은 국가에서 소외당하는 소수 집단을 배려해 특혜를 주는 정책이다. 소극적 국가관은 국가의 개입이 최소화될 때 개인의 자유를 보장받을 수 있다고 보며, 적극적 국가관에서는 국가의 개입 및 복지 정책 확대를 통해 개인의 자유를 보장할 수 있다고 본다. 이를 근거로 볼 때 가장 적절한 것은 ㄱ, ㄹ이다.

| 오답 피하기 |
ㄴ. 자유를 누릴 수 있는 기본적인 조건을 마련해 줘야 한다는 내용은 적극적 국가관인 을의 입장에 해당한다.
ㄷ. 소수계 우대 정책이 공정한 경쟁을 할 수 없게 자유를 침해한 것이라고 보는 입장은 갑의 입장에 해당한다.

10 갑의 입장에서는 국가의 개입이 개인의 자유와 권리를 침해할 것이라는 내용을 비판의 근거로 삼아야 한다.

11 제시문은 시민으로서의 책임감이 약해졌을 때 일어날 수 있는 사례이다. 국가 공동체 안에서 성숙한 시민은 공동체 의식을 지니고 자신의 책임과 의무를 다하면서도 권리를 올바르게 행사하는 사람이다. 지나치게 사익만 추구하는 것은 공동체 의식의 저하로 이어진다.

12 제시문에 나타난 독일의 나치스는 맹목적이고 배타적인 애국심의 문제점을 보여 준다. 인간 존엄성과 보편적 가치가 반영되어있지 않은 애국심은 다른 나라의 존엄성을 훼손하고 평화를 위협한다.

13 제시문은 개인의 노력만으로는 정의로운 사회를 만드는 데 한계가 있음을 보여 주는 기사이다. 그렇기 때문에 사회 윤리 차원에서 세금 납부 문제를 개선해야 하며, 이를 통해 어려운 사람들을 위한 사회 보장 지출을 늘릴 수 있는 제도적 보완이 필요하다.

14 경쟁 결과가 정당하다는 것은 부정한 수단과 방법을 사용한 사람은 보상에서 배제해야 하며, 규칙을 잘 지켜 승리한 사람에게 보상이 돌아가야 한다는 뜻이다. 또한, 경쟁에서 뒤처졌다 하더라도 모든 사람이 인간다운 삶을 누릴 수 있어야 하며, 경쟁 과정에 또다시 참여할 기회를 줘야 한다.

15 북한 정권은 정치적, 군사적 경계 대상이지만 북한 주민은 민족 공동체 형성을 위한 동반자라는 북한의 이중성을 균형 있게 이해해야 한다.

16 ⓒ은 인도주의적 차원에서 제시할 수 있는 통일의 근거이며, ⓔ은 경제적 번영의 차원에서 제시할 수 있는 통일의 근거이다.

| 오답 피하기 |
ㄱ. 인적 자원을 효율적으로 활용하는 것은 경제적 번영과 발

전의 차원에서 제시할 수 있는 근거이다.

ㄷ. 통일 한국은 잠재적 전쟁에 대한 공포에서 벗어나므로 현재보다 국가 신용도가 오를 것이다.

17 제시문은 환경친화적 삶을 위한 사회적 실천 방안의 구체적인 제도를 보여 준다. 합리적 소비란 비용을 최소로 아끼며 만족감을 높이는 소비 형태를 말하는 것으로 제시문의 정책을 이해한 것으로 옳지 않다.

18 (가), (나)는 새로운 과학 기술의 등장으로 나타날 수 있는 사회 변화에 따른 도덕적 논의의 필요성을 보여 준다.

19 제시문의 소년은 타인의 어려움 앞에 자신이 할 수 있는 일을 고민하다가 소녀에게 피를 주기로 결정하고 나눔과 베풂이라는 도덕적 이상을 추구했다. 이처럼 도덕적 이상을 추구하는 삶은 결국 자신과 타인에게 부끄럽지 않은 삶을 살아가는 것으로 이어진다.

20 즐거움이 언제나 좋은 것은 아니다. 예를 들어 내가 해야 할 일을 하지 않은 채 놀고만 있는 상황은 결국 불안을 가져다준다. 마찬가지로 고통도 언제나 부정적인 영향을 주는 것은 아니다. 가령 신체의 고통은 건강에 대한 경고이자 자신을 보호해야 한다는 신호로 작용한다. ㄷ 선택지의 심재는 도가의 장자가 제시한 수양법이다.

21 | 예시 답안 | 대통령이나 국회의원 같은 공인이 과거에 범죄자였다고 생각한다면, 반드시 알아야 할 정보가 개인의 잊힐 권리로 인해 잊혀서 다수의 공익을 해치는 것은 바람직하지 않다.

| 채점 기준 |

상	제시한 사례가 타당하며, 근거를 올바르게 서술한 경우
중	제시한 사례와 근거가 타당하나 서술이 다소 미흡한 경우
하	제시한 사례와 근거를 서술하지 못한 경우

22 | 예시 답안 |

(가): 어떤 상황에서 있는 그대로 무엇이 일어나고 있는가를 평가하지 않고 객관적으로 관찰한다.

(나): 내 삶을 더 풍요롭게 하도록 다른 사람이 해 주기를 바라는 것을 강요하지 않고 부탁한다.

| 채점 기준 |

상	(가), (나)를 모두 올바르게 서술한 경우
중	(가), (나) 중 한 가지만 올바르게 서술한 경우
하	(가), (나)를 모두 올바르게 서술하지 못한 경우

23 | 예시 답안 | 무조건 이기기 위해 불공정한 수단과 방법을 사용해 사회 구성원간 신뢰와 협력이 깨질 수 있고, 승자

와 패자 사이의 불평등 심화로 사회 갈등과 혼란이 커진다.

| 채점 기준 |

상	사회적 문제점 두 가지를 모두 올바르게 서술한 경우
중	사회적 문제점을 한 가지만 올바르게 서술한 경우
하	사회적 문제점 두 가지 모두 올바르게 서술하지 못한 경우

24 | 예시 답안 |

(가): 윤희는 약속을 지키지 않았고, 미나는 전화를 받지 않았다.

(나): 화가 나서 윤희의 전화를 받지 않고 대화를 거부했다.

| 채점 기준 |

상	(가), (나)를 모두 올바르게 서술한 경우
중	(가), (나) 중 한 가지만 올바르게 서술한 경우
하	(가), (나)를 모두 올바르게 서술하지 못한 경우

25 | 예시 답안 | 1단계는 부정적 결과 상상하기, 2단계는 문제점 명료화하기, 3단계는 예방책 마련하기이다.

| 채점 기준 |

상	공포의 발견술 3단계를 모두 올바르게 서술한 경우
중	공포의 발견술 3단계 중 두 가지를 올바르게 서술한 경우
하	공포의 발견술 3단계를 올바르게 서술하지 못한 경우